KB141324

현대어본 명주보월빙

현대어본

명주보월빙

8

역
주

최
길
용

이 저서는 2010년도 정부재원(교육부 인문사회연구역량강화사업비)
으로 한국연구재단의 지원을 받아 연구되었음(NRF-2010-327-A00283)

This work was supported by the National Research Foundation of
Korea Grant funded by the Korean Government(NRF-2010-327-A00283)

서문 ● ●

　텔레비전이나 라디오가 없던 시절, 소설은 우리 선인들에게 무료한 일상을 달래며 인간사의 다양한 문제들에 대한 여러 생각들을 공유하게 해주던 매우 유용한 미디어였다. 아낙네들의 길쌈하던 일자리나 밤 마실 자리에도, 고관대가 귀부인들의 침실이나 근엄한 사대부들의 책상위에서도, 길가는 사람들로 붐비던 남대문이나 종로거리에서도, 소설은 오늘의 TV나 라디오처럼 사람들의 눈과 귀를 사로잡았다. 그리하여 아낙네들은 소설 없는 밤을 견디지 못하여 금반지나 쌀자루를 들고 세책가를 뻔질나게 들락거렸고, 먹고살 길이 막막했던 어느 곱상한 총각은 여자 강독사로 변장을 하고 판서대감댁 마님 방을 드나들며 소설을 읽어주다 불륜사실이 들통 나 죽음을 당하기도 했다. 그런가하면 공청에서 소설 삼매경에 빠져있던 어느 대감님은 갑작스러운 방문객에 화들짝 놀라 공문서로 소설책을 덮어놓고 시치미를 떼기가 다반사였는가 하면, 종로의 한 담뱃가게 점원 녀석은 전기수가 들려주던 삼국지에 팔려 있다가, 악한 조조가 착한 유비를 몰아붙이는 대목에서 화가나, 담배 썰던 칼을 들고 나와 애꿎은 전기수를 찔러 죽이는 살인사건이 일어나기도 했다.

　이렇듯 18-19세기 조선사회는 온통 소설열독에 빠져 있었다. 글을 아는 사람이든 모르는 사람이든, 양반이든 평민이든, 남자든 여자든, 노인이든 젊은이든 할 것 없이 삼천리 방방곡곡이 소설열풍에 휩싸여 있었다. 그렇게 될 수 있었던 것은 무엇보다도 소설이란 장르의 문학적 특성 곧 이야기 문학이 갖는 접근의 무제한성에 있다. 우리 모두가 알고 있는 바와 같이, 이야기는 사건의 흐름을 통해서 이해되는 것이지, 꼭 글자를 통해서만 이해되는 것이 아니다. 비록 글자로 쓰인 이야기라 하더라도, 그것을 누군가가 대신 읽어주거나, 먼저 읽은 사람이 읽은 내용을 말해주는 것을 듣고도, 얼마든지 그 이야기의 내용을 이해할 수가 있고 공감을 가질 수가 있다. 이러한 특성 때문에, 당시에는 글자를 모르는 사람이나 책읽기를 고역스럽게 여기는 사람을 위해, 책을 대신 읽어주는 강독사나, 책을 먼저 읽고 그 내용을 구수한 입담으로 풀어 이야기해주는 전기수와 같은 새로운 직업인이 나타나기도 하였다.

그러나 이 시대를 한국문학사에서 소설의 시대로 꽃피우게 한 것은 뭐니 뭐니 해도 한글필사본소설들의 범람이다. 한글필사본소설들은 한글의 쓰기 쉽고 빨리 쓸 수 있다는 장점과, 필사본의 간편하면서도 저렴한 제책 방식이 갖는 장점을 최대한 활용한 것으로서, 가정이나 궁중 세책가 등에서 다투어 소설들을 베껴 돌려가며 읽었었다. 특히 세책가에서는 여러 종의 한글필사본들을 다량으로 확보해 놓고 본격적으로 소설대여업에 나섬으로써, 이 시대 소설열풍에 더 큰 불을 지폈다.

이 작품 〈명주보월빙〉연작 235권(〈명주보월빙〉100권, 〈윤하정삼문취록〉105권, 〈엄씨효문청행록〉30권)은 위에서 말한 바의 18세기 말 한국고소설의 전성시대에 나왔다. 그 작품분량은 원문 글자 수가 도합 332만3천여 자(〈보월빙〉1,475,000, 〈삼문취록〉1,455,000, 〈청행록〉393,000)에 이를 만큼 방대하여, 당대 조선조 소설문단의 창작적 역량을 한눈에 보여주는 대작이다. 이 연작은 한국고소설사상 최장편소설로 꼽히는 작품일 뿐 아니라, 동시대 세계문학사에서도 그 유례를 찾아볼 수 없는 대장편서사체이다. 그 분량이 하루에 3-4시간을 들여 하루 한권씩을 꼬박꼬박 읽어낼 수 있는 아주 성실한 독자라고 할 때, 무려 235일간을 읽어야 다 읽어낼 수 있는 분량이니, 이 작품이 당시 궁중에서도(낙선재본), 일반대중들 사이에서도(박순호본: 이것은 세책본이다) 널리 읽혀졌던 사실을 염두에 둔다면, 당대 우리사회의 소설열독 풍조와 세책가의 활황이 어느 정도였을 지를 가히 짐작하고도 남게 한다.

양식 면에서, 《명주보월빙 연작》은 중국 송나라를 무대로 하여 윤·하·정 3가문의 인물들이 대를 이어 펼쳐가는 삶을 다룬 〈보월빙〉·〈삼문취록〉과, 윤문과 연혼가인 엄문의 인물들이 펼쳐가는 삶을 다룬 〈청행록〉으로 이루어져, 그 외적양식 면에서는 〈보월빙〉-〈삼문취록〉-〈청행록〉으로 이어지는 3부 연작소설이며, 내적양식 면에서는 윤·하·정·엄문이라는 네 가문의 가문사가 축이 되어 전개되는 가문소설이다.

내용면에서 보면, 이 연작에는 모두 787명(〈보월빙〉275, 〈삼문취록〉399, 〈청행록〉113)에 이르는 수많은 인물군상이 등장하여, 군신·부자·부부·처첩·형제·친구 등 다양한 인간관계에서 벌어지는 숱한 사건들을 펼쳐가면서, 충·효·열·화목·우애·신의 등의 주제를 내세워, 인륜의 수호와 이상적인 인간 공동체의 유지, 발전을 위한 선적가치(善的價値)들을 권장하고 있다. 아울러 주동인물군의 삶을 통해 고귀한 혈통·입신양명·전지전능한 인간·일부다처·오복향수·이상향의 건설 등과 같은 사대부귀족계급의 현세적 이상을 시현해놓고 있다.

필자는 이 책 『현대어본 명주보월빙』의 편찬에 앞서 『교감본 명주보월빙』(全5권, 학고방, 2014.2)을 편찬 간행한 바 있다. 이 교감본 명주보월빙』은 〈명주보월빙〉의 두 이본, 곧 100권100책으로 필사된

‘낙선재본’과 36권36책으로 필사된 ‘박순호본’을 원문내교(原文內校)와 이본대교(異本對校)의 2단계 원문교정 과정을 거쳐 각 텍스트의 필사과정에서 생긴 원문의 오자·탈字·오기·연문·결락들을 교정하고, 여기에 띄어쓰기와 한자병기 및 광범한 주석을 가해 편찬한 것으로써, 컴퓨터 문서통계 프로그램이 계산해준 이 책의 파라텍스트(para-text)를 제외한 본문 총글자수는 539만자(낙본 2,778,000자, 박본2,612,000자)에 이른다.

이 책은 위 두 이본 중 선본인 낙선재본 교감본(2,778,000자)을 대본으로 하여 이를 현대어로 옮긴 것으로, 그 총분량은 282만자에 달한다. 앞의 교감본이 연구자를 위한 전문학술도서 국배판 전5권으로 편찬된데 비해, 이 현대어본은 중·고·대학생과 일반대중을 위한 교양도서(소설)로 성격을 전환하고, 그 규격을 경량화 하여 신국판 전10권으로 편찬함으로써, 책의 부피가 주는 중압감과 지나치게 작고 빽빽한 글자가 주는 눈의 피로를 해소하기 위해 노력했다.

이 현대어본의 편찬 목적은 고어표기법과 한자어·한자성어·한문문장체 표현 위주의 문어체 문장으로 되어 있는 원문을, 현대철자법과 현대어법에 맞게 번역하거나, 한자병기, 주석, 띄어쓰기를 가해 가독성(可讀性)이 높은 텍스트로 재생산하여, 일반 독자들에게 ‘읽기 쉬운 책’을 제공하는데 있다. 그리고 이렇게 함으로써 독자들이 누구나 쉽게 우리의 고전문학에 접근할 수 있게 하고, 일찍이 세계 최고수준의 소설문학을 창작하고 향유했던 민족문학에 대한 이해와 자긍심을 높이 갖도록 하는 데 있다.

아무쪼록 이 책의 출판을 계기로 이 작품이 더 많은 독자들과 연구자,

문화계 인사들의 사랑과 관심을 받게 되고, 영화나 TV드라마 등으로 제작되어 민족의 삶과 문화가 더 널리 전파되어 갈 수 있기를 기대한다. 이 작품들 속에 등장하는 앵혈·개용단·도봉잠·회면단·도술·부적·신몽·천경 등의 다양한 상상력을 장착한 소설적 도구들은 민족을 넘어 세계인들의 사랑과 흥미를 이끌어내기에 충분할 것으로 믿어 의심치 않는다.

끝으로 어려운 출판 여건 속에서도 『교감본 명주보월빙』(全5권)에 이어, 전10권이나 되는 이 책의 출판을 흔쾌히 맡아주신 도서출판 학고방의 하운근 대표님과, 편집과 출판을 맡아 애써주신 직원 여러분께 깊은 감사를 드린다.

2014년 4월 20일

최길용

(전북대학교겸임교수)

•• 일러두기

　이 책『현대어본 명주보월빙』은 필자가 〈명주보월빙〉의 두 이본, 곧 100권100책으로 필사된 '낙선재본'과 36권36책으로 필사된 '박순호본'을, 원문내교(原文內校)와 이본대교(異本對校)의 2단계 원문교정 과정을 거쳐, 각 텍스트의 필사과정에서 생긴 원문의 오자·탈자·오기·연문·결락들을 교정하고, 여기에 띄어쓰기와 한자병기 및 광범한 주석을 가해 편찬한『교감본 명주보월빙』(全5권, 학고방, 2014.2.)의, '낙선재본 교감본'을 대본(臺本)으로 하여, 이를 현대어로 옮긴 것이다.

　그 방법은 원문 가운데 들어 있는 ①난해한 한자나, ②한문문장투의 표현들, ③사어(死語)가 되어버려 현대어에 쓰이지 않는 고유어들을, 1.현대어로 번역하거나, 2.한자병기(漢字倂記)를 하거나, 3.주석을 붙여, 독자가 그 뜻을 쉽게 이해할 수 있도록 하되, 그 이외의 모든 고어(古語)들은 4.표기(表記)만 현대 현대철자법에 맞게 고쳐 표기하는 방식으로 이 책『현대어본 명주보월빙』을 편찬하였다.

　여기서는 위 1.-4.의 방법에 대해 한 두 개씩의 예를 들어 두는 것으로, 본 연구의 현대어본 편찬방식을 간단하게 밝혀두기로 한다.

1. 번역
　한문문장투의 표현이나 사어(死語)가 된 고어는 필요한 경우 현대어로 번역하였다.

㉠ '조디장ᄉ(鳥之將死)이 기셩(其聲)이 쳐(悽)ᄒ고, 인지장ᄉ(人之 將死)의 기언(其言)이 션(善)ᄒ다.' ᄒ니, 슉뫼 반ᄃ시 별셰(別 世)ᄒ시려 이리 니르시미니

⇒ '새가 죽을 때면 그 소리가 슬프고, 사람이 죽을 때면 그 말 이 착하다' 하니, 숙모 반드시 별세(別世)하시려 이리 이르 심이니,

㉡ 그대 집 변고는 불가사문어타인(不可使聞於他人)이라. 우리 분 명이 질녜 무사히 돌아감을 보아시니, 그 사이 변괴 있음이야 어찌 몽리(夢裏)의나 생각하리오마는

⇒ 그대 집 변고는 남이 들을까 두려운지라. 우리 분명히 질녀 가 무사히 돌아감을 보았으니, 그 사이 변괴 있음이야 어찌 꿈속에서나 생각하였으리오마는

㉢ 안비(眼鼻)를 막개(莫開)'라

⇒ 눈코 뜰 사이가 없더라.

㉣ 성각이 망지소위중(罔知所爲中) 차언(此言)을 듣고

⇒ 성각이 당황하여 어찌해야 할지를 알지 못하는 가운데 이 말 을 듣고

㉤ 기불미새(豈不美之事)리오?

⇒ 어찌 아름다운 일이 아니겠는가?

　ⓗ 사어(死語)가 된 고어는 필요에 따라 번역하였다.

　　예)써지우다/처지게 하다 떨어지게 하다　　다릐다/당기다

　　　-도곤/-보다　　아/아우　　아이/아우 동생　　남다/넘다

　　　아쳐ㅎ다/흠을 잡다 싫어하다 미워하다　　싼다/뽑다

　　　무으다/쌓다 만들다　　흉희(胸海)/가슴　　나/나이

2. 한자병기(漢字倂記)

　어려운 한자어 가운데 한자만 병기하여도 그 뜻을 쉽게 이해할 수 있는 말은 구태여 주석을 붙이지 않고 한자만 병기하였다.

　　㉠ 신부의 화용월틱(花容月態) 챤연쇄락(燦然灑落)ㅎ여 챵졸의 형용ㅎ여 니르지 못홀디라.

　　　⇒ 신부의 화용월태(花容月態) 찬연쇄락(燦然灑落)하여 창졸에 형용하여 이르지 못할지라.

3. 주석(註釋)

　한자병기만으로 뜻을 이해할 수 없는 한자어나, 사어(死語)가 된 고어는, 주석을 붙여 그 뜻을 밝혀 두어, 독자가 쉽게 이해할 수 있게 하였다.

　　㉠ 윤태위 빅의소딕(白衣素帶)로 죄인의 복식을 ㅎ여시나, 화풍경운(和風慶雲)이 늠연쇄락(凜然灑落)ㅎ여 농미봉안(龍眉鳳眼)이며 연함호뒤(燕頷虎頭)오 월면단순(月面丹脣)이니

　　　⇒ 윤태우 백의소대(白衣素帶)1)로 죄인의 복색을 하였으나, 화풍경운(和風慶雲)이 늠연쇄락(凜然灑落)ㅎ여, 용미봉안(龍眉鳳眼)2)이며 연함호두(燕頷虎頭)3)요 월면단순(月面丹脣)4)

이니

주) 1) 백의소대(白衣素帶) : 흰 옷과 흰 띠를 함께 이르는 말로 벼슬이 없는 사람의 옷차림을 말함.

2) 용미봉안(龍眉鳳眼) : '용의 눈썹'과 '봉황의 눈'이란 뜻으로, 아름다운 눈 모양을 표현한 말.

3) 연함호두(燕頷虎頭) : 제비 비슷한 턱과 범 비슷한 머리라는 뜻으로, 먼 나라에서 봉후(封侯)가 될 상(相)을 이르는 말.

4) 월면단순(月面丹脣) : 달처럼 환하게 잘생긴 얼굴에 붉고 고운 입술을 가짐.

ⓛ 촌촌(寸寸) 젼진ᄒᆞ여 걸식 샹경ᄒᆞ니, 대국 인물의 셩홈과 번화ᄒᆞ미 번국과 ᄂᆡ도ᄒᆞ더라.

⇒ 촌촌(寸寸) 전진하여 걸식 상경하니, 대국 인물의 성함과 번화함이 번국과 내도한지라1).

주) 1)내도하다 : 매우 다르다. 판이(判異)하다.

ⓒ ᄌᆞ녀를 셩취(成娶)ᄒᆞ여 영효(榮孝)를 보미 극히 두긋거오나 내 스스로 ᄆᆞᆷ이 위황(危慌)ᄒᆞ니

⇒ 자녀를 성취(成娶)하여 영효(榮孝)를 봄이 극히 두긋거우나1) 내 스스로 마음이 위황(危慌)하니

주) 1) 두긋겁다 : 자랑스럽다. 대견스럽다.

4. 현행 한글맞춤법 준용

고어는 그것을 단순히 현대철자법으로 고쳐 표기하는 것만으로도 그

90% 이상이 현대어로 전환된다. 따라서 현대어본 편찬 작업의 중심은 고어를 현대철자법으로 바꿔 표기하는 작업에 있다 할 것이다. 이 책에서의 현대어 전환표기 작업은, 번역을 해야 할 말을 제외한 모든 고어 원문을, 현행 한글맞춤법을 준용하여, 현대 철자법으로 고쳐 표기하는 방식으로 진행하였다. 그리고 그 작업에는 다음의 몇 가지 원칙이 적용되었다.

① 원문의 아래아 (·)는 'ㅏ'로 적음을 원칙으로 한다.
(ᄌᆞ녀⇒자녀, 잉ᄐᆡ⇒잉태, 영ᄋᆞ⇒영아, 이 ᄀᆞᆺᄒᆞᆫ⇒이 같은, 예외; 업거ᄂᆞᆯ⇒ 없거늘)

② 원문의 연철표기는 현대어법을 따라 분철표기를 원칙으로 한다.
(므어시⇒무엇이, 본바들⇒본받을, 슬프믈⇒슬픔을, 고ᄋᆞ믈⇒고움을, 아라⇒알아)

③ 원문의 복자음은 현행 맞춤법 규정을 따라 표기한다.
(ᄡᅣᆼ뇽⇒쌍룡, ᄠᅳᆮ⇒뜻, ᄲᅩ아⇒쏘아, ᄭᅵᄃᆞᆮ디 ⇒ 깨닫지, ᄲᆞᆯ니⇒빨리, ᄶᆞᆯ오더니⇒따르더니)

④ 원문의 표기가 두음법칙·구개음화·원순모음화·단모음화 등의 음운변화로 인해 달라진 말들은 현행 맞춤법 규정을 따라 표기 한다.
(뉴시⇒유씨, 녕아⇒영아, 텬죠⇒천조, 뎐상뎐하⇒전상전하, 믈⇒물, 쥬쥬⇒주주)

5. 종결·연결·존대어미 등의 원문 준용

문어체 위주의 원문 문장은 구어체 위주의 현대문장과 현격한 문체적 차이를 갖고 있다. 특히 문장의 종결어미나 연결어미, 존대어미는 글의 문체적 특성을 드러내는 매우 중요한 요소들이기 때문에 역자가 이를 현대문의 문체로 고쳐 표현하는 것은 한계가 있을 수밖에 없다. 그것은 문어체 문장이 갖고 있는 장중(莊重)하고도 전아(典雅)하면서 미려(美麗)하고 운률적(韻律的)인 여러 미감(美感)들을 깨트려놓음으로써, 원전의 작품성을 크게 훼손할 수가 있기 때문이다. 따라서 이 책에서는 원문의 종결·연결·존대어미들을 원문의 형태를 준용하여 옮기되, 앞의 원칙(4.현행 한글맞춤법 준용)에 따라 철자법만 현대 철자법으로 고쳐 옮겼다. 다만 연결어미의 반복적 사용으로 문장이 매끄럽지 못하거나 지나치게 길어진 경우에는 이를 적절히 교정하였다.

목차 ● ●

ꕔ

명주보월빙 권지칠십일

어시에 황상이 윤원수의 남토 정벌한 공노를 의논하시어 상작을 더하실새, 원수로 용두각태학사 참지정사 좌장군 남창후(龍頭閣太學士參知政事左將軍南昌侯)를 봉하여 식록(食祿) 삼천석(三千石)을 내리시고, 부원수 장운으로 형부상서 남창백을 봉하시고, 정숙렬이 가부(家夫)를 위한 정이 괴이치 않으나, 그 위급지시에 구하는 도리 신기하고, 화씨를 취하여 윤원수에게 천거코자 함이 천고의 희한한 숙덕(淑德)인 고로, 숙렬문(淑烈門)에 금자(金字)로 다시 어필 (御筆) 찬서(讚書)를 지어 후세에 유전(遺傳)케 하실 새, 숙렬문을 거두어 앗았더니, 도로 예부의 전지(傳旨)하시어, 명현효의숙렬정씨지문(明賢孝義淑烈鄭氏之門)을 찬서 하시어, 한가지로 처소 곁에 세우고, 원수로 화씨를 취하여 숙녀의 좋은 뜻을 저버리지 말라 하시니, 원수 벼슬을 고사하여 연소박덕부재(年少薄德不才)로 봉후(封侯)의 외람함과, 문무작직(文武爵職)이 불감 황공할 뿐 아니라, 가간(家間)의 불효패자(不孝悖子)가 금옥인신(金玉印信)을 더럽혀, 위거재렬(位居宰列) 함이 천만불사(千萬不似)함을 주(奏)하여, 혈심 진정에서 비롯하되, 천의 견고하시어 마침내 불윤하시니, 원수 사양이 무익할 뿐 아니라, 장운 등이 원수 상작을 받지 않으면 또한 벼슬에 나아가지 않을 바를 주하니, 어찌할 바가 없더라.

임성각이 옥계에 머리를 조아려 왈,

"미신(微臣)의 어린 뜻이 성주를 돕사와 작록(爵祿)이 영귀(榮貴)함을 그윽이 바라오대, 무명(無名)한 작상(爵賞)은 받잡지 않으려 하였삽더니, 신이 등과하여 성주(聖主)의 명하심으로써 남정할 때에 공을 이뤘으면, 작상을 받자오려니와, 불과 윤광천을 좇아 광천을 떠나지 말고자 함이라. 광천이 장사를 정벌하는 때를 당하여 다만 광천의 지휘를 좇음이 있사오나, 폐하를 돕사오미 아니라, 무슨 공으로 봉작하리까? 이후 다시 과거를 응하여 비루한 자취 용루의 어향을 쏘이고자 하오니, 지금은 작상을 받잡지 못하리로소이다."

상이 성각의 고집이 괴이하고 거동이 뇌락(磊落)하여, 비록 만승의 위엄이라도 그 뜻을 앗지 못할 줄 아시어, 남녘을 파함이 국가 대경인 고로, 경과(慶科)[1]를 설(設)하시어 문무지재(文武之材)를 뽑으려 하시는 고로, 이에 이르시되,

"성각의 지원(至願)이 이 같으니, 짐이 그 마음을 앗지 못하나니, 모름지기 응과하여 짐을 도우라."

성각이 깃거 배사하고 퇴궐할 새, 호상쾌활(豪爽快活)함이 진정 영웅준걸이러라.

원수 숙렬을 문려(門閭)에 정표(旌表)하심과 금자어필(金字御筆)로 찬서(讚書)하심이 불가함을 주하되, 상이 불윤하시니 원수 불승외람(不勝猥濫) 하더라.

상이 유공자(有功者)를 다 상하시고 또 유죄자(有罪者)를 벌하실새, 손확을 정하의 꿀리시고 용병을 그릇하여 무수한 장사군졸(將士軍卒)을

---

1) 경과(慶科) : 조선 시대에, 나라에 경사스러운 일이 있을 때, 이를 기념하기 위해 보게 하던 과거. 문무과(文武科)에만 한정하였으며 별시, 정시, 증광시 따위가 있었다. 본문은 '위연과'를 실시하는 것으로 되어 있으나, 역사에서 그 예를 찾지 못하여 이를 '경과(慶科)'로 옮겼다.

아깝게 마침을 수죄(數罪)하시고, 윤원수를 공연이 죽이려 하던 곡절을
물으시니, 손확이 면여토색(面如土色)하고 일신을 두루 떨어 말을 못하
다가, 겨우 윤원수 해하려 하던 일을 일일이 고하고, 윤광천의 헌책(獻
策)함을 듣지 않아 패군함을 청죄하니, 상이 대로하시어 손확을 내어 참
하라 하시니, 윤원수 심리(心裏)에 측은하여 탑하(榻下)에 부복 주왈,

"손확의 패군한 죄는 당당이 주륙을 면치 못할 것이나, 국가가 불행하
여 성주께서 사졸을 손(損)하실 때오니, 한갓 손확의 죄를 삼지 못하올
것이요, 확이 신을 죽이려 함은 불과 몽숙의 말을 곧이들음이니, 군중에
사혐(私嫌)을 두는 것이 무상(無狀)하오되, 사람이 성현지심(聖賢之心)
이 아닌 후에야 남이 저를 공연이 미워 질욕함을 듣고 깃거함이 없을지
라. 으뜸인즉 구몽숙의 요악한 죄상이니, 성주의 호생지덕(好生之德)이
몽숙의 일명을 오히려 빌려 계시니, 손확을 살리지 못할 일이 아니옵고,
신이 손확을 구하오미 사람마다 교정(矯情)으로 알려니와, 신이 손확을
무슨 정으로 살리고자 하리까마는, 성주의 호생지덕이 썩은 뼈에 사무
치며 고목이 생화(生花) 함을 보고자 하옵나니, 청컨대 손확을 감사정배
하소서."

상이 원수의 어진 말씀을 들으시고, 탄왈,

"짐이 불명한 탓이라 어찌 경의 직언을 듣지 않으리오. 확의 일명을
사하며 원도(遠島)로 정배케 하리라."

하시고, 손확의 죄를 사하시어 원배(遠配)를 정하신 후 전망장졸(戰亡
將卒)을 추증(追贈)하시고, 각별 은전을 내려 그 처자를 녹을 주시며,
미천한 사졸이라도 윤원수의 주사대로 제전(祭奠)을 갖추어 영백(靈魄)
을 위로하라 하시니, 만조(滿朝)가 성덕을 일컫더라.

날이 늦으매 제신이 퇴조하니, 상이 윤원수 형제를 각별 총우하시고,

학사로 태자소사 홍문관 태학사를 삼으시고 그 병이 나은 후 행공찰직함을 이르시고, 남창후는 명일부터 찰직하라 하시니, 남창후 돈수 주왈,

"신이 연소부재(年少不才)로 외람한 작녹을 당하오니, 어찌 일신들 집에 한가코자 하리까마는, 할미 병이 만분 위악 중에 있사오니, 신이 미세지사(微細之事)로 정리를 아룀이 황공하오나, 일시 떠남이 망극하오니, 원컨대 할미 병을 치료케 하소서."

상이 마지못하시어 수월 말미를 허하시니, 남창후 형제 백배 사은하고 총총이 퇴하여 문외로 나올 새, 친척 제위 궐문 밖에 머물러 잠깐 말하고자 하나, 창후 형제 착급하여 다만 팔을 들어 후일 종용이 만남을 이르고, 말을 채쳐 빨리 행할 새, 허다 추종이 전차후응(前遮後應)하여 벽제쌍곡(辟除雙曲)²⁾이 길을 여니, 환혁(煥赫)한 부귀와 가득한 영광이 일로에 휘황(輝煌)하더라.

창후 형제 삼년 이정(離情)이 훌훌³⁾ 비절(悲絶)턴 바로, 금일 서로 대하여 반기는 정을 어찌 성언(成言)하리요마는, 돌아와 조모와 유부인 뵈올 뜻이 일시 급하여, 한 말도 못하고 말혁⁴⁾을 갈와⁵⁾ 서로 낯을 우러러 기쁜 듯, 슬픈 듯, 능히 측량키 어렵더니, 남문을 나매 원수 소사더러, 왈,

"우형이 작일 상경하여 지금 자위께 배알치 못하니 인자의 참지 못할 정리라. 현제로 더불어 잠깐 옥화산에 가, 자안(慈顔)을 뵈옵고, 밤이 들지라도 강정으로 가미 좋을까 하노라."

소사 대왈,

---

2) 벽제쌍곡(辟除雙曲) : 혼인 행렬이나 고위관리의 행차가 지나가는데 방해받지 않도록 잡인의 통행을 금하는 피리나 나팔 등의 악기 소리.
3) 훌훌 : 훌훌(忽忽). 근심스러워 마음이 뒤숭숭함.
4) 말혁 : 말안장 양쪽에 장식으로 늘어뜨린 고삐.
5) 갈오다 : 나란히 하다.

"소제 미처 사당에 배알치 못하고 급히 강정으로 감은, '조모와 양자당(養慈堂) 환후 어떠하신고?' 알고자 함이러니, 형장이 지금 화산에 가지 않았으면 빨리 행하사이다."

창후 점두하고 하리를 재촉하여 말을 급히 몰아 옥화산에 다다라, 창후는 조모의 환후를 우황하나, 차시를 당하여 자전(慈殿)에 봉배(奉拜)할 일이 즐겁고, 본디 기혈이 방강(方强)하되, 소사는 중병지여(重病之餘)에 처음으로 말을 급히 달리니 정신이 아득하여, 이에 조부에 이르러 왔음을 고하니, 삼위 표숙과 제종이 크게 반겨 문 밖에 나와 맞아 손을 잡고 반김을 측량치 못하되, 소사의 수약(瘦弱)함을 우려하는지라. 창후 형제 별래(別來) 존후를 묻잡고 바삐 모전에 현알하기를 고하니, 조승상이 소왈,

"네 모친이 너의 형제 영화로이 환쇄함을 모르다가, 정·장 양질부(兩姪婦) 문후하는 상서를 보내였는 고로, 금일이야 여등의 환쇄함과 가변의 기괴함을 알았으되, 오히려 태부인 환후 중함을 이르지 않았나니, 매제 본디 비위 약하고 심정이 허(虛)하니, 이제 들어가 볼지라도 태부인 질환의 괴이함을 이르지 말라."

창후 대왈,

"삼가 가르치시는 대로 하려니와 숙부 어찌 소질 등의 환쇄(還刷)함을 자정께 고치 않으시니까?"

공이 왈,

"알아 더 좋은 일이 없고 모르고 있다가 보는 것이 황홀이 반가오니 어서 들어가라."

소사 잠소 왈,

"숙부 말씀이 마땅하시나, 사람의 정사를 너무 살피지 아니하시어 소질에게 두어 줄 서찰만 부치시고, 하리를 분부하시어 연일 조보와 옥누

항 서찰을 가져가지 말고 급히 가라 하시더라 하니, 그 무슨 일이니까?"

조공이 소왈,

"그 또 좋은 일이라. 네 집의 아름답지 않은 변고를 미리 알아 심려를 허비함이 부질없으니, 차라리 곡절을 모르게 함이니, 네 어찌 날을 유감히 여기는다?"

소사 대왈,

"소질이 어찌 감히 유감히 여기리까마는, 혹자 숙부 처사 측량치 못하여 도리어 괴이히 여겼나이다."

조공이 웃고 시녀로 창후 형제를 인도하여 조부인 침소로 들어가라 하니, 원간 구파 조부인과 한가지로 있는지라. 조공 부자 형제도 조부인을 다른 방사로 청하여 볼지언정 무상히 왕래치 않더라.

이 날 조부인이 양(兩) 식부의 상서를 보고 비로소 양자의 환쇄(還刷)함을 알아, 삼 거거(哥哥)와 제질을 대하여 수말(首末)을 물으매, 조공이 마지못하여 정·진 이문이 화(禍)의 걸렸던 바와, 의열(義烈)의 격고(擊鼓)함과 원수가 남토(南土)를 정벌(征伐)하여 성공함과, 학사 태자소사로 승품하여 오는 바를 일일이 이르니, 신묘랑과 세월·비영 등의 초사를 다 일러 알게 하되, 위·유 양인의 질환은 싼 듯이 기이니6), 조부인이 수미(首尾)를 듣고 차경차희(且驚且喜)하여 진정치 못하더니, 야심 후 시녀 들어와 창후 형제 들어옴을 고하고, 지게를 열고 양자가 들어와 부인 슬전에 배현하고, 구파를 향하여 절하니, 구파의 반김과 부인의 황홀한 심사 요요(遙遙)하여, 도리어 어린 듯이 양자의 손을 잡고 누수 떨어져 말을 못하니, 창후와 소사가 자안을 앙견하매, 삼년지내(三年之內)에 구태여 쇠패하심이 없으니, 만심환행(滿心歡幸)하여 비회를 주리잡

---

6) 기이다 : 어떤 일을 숨기고 바른대로 말하지 않다.

고7) 이성화기(怡聲和氣)하여 병내존후(病乃尊候)를 묻잡고, 구파를 향하여 안강하심을 기뻐하니, 부인이 가장 오랜 후 가슴을 어루만져 슬픔을 진정하나, 소사의 의형이 넘어질 듯 함을 보고, 경악(驚愕)하여 무슨 독질을 얻었던가 물으니, 소사가 중병지여(重病之餘)에 원로발섭(遠路跋涉)하였기로 얼굴이 수척함을 고하고, 문호의 대행(大幸)과 조선의 영복(榮福)으로 형이 무사히 대공을 이루고, 상작을 도도와 이곳에 모임을 치하하고, 심히 기뻐하니, 모자형제가 일방에 대하여 삼년 떠났던 설화와 그리던 회포를 더욱 측량할 수 있으리오.

반가움이 넘치매 슬픔이 일어나고, 기쁨이 극하매 아무 말을 못하는지라. 조부인이 양자의 객리(客裏) 고초를 묻고, 인하여 위·유의 과악이 발각함을 자기는 금일 처음으로 알았음을 이르고, 탄 왈,

"존고가 나를 향하여 인자애휼(仁慈愛恤)하는 덕이 없으시나, 내 도리 이제조차 살았음을 기이고, 존고께 허다 매명(罵名)이 돌아가되, 한 번 위로하는 일이 없은즉, 이는 내가 존고와 유제의 허물이 나타남을 쟁그라이 여기는 잦8)이라. 명일이라도 존고께 배현하여 고식(姑媳)9) 금장(襟丈)10) 사이 정의를 상해오지 말고자 하노라."

창후 곤계 대왈,

"자교 마땅하시나 거취를 소홀히 못하실 것이니, 소자 등이 사세를 보아가며 모셔 가오리니, 자위는 구조모로 더불어 이곳에 계시소서."

조부인이 탄식하고 태부인 기력을 물으니, 창후 몽롱이 대하여 아직

---

7) 주리잡다 : 줄잡다. 가다듬다. 생각이나 기대 따위를 표준 보다 줄여서 헤아려 보다.
8) 잦 : 사물, 일, 현상 따위를 추상적으로 이르는 말. =일. 꼴. 것.
9) 고식(姑媳) : =고부(姑婦). 시어머니와 며느리를 아울러 이르는 말.
10) 금장(襟丈) : 동서(同壻). 주로 남편 형제들의 아내들을 이르는 말로 쓰인다.

질환이 계심을 고하여, 창후 형제 좋은 말씀으로 모친의 백만 근심을 살라버리고, 밤이 깊었음을 생각지 않고, 도로 강정으로 가려 하니, 조부인이 소사의 상함을 근심하여 차야는 이곳에서 지내라 하되, 소사가 조모와 양모께 배알치 못하였음을 고하고, 모친이 취침하신 후 외헌에 나와 조공께 하직을 고하고, 바삐 강정에 돌아오니, 이 날 태부인과 유녀 소사의 돌아올 바를 들으며, 장씨 먼저 돌아와 배알한대, 태흥이 앞을 보지 못함으로, 장씨의 왔음을 알지언정 그 얼굴을 능히 알아보지 못하되, 유녀는 자세히 보는지라. 그 옥모(玉貌) 염광(艶光)이 수려(秀麗) 쇄락(灑落)하여 전일로 일배 승(勝)이라. 유녀 한 번 보매, 아주 죽어 백골이 진토(塵土) 되었음으로 알던 장씨 완연히 살아, 호호(浩浩)한 영광을 띠어 돌아옴을 보매 애달프고 분한하나, 근력이 내붇지11) 못하여 전일 같은 수단을 쓰지 못하여, 오직 입만 살아 원수 부부와 소사 부부를 천만 가지로 질욕하며, 천지신명에 빌어 자질(子姪)을 다 풍도지옥(酆都地獄)12)으로 잡아감을 축원하는 언사 갈수록 악악함이, 차마 듣지 못할 것이로되, 장씨 내심에 새로이 경해(驚駭)할지언정 외모는 온순 자약하여 못 듣는 듯하고, 정숙렬이 우소저 장소저로 더불어 태부인 옷을 급히 일워, 원수의 단의(單衣)와 바꾸게 하고, 팔진경찬(八珍瓊饌)13)과 옥미금식(玉味金食)14)으로 위·유 양흉의 기량(飢量)15)을 차도록 하고, 정숙렬과 장소저 의기(醫技)16) 신능(神能)한 고로, 종일 곁에서 양흉의 창

---

11) 내붇다 : 불어나다. 수량 따위가 본지보다 커지거나 많아지다.
12) 풍도지옥(酆都地獄) : 도교에서 말하는 지옥. 사람이 죽으면 이곳에 끌려와 인간세상에서 지은 죄에 대한 심판을 받는다고 한다.
13) 팔진경찬(八珍瓊饌) : 여덟 가지 진귀한 음식[八珍]과 신선들이 먹는다고 하는 고운 빛깔과 향을 갖춘 반찬들[瓊饌]이라는 뜻으로 아주 잘 차린 음식을 이른다.
14) 옥미금식(玉味金食) : 좋은 쌀로 지은 맛있는 밥.
15) 기량(飢量) : 굶주려 양이 차지 못함.

처(瘡處)를 살펴 약을 바르고, 쑤시는 버러지를 보는 족족 잡아 없이 하니, 원간 병이 저주사(詛呪事)로 난 바라.

의약의 지극함과 원수의 주필부작(朱筆符作)을 높이 붙였으니, 요사(妖邪)가 감히 발뵈지 못하여, 일일지간(一日之間)이라도 양흉의 만신 골절이 아픔을 견디지 못하던 것이 잠깐 나은 듯하고, 농즙이 괴도록 흐르는 일이 없으니, 태흉은 오히려 원수 부부의 구호한 효험인 줄 알아, 진정 정성이면 만고의 희한할 바를 알되, 못 된 의심이 풀리지 않아 혹자 교정(嬌情)인가 하되, 아직 아른 체 말고 순히 굴다가, 필경 다시 행계하여 양손의 부부를 다 죽이랴 주의를 정하고, 유녀는 그 몸이 아프고 괴로움이 나음이, 원수 부부의 출천성효로 비롯됨을 알되, 본디 어질고 기특한 것을 미워하는 고로 조금도 감동하는 일이 없더니, 차일 밤든 후 창후 곤계 함께 들어와 태흉께 배례할 새, 원수는 금일 조모와 숙모의 거동이 백배나 더 흉참함을 당하되, 오히려 소사같이 놀라는 일이 없더니, 소사는 처음으로 그 조모께 배알하는 바에 창처와 벌레며 폐맹하여 환후의 흉악함을 보니, 마음이 경황하고 혼백이 비월하여 진정치 못하더니, 양모의 환후는 눈은 보나 악종(惡種)의 누추하고 괴악망측한 누질(陋疾)이 귀신같음을 보니, 조모와 추호 다르지 않고, 중청지인(重聽之人)17)이 되어 사람의 어언(語言)도 알아듣지 못하고, 말하는 시신 같아서 소사의 돌아왔음을 듣고 새로이 못 죽임을 한하여, 차마 못할 악담이 삼대구수(三代仇讐)와 백년대척(百年大隻)18)이라도 이렇지 못할러니, 상하(床下)에 절함을 보고, 문득 손으로 베개를 밀치고, 소리 질러

---

16) 의기(醫技) : 의술(醫術).
17) 중청지인(重聽之人) : 귀가 먹어 소리를 잘 듣지 못하는 사람.
18) 백년대척(百年大隻) : 오랜 세월 동안 원한을 품고 반목해온 원수.

왈,

"원수 광천 형제를 일만 조각에 찢어 죽이지 못하여, 저희는 한 없는 영화를 띠어 돌아오고, 나는 무슨 죄로 남에 없는 악질을 얻어 이리 신고하는고? 유유창천(悠悠蒼天)이 광천 형제 흉한 놈들을 죽여줄진대, 그 고기를 맛보면 분을 풀고 직각에 죽어도 한이 없으리로다."

이리 이르며 분기 엄애(奄碍)하니, 창후는 새로이 심한골경(心寒骨驚)하여 말을 못하고, 소사는 놀라오며 망극함을 이기지 못하여 백옥용화(白玉容華)에 눈물이 오월장수(五月長水)19) 같아서, 양모를 붙들고 환후 증세를 묻자오며, 반기고 슬퍼하는 거동이 생철(生鐵)이 녹을 듯하되, 유녀 답하지 않고 흉독한 질욕이 명천공 삼대를 들추어 씨도 없이 멸망키를 축원하니, 창후 소사더러 왈,

"숙모의 하는 말씀을 들은즉 이제는 우리 가변을 진정할 길이 없고, 현제 성효를 완전히 할 도리 없는지라. 이를 장차 어찌 하리오."

소사 체루(涕淚) 왈,

"소제 불초 무상하여 자의(慈意)를 돌이키지 못하고, 지금 환후 중이라 말씀을 가리지 못하시니, 구태여 가변을 다시 일으킬 사단이 되도록 하리까?"

창후 추연 탄식하고 다시 말을 않더니, 유씨 욕설이 명천공과 조부인을 참혹히 들먹이기의 다다라는 앉아 듣지 못하여, 태흥의 병침(病寢)으로 들어가고, 소사는 양모를 붙들어 부질없이 기력을 쓰지 마심을 체읍 애걸하되, 유씨 소사의 말을 들을수록 미운 마음이 돌같이 뭉쳐 노기 점점 열화 같으니, 소사 감히 여러 말을 못하고 보기(補氣)할 식음을 나와 진식하심을 청하고, 장소저를 대하여 왈,

---

19) 오월장수(五月長水) : 오월의 장맛비.

"대모 환후를 구호하며 감지온냉(甘旨溫冷)20)을 맞춤은 형장과 수수 몸소 당하시리니, 부인은 병소를 떠나지 말고 죽음을 대후하여 찾으실 때를 어기오지 마소서."

장씨 응대하나, 존고의 흉독한 거동과 더러운 질양(疾恙)이며, 차마 입에 담지 못할 욕설을 들으매, 경황함을 마지않더라.

명일 소사 잠깐 몸을 빼어 정청(正廳)21)에 나와 정부인을 배견(拜見)할 새, 창후 또 장소저를 청하여 수숙(嫂叔) 사인이 서로 볼 새, 다만 화란을 진정하고 무사히 돌아옴을 칭하되, 행여도 위·유 낭인에게 원언이 미치지 않아, 한갓 서로 초민우황(焦悶憂惶)하여 환후가 쉬이 차성하심을 바라고, 삼년 이정(離情)을 펴지 못하며, 창후는 소사의 중병지여(重病之餘)에 수패함도 이르지 못하더라.

창후 우소저를 청하여 서로 보아 남매지의(男妹之義)를 자기와 같이 하게 하니, 소사 형장의 의기를 따라 우씨를 흔연 애대(愛待)하여 동기와 같이 하니, 피차 처음으로 보는 서어함이 있지 않고, 창후 아직 조모와 숙모의 병환 중 배알치 못하게 하더라.

차일 조조로부터 날이 저물기에 및도록 창후와 소사 영화로이 돌아옴을 칭하코자, 황친 국척과 공경 후백이며 소년 명류들이 강정으로 모이니, 안마(鞍馬)22)가 구름 모이듯 하고, 벽제쌍곡(辟除雙曲)이 그칠 사이 없는지라. 창후 형제 친환(親患)에 우황(憂惶)하여 빈객을 상접할 의사 없어, 형제 돌려가며 한 때씩 나와 중객(重客)을 접응하나, 황황한 거동과 근심하는 얼굴이 만사 무흥(無興)하니, 제객이 빛난 말씀으로 영광을

---

20) 감지온냉(甘旨溫冷) : 음식의 따뜻하고 차가움.
21) 정청(正廳) : 몸채의 대청(大廳).
22) 안마(鞍馬) : 안장을 얹은 말. =안구마(鞍具馬).

칭하고자 하다가, 그 즐기지 않음을 보고 오래 앉았지 못하여 즉시 돌아가는지라.

초후 또한 제객으로 이에 와 창후 형제를 보되, 흔연히 반기며 영화로이 돌아옴을 칭하(稱賀) 하여, 예사 붕배와 같을지언정 태·유의 질환을 묻지 않아, 조금도 윤부 서랑 같지 않으니, 제객이 그 뜻을 알고 그윽이 웃고, 창후는 정국공 존후와 매저의 평부를 물어 은근 화열하되, 소사는 초후의 태부인 환후 묻지 않음을 보고, 또한 악부모의 기력을 묻지 않아 모르는 듯하니, 이는 한갓 초후를 노할 뿐 아니라, 하소저가 강정에 나왔다가 유녀의 칼에 찔려, 초후가 데려감은 알지 못하고, 심히 보채던 줄만 원망하여 물러 있음으로 알아, 심중에 노하나 구태여 사색치 않으니, 그 심천(深淺)을 알 리 없는지라.

진형수 이 때 벼슬이 상서령 동평장사로, 금일에야 사은하고 바로 강정으로 나와 창후 곤계를 볼 새, 소사를 대하여 하씨 세상에 살아 있음이 희한(稀罕)한 거동임을 만구칭하(滿口稱賀)하니, 창후 미소 왈,

"질아(姪兒)의 기특함은 아름답거니와, 하수는 영매(令妹) 같지 않아 사리를 아실 바거늘, 지금 어찌 오지 않으시더뇨?"

초후 차언에 다다르는 사색이 불열 왈,

"소매 만사여생(萬死餘生)으로 정죽청의 구활대은(救活大恩)을 입어 일명이 보전하였더니, 저의 위인이 굳세지 못하고 마음이 인약(仁弱)한 고로, 원을 풀어 잊음이 지난 일을 거리끼지 않는 탓으로, 다시 이곳에 발을 디디었다가 검하(劍下)에 원억한 영백(靈魄)이 운소간(雲霄間)의 비낄[23] 번 하니, 생각할수록 **뼈** 시리고 마음이 찬지라. 사원이 제수 책

---

23) 비끼다 : 가로눕다. 비스듬히 놓이거나 늘어지다. 비스듬히 비치다. 얼굴에 어떤 표정이 잠깐 드러나다.

망이 아무리 준절하여도, 인생이 비백세(非百歲)라. 팔십을 살아도 느껍거늘, 인사 차리려 하다가 또 사화(死禍)에 떨어질 번하니, 고금 천하에 이같이 악착한 일이 또 어디에 있으리오."

언파의 노기 표등하니, 창후 초후의 말을 듣고 비로소 알아, 초후의 노기 심상치 않으매, 다만 미소 왈,

"소제 무슨 사람이관데 수숙지간(嫂叔之間)에 책망이 준절하리오. 이는 한갓 억견(臆見)으로 이름이라. 또한 조손고식(祖孫姑息)을 이르지 말고, 은혜는 맺고 잊지 말며, 원수는 풀라 하였으니, 범연한 사이라도 옛말의 지극히 이름이거늘, 형은 식리장부(識理丈夫)로 지식이 원하(遠遐)하니 어찌 소소 아녀자의 설설(屑屑)함을 효칙하느뇨?"

초후 탄왈,

"군언이 옳거니와, 나는 본디 불학무식(不學無識)한지라. 어찌 고어(古語)를 생각하리오. 다만 아는 것이 용담(龍潭) 호구(虎口)에 몸이 벗어나, 일명을 보전하는 것을 으뜸으로 아나니, 이는 내 집이 남과같이 호화치 못하여, 참화 여생으로 사람의 극악을 두려워하나니, 구태여 은원(隱怨) 함분(含憤)함이 아니라, 초적과 역탁[24]의 모해로 동기를 참망하고, 영숙모의 수단으로 일매를 두 번 죽일 번 하니, 마침 천우신조(天佑神助)하여 살아나기는 하였거니와, 만일 아매(我妹) 죽을진대 초적 역탁을 베던 칼날이, 다시 악인을 시험치 못하랴?"

초후의 말이 채 그치지 않아서, 소사 몸을 일으켜 안으로 들어가며 왈,

"불행하여 권문세가의 간악한 여자로 배필한 연고로, 망측한 욕설이 친전의 미치니, 내 비록 용우하나 어찌 겨뤄 저의 부모를 그만치 욕하지 못하리요마는, 구생지의(舅甥之義)[25]를 생각하는 것이 아니라, 영엄이

---

24) 역탁 : '역적 김탁'을 가리킴.

가친으로 지극한 친우심을 공경하여 한 말도 아니하거니와, 내 죽지 않았
으되, 초후 제 누이를 앗아가 타문에 보내고자 하니, 하녀(女) 발부(潑婦)
는 그 형의 지휘를 들어 배부난륜(背夫亂倫)하며, 자가(自家)를 욕하라 권
하여 이같이 참욕을 끼치니, 비록 아무 곳에 분을 풀지 못하나, 발부의 본
뜻이 초후와 같을진대, 만 조각에 찢어 이 분을 설(雪)치 못하랴?"

초후 대로 왈,

"여매는 천고의 짝 없는 악인의 딸이로되, 내 오히려 일만 조각의 내
지 않아 살렸고 편히 두었나니, 네 아매를 해하랴 하면 여매를 한갓 찢
을 뿐이리요, 백골도 남기지 않고 아주 분쇄하리라."

소사 부답하고 안으로 들어가니, 창후 정색 왈,

"소제 등이 평일 형을 바람이 이렇지 않더니, 아지못게라! 형이 주후
(酒後) 광언(狂言)이냐? 어찌된 연고뇨? 우리 두 집 정분이 그 어떠하관
데, 형이 일조(一朝)에 의(義)를 저버려 정을 베고자 하느뇨?"

초후 냉소왈,

"내 원간 술 먹은 일이 없느니 어찌 주후 광언이리오. 진정 소발이라.
희천 괴물이 제 양모의 궁흉극악(窮凶極惡)이란 생각지 않고, 내 말만
노하여, 내 악인(惡人)의 병을 묻지 않음으로, 제 또 우리 친당 존후를
묻지 않고, 자식을 기리되 가장 참 된 체하고, 정색 단좌하여 거동이 미
울 뿐 아니라, 제 실로 날과 겨루다가는 매우 속을 듯하니, 저의 양자당
(養慈堂)이란 자가 약 그릇을 붙들지 않음도 오히려 나의 은덕임을 모르
고, 제 양모로 성덕부인(聖德婦人)같이 여기리오. 그런 가소(可笑)로운
일이 어데 있으며, 제 아무리 나를 욕하고 아매(我妹)에게 못할 말을 무
수히 한들, 내 어찌 한 누의를 용담호구(龍潭虎口)에 넣으리오."

---

25) 구생지의(舅甥之義) : 장인과 사위 사이의 의리.

언파의, 노기 대발하여 만좌중에 그 누이를 짓두드려 궤 중에 넣어 남강에 들이치려 하던 일과, 하씨 십생구사(十生九死)하여 일명을 보전하였다가, 다시 그 병을 구하러 돌아오매, 유씨 또 칼로 지르려 서둘다가 팔이 중상하여, 새로이 이를 갈고 분하여 하던 것을 일러, 성음이 격렬하고 노목(怒目)이 찢어질 듯하니, 제진이 다 소안이 미미하고 만좌가 은은히 웃는 빛을 동하되, 창후 또한 분노하여 초후와 일장을 겨루고자 하다가, 생각하되,

"저는 효우(孝友) 남다른지라. 숙모의 행사 실비인정(實非人情)이요, 사람의 생각지 못할 악사 많으니, 초후의 분분함을 어찌 괴이타 하리오. 내 동기의 부부를 화열키를 권하는 것이 옳으니, 부질없이 쟁란(爭亂)하여 종저(從姐)의 불안함을 돕고, 아우의 노를 높이리오. 윤·하 양문의 화기를 상해오는 것이 가장 기쁘지 않은 일이라."

하여, 정색 단좌하여 가로되,

"형이 금일 우리 곤계를 보라 온 뜻이 붕우(朋友)의 정(情)과 일가(一家)의 의(義)로써, 오래 떠났던 회포를 종용이 펴고자 함이거늘, 무슨 주의로 싸우고 욕하러 온 사람같이 이리 불호(不好)한 경색(景色)이 있게 하느뇨? 아등 형제 불학(不學) 용우(庸愚)하나, 오히려 세치 혀가 썩지 않았으니, 그대를 겨뤄보고자 할진대 무슨 일로 숨으리오. 분두에 삼가지 못함이 괴이치 않거니와, 내 집 모든 사람의 사생이 그대 손에 달리지 않았으니, 사숙모(舍叔母) 약 그릇을 면하심이 그대의 구한 은덕이라 하여, 이같이 위세를 자랑하나, 뉘 또 남에게 그만 은덕을 끼친 이 없으리오. 그대 그윽이 생각건대 우리 숙당을 이다지도 참욕을 아니함 직 하니, 모름지기 괴이히 굴지 말고, 이 광천 숙질 형제의 목숨이 하늘과 군상에게 매였고, 그대에게 달리지 않았나니, 초적과 김탁을 해한 칼날이 아무리 날내어도, 공연한 사람은 간대로 죽이지 못함을 익히 생각

하라."

초후 창후의 말치26)를 어찌 못 알아들으리오. 자기 과격함을 이기지 못하되, 유씨를 절치 통한하는 고로 매제의 굿기던 바에 다다라는, 스스로 노분을 참지 못하는지라. 즉시 소매를 떨쳐 돌아가며 이르대,

"영숙 추밀 합하는 하원광이 분골쇄신하여 은혜를 갚고자 하는 은인이거니와, 나는 소매를 해하는 유녀 악인은 나의 통완 분해하는 바라. 무엇을 공경하리오. 너희는 우리를 다 죽이고자 하는지 모르거니와, 나는 소매를 해하는 악인을 미워할지언정, 너희 내 손의 달리지 않은 줄 아나니, 험악한 말로 사람을 해치 말라."

언파에 거륜에 올라 먼저 돌아가니, 제객이 이어 흩어지더니, 또 벽제 쌍곡이 분분하며 하리 금평후와 정국공 진태상 삼곤계 이르렀음을 고하니, 창후 즉시 하당하여 제공을 맞아 청사의 오르매, 제공이 일시에 입공 환쇄함을 칭하 하니, 창후 몸을 굽혀 존가(尊駕) 왕굴(枉屈)하심을 사례하고, 존당 환후로 인하여 나아가 뵈옵지 못함을 사례하고, 말씀이 화열하나 자연한 위의 일신에 둘렀으니, 사람으로 하여금 탄복기경(歎服起敬)할지라.

제공이 소사의 나오지 않음을 괴이히 여겨 동자로 청하니, 소사 하공께 전어 왈,

"소생이 영윤(令胤)의 무한한 참욕을 받으매 수괴(羞愧)하오며, 또 위인자 하여 처자의 연고로 허다 욕설이 친전(親前)의 미치니, 스스로 명공의 만금농주(萬金弄珠)로써 필부의 배항을 삼으매, 도리어 참욕을 취함이 애달을 뿐 아니라, 초후 명달 군자로 아시로부터 남 다른 지식이 있으려든, 어찌 홀로 소생의 용우함을 알지 못하고, 합하께서 동상을 정

---

26) 말치 : 말뜻. 말이 가지는 뜻이나 속내.

하실 적 힘써 말리지 아니하였다가, 이 때를 당하여 사람의 차마 듣지
못할 흉패지설이 무궁하니, 합하의 택서하신 눈을 꾸짖지 않고, 동기를
위한 정이 넘치매 말을 삼가지 못함이거니와, 대인자질(對人子姪)27) 하
여 않음직한 언사 많고 능욕이 남은 땅이 없으니, 소생이 또 용우하나
삼촌설(三寸舌)28)이 썩지 않았은즉 저를 겨루지 못할 것이 아니로되,
차마 못함은 가친의 붕우를 공경함이거니와, 이제 명공이 누처에 왕굴
하시어 잦이 물으심은 감사하거니와, 스스로 수괴(羞愧)하여 존공께 뵈
기를 원치 아니하나니, 명공은 용서하소서."

하공이 청파에 경아하여 창후더러 연고를 물은데, 창후 초후의 거동
을 설화하고, 가로되,

"사제 하형을 노하여 하 연숙(緣叔)께 아니 뵈옴은 협액(狹額)하거니
와, 제 소년지심에 분해함이 괴이하리까?"

하공은 아자의 부질없음을 깃거29) 않고, 금후와 낙양후 곤계는 비록
소사를 보고자 하나, 그 고집이 한 번 정하매 경이(輕易)히 나오지 않을
줄 알고 다시 보기를 청치 못하더라.

하공이 창후더러 왈,

"사원이 옥누항으로 들어오지 않고 강정에 있으려 하느냐?"

창후 대왈,

"옥누항 가사 파락(破落)하여 들 곳이 없고, 소생 형제를 사급하신 장
원각(壯元閣)이 있으나, 옥누항과 내도하고 벌써 남을 빌려주었으니, 불
시에 구박(驅迫)하여 내치지 못할 것이므로 아직 정치 못하였나이다."

---

27) 대인자질(對人子姪) : '남의 아들과 조카를 대하여'의 뜻.
28) 삼촌설(三寸舌) : 세치 혀.
29) 깃거하다 : 기뻐하다.

하공 왈,

"옥누항에 우리 옛집이 비었고 사원이 성내로 가고자 할진대 어찌 내 집에 들지 못하리오. 하물며 군가와 연장대문(連墻大門)에 사이 지근하여, 외당을 헐어버려 백화헌을 통하고, 동산 담을 헐어 그대 집 사묘 모신 곳이 가깝게 하라."

창후 비록 초후의 말을 노하나, 하공께 다다라는 은의를 베지 못할 것이오. 본디 괴벽한 거조를 두지 않음으로 어찌 사양할 리 있으리오. 즉시 대왈,

"연질(緣姪)이 강정에 머묾이 절박하온 바는, 빈 집에 사묘를 모신 연고라. 연숙이 가사를 빌리실진대 명일이라도 합가(闔家)가 옮아 들고자 하나이다."

하공 왈,

"내 돌아갈 때 옥누항에 들러 노복 등을 시켜 당호를 수쇄(收刷)케 하리니 사원은 쉬이 옮으라."

금후 왈,

"명일 집을 옮을 때에는 여아란 잠깐 취운산에 보내어 노친의 보고자 하시는 정을 위로하라."

창후 대왈,

"영녀(令女)의 사생존망을 모를 때에도 견뎌 계시니, 하물며 당차시 하여는 영화로이 돌아 왔는지라. 아직 소생의 조모 환후 위악하심을 구치 않고, 한만(閑漫)한 근친이 급지 아니하온지라. 긴 세월에 소생의 집이 무사한 때를 타, 악장이 데려가 슬하의 두서도 해롭지 아니하오리니, 명일은 사세(事勢) 보내지 못하리로소이다."

금후 소왈,

"네 이같이 막자르니30) 다시 청치 못하거니와, 이에 왔으니 잠깐 서

로 보아 부녀의 반기는 정을 펴게 하라."

창후 왈,

"근수교의(謹受教矣)31)려니와, 외당(外堂)이 번거하니 어나 곳에서 보시리까?"

공이 왈,

"지금 좌우에 다른 사람이 없어 여아의 표숙 삼인과 하형 뿐이니, 하형은 명위남(名爲-)32)이나 실위동기(實爲同氣)33)요, 내 또 하아(河兒)로 양녀(養女)하고, 자의의 부인을 보았으니, 하형이 잠깐 봄이 무슨 예예 구애하리오."

창후 또한 그리 여겨, 외당 문을 닫고 안으로 통한 문만 열어, 시녀로 정숙렬에게 금후 왔음을 통하여 나와 뵈옴을 이른데, 정숙렬이 야야의 와 계심을 듣고 반가운 정을 형상치 못하여, 즉시 시녀 등을 데리고 외헌에 나오매, 하공이 내려 맞으려 하거늘, 정공이 그 옷을 잡아 앉혀 왈,

"영주는 소제 양녀로 하였나니, 내 딸을 형이 보매 숙질 같으리니, 어이 고체(固滯)34)한 예를 행코자 하느뇨?"

이리 이르며 바삐 눈을 들어 여아를 볼 새, 그 찬란한 염광이 사좌(四座)에 조요(照耀)하니, 비컨대 추천명월(秋天明月)이 구름을 명에 하여 부상(扶桑)에 오르며, 중추양일(中秋陽日)이 벽공(碧空)에 한가한 듯, 신연(新然)하고 기이함이 천화일지(天花一枝)를 옥호(玉壺)에 꽂은 듯, 팔자미우(八字眉宇)는 성자기맥(聖姿氣脈)이오 쌍안청채(雙眼淸彩)는 효성

---

30) 막자르다 : 함부로 자르거나 끊다. 사정없이 막다.
31) 근수교의(謹受教矣) : '삼가 가르침을 받들겠다'는 말.
32) 명위남(名爲-) : 이름은 남이지만 실제는 남이 아니라는 말.
33) 실위동기(實爲同氣) : 실제로는 동기[형제]나 다름 없음.
34) 고체(固滯) : 성질이 편협하고 고집스러워 너그럽지 못함.

(曉星)의 무정(無情)함을 웃는지라. 백태천광(百態千光)이 기려절승(奇麗絶勝)하여 만고를 기울여도 둘 없는 기질이라. 금후의 침묵함으로도 여아를 보매 춘풍화기 흡연이 일어나, 손을 들어 하공을 가르쳐 왈,

"이 곳 하아(河兒)의 대인(大人)이요, 여부의 동기(同氣) 같은 친위(親友)라. 숙질지례(叔姪之禮)로 뵈오라."

부인이 부숙(父叔)께 뵈온 후, 하공을 향하여 재배한 데, 하공이 비록 금후는 과례(過禮)를 말라 하나, 자연 몸이 절로 일어나 답례하고, 잠깐 그 용광 기질을 보매 불승흠복(不勝欽服)하고, 자기 여부(女婦)[35]로써 천고의 희한함으로 알던 바, 정히 숙렬의 미치지 못함을 생각하여, 정공의 자녀 고왕금내(古往今來)에 쌍 없음을 탄복하되, 황홀이 갈채 칭선함이 괴이하여 눈을 낮추어 말을 않고, 금후와 낙양후 삼형제 소저의 손을 잡아 반김이 극하니, 도리어 지난 바 화변을 생각하고 추연 왈,

"부녀숙질(父女叔姪)이 산 얼굴로 즐거이 보매, 으뜸은 성주의 대은이요, 버거는[36] 의열현부(義烈賢婦)의 격고등문(擊鼓登聞)한 공이니, 영행 하는 중에도 참화에 불측(不測)하던 바를 생각하니, 새로이 놀라움을 이기지 못하리로다."

소저 부복문파(仆伏聞罷)에 나직이 옥성 봉음을 열어 흉화(凶禍)를 돌이켜 복을 삼음을 칭하고, 조모의 존후와 일가의 안녕함을 묻자오며, 누천 리(里) 애각에 삼재(三載) 되도록 생존을 고치 못하고, 경사 평문을 알 길이 없어 영모지정(永慕之情)이 간절하던 바를 고하여, 잠깐 말씀하매 말씀이 많지 않되 동촉(洞屬)한 효성이 나타나고, 친전(親前)에 비색(悲色)을 짓지 않으나 그 정사가 슬프던 바를 자연 알지라.

---

35) 여부(女婦) : 딸과 며느리를 함께 이르는 말.
36) 버거 : 버금으로, 둘째로, 다음으로.

정공이 어루만져 황홀이 귀중함은 아들에서 더한 듯, 근근(勲勲)한 정이 천륜 밖에 자별하여, 그 청운 같은 녹발을 어루만져 왈,

"우리 너를 애석해함은 이르지도 말고, 자정이 너를 생각하시어 신상의 질 이루실 듯하니, 뵈올 적마다 초민(焦悶)하던 바를 어찌 다 이르리오. 이제 천행으로 누얼[37]을 신설하고 무사히 생환함을 얻었으니, 차후나 마사(魔事) 없이 지내기를 원하노라."

인하여, 손아를 잃어 마침내 맛나지 못함을 비상(悲傷)하니, 소제 화기를 고치지 않고 오직 야야를 위로하며, 좌하의 잠깐 모셨으매, 창후 멀리 좌를 이뤘으니 부부의 찬란한 염광이 서로 바애여[38], 남풍여모(男風女貌) 수출기려(秀出奇麗)함이 진정 천정일대(天定一對)[39]라. 정공이 여서를 일방의 앉혀 비상함을 두긋기고, 사랑하는 중 홀연 석사(昔事)를 생각고 감회하여, 하공을 향하여 이르되,

"석일 백화헌 가운데서 형이 명강의 여아로써 식부로 이름하여 팔 위에 주필(朱筆)을 쓰고, 소제 명천형의 여아로써 천흥으로 정혼하여 그 비상에 글자를 쓸 때에는, 오히려 여아와 서랑은 세상의 미처 나지 못하고, 각각 부인이 수태(受胎)함을 일러 생산 후 남녀를 보아 다시 정혼함을 기약하였더니, 그 때에 복중의 있던 아이가 이렇듯 연분을 이뤄 역경화란(歷經禍亂)[40] 하고, 길운을 만나 무사히 돌아옴을 얻으나, 명천 형은 구천(九泉)에서 기쁨을 머금을지언정 한 일 앎이 없으니, 효자의 영광을 기뻐함이 적은지라. 석사를 생각하니 어이 상감(傷感)치 않으리오."

---

37) 누얼 : 누얼(陋-). 사실이 아닌 일로 뒤집어쓴 더러운 허물. 얼; 겉에 들어난 흠이나 허물. 탈.
38) 바애다 : 늑밤븨다. 빛나다. (눈이) 부시다.
39) 천정일대(天定一對) : 하늘이 정한 한 쌍.
40) 역경화란(歷經禍亂) ; 여러 화란(禍亂)을 겪음.

하공이 또한 탄식하여 망우(亡友)를 생각고 비창(悲愴)함이 여러 세월
이 될수록, 우애하던 동기를 여읨과 다르지 아니하니, 하물며 창후의 엄
안(嚴顏)을 모르는 지통과 남다른 회포를 견줄 곳이 있으리오.

창후 영영(英英)한 미우(眉宇)의 슬픈 빛이 가득하고, 봉안의 누수 떨
어져 이윽히 말이 없다가, 화도사를 만나 부공의 화상을 찾은 바를 고하
고, 체읍비절(涕泣悲絶) 왈,

"소생의 궁극한 정리 선인의 화상으로써 엄안을 뵈옴 같사오나, 촉처
(觸處)에 어느 일이 아니 통할(痛割)하리까?"

정공이 화상 찾음을 크게 깃거 하여 또 슬퍼 왈,

"석년에 금국으로 향할 때에 명천형의 화상을 화도인이 이룬 줄을 그
때에 알았으되, 현서 등더러 이르지 못함은 대해의 평초(萍草)와 표풍(飄
風) 같은 도인의 자취를 어디에 가 찾으리오. 부질없이 심사를 더욱 상해
올 것이므로, 차라리 도인이 군 등을 만나 화상을 돌려보낼 때만 기다리
더니, 도사의 유신함이 현서 등으로 부안(父顏)을 아는 사람이 되게 하
니, 어찌 다행치 않으리오. 아지못게라![41] 화상을 어느 곳에 모셨느뇨?"

창후 자하산에 아직 봉안하고 옴으로써 대답하고 종용이 담화하더니,
또 빈객이 벌 뭉기듯 나아옴으로, 정부인이 부숙과 하공을 향하여 예하
고 안으로 들어가고, 삼 진공과 정·하 양공이 일세(日勢) 저묾으로 빨
리 취운산으로 돌아올 새, 창후 하당하여 배송(拜送)하더라.

종일 빈객이 낙역부절(絡繹不絶)하나 소사는 하후와 불평지언(不平之

---

41) 아지못게라! : '모르겠도다!' '모를 일이로다!' '알지못하겠도다!' 등의 감탄의 뜻
을 갖는 독립어로 작품 속에서 관용적으로 쓰이고 있어, 이를 본래말 '아지못게
라'에 감탄부호 '!'를 붙여 독립어로 옮겼다.

言)을 하고 들어온 후는, 조모와 모친의 환후를 살펴 스스로 약을 생각하여 사오 첩을 먼저 지어, 두 그릇에 연하여 달여 위·유 양 부인께 나오고, 곁에서 더러운 버러지를 씻어 없이 하고, 한 때도 물러가지 않음으로, 일가 족친과 제우붕배 소사를 못 보고 가는 이 많더라.

창후 명일 옥누항으로 감을 조모께 고하니, 태흥이 원래 성내로 들어가고자 함으로 구태여 막지 않되, 소사 하후를 노하여 그 가사로 가기를 즐겨 않으니, 창후 왈,

"현제 어찌 생각기를 협액히 하느뇨? 자의 형의 금일지언은 비록 과격하나 다 옳은 말이라. 아무 마음으로 일러도 일매를 그같이 못 견디도록 한 후는, 분완함이 적지 않으리니, 어찌 그 말을 노하여 옥누항으로 옮기를 싫게 여기리오. 오래지 않아 계부 돌아오시리니, 우리 계부 돌아오시기 전에 이곳을 떠나지 않았다가는, 계부 숙모를 분노하신 마음으로써 어찌 한가지로 성내 가사(家舍)로 맞고자 하시리오. 차라리 명일 내로 급급히 하부로 옮은 즉, 계부 돌아오시어 증화(憎火)를 푸실 길이 없어 숙모를 유부로 보내려 하시나, 우리 천만 가지로 애걸하고, 대모 여차여차 이르시어 숙모를 심원 별처의 잠깐 옮기시리니, 아무리 하여도 일택지상(一宅之上)이면 자연 서로 얼굴을 봄이 쉽고, 노를 푸시기 어렵지 않으리니, 어찌 성내(城內)와 강외(江外)를 사이 두어 있음 같으리오."

소사 머리를 숙여 침음하다가 그 말이 옳음을 깨달아, 사례 왈,

"소제 암매(暗昧)하여 일을 잘 못 생각한지라. 형장의 말씀이 가장 마땅하시니, 어찌 받들지 않으리까? 명일 옮게 하사이다."

창후 깃거 종야 태부인을 구호하다가 겨우 날이 새기를 기다려 성내로 들어갈 새, 위의를 차려 편하고 너른 거중(車中)에 근신한 시녀 '수인을 좌우로 안처 태부인을 붙들게 하고, 창후 곤계 조모를 모셔 교중(轎

中)에 올린 후 유씨를 또 그같이 모셔 덩에 올리고, 정·장·우 삼소저의 채교를 뒤에 행케 하며, 창후 곤계 위·유를 호행하니, 하리(下吏) 추종(追從)이 대로에 메었고, 화교옥륜(華轎玉輪)이 햇빛을 가리는지라. 인심이 권세를 붙좇음이 심한 고로, 위·유의 흉독 극악함을 그윽이 통완하는 자라도, 창후 곤계 같은 효자 현손이 있으니, 뉘 가히 그 자손 듣는 데 위·유를 꾸짖을 이 있으리오.

금일 행거(行車)에 일가(一家) 족친(族親) 재열(宰列) 수십여 인이 남문에 나와 맞아 옥누항으로 향하니, 부려한 영광이 공후의 태부인 행차며, 재열(宰列)의 자당임을 알지라. 노상 제인이 가만히 이르되, 효자 현손을 온 가지로 보채며, 사람이 차마 듣지 못할 악사를 행하되, 팔자는 유달리 존귀하여 영광을 띠임이 이 같다 하더라.

행하여 하부에 다다르니, 작일에 하공이 노복을 분부하여 당사를 쇄소(刷掃)하라 하였는 고로, 내외 가사를 한 조각 티끌이 없이 쇄소하였는지라. 내당 원양전에 태부인을 모시고, 응휘각에 유씨를 모시며, 정·장·우 등의 처소를 정하여 들게 하고, 모든 노복을 명하여 외장(外墻)을 헐어 백화헌을 통하며, 동산 담을 헐어 사당(祠堂)이 가깝게 할 새, 차일이 망일(望日)인 고로 제사를 크게 차려 지내며, 윤태사 부중에 가 경암공 사묘와 운혜공 목주를 모셔 오고, 상탁(床卓)과 범구(凡具)를 이 날에 고칠 새, 효자의 정성을 다하여 비록 조선 제사하는 전택(田宅)이 다 없어지나, 공후 재렬이 산악 같은 기구(器具)를 기울여, 향선지전(享先之奠)42)의 극진함이 무한하기를 바라는 고로, 사당의 휘황함과 물색(物色)의 장려(壯麗)함이 천승국군(千乘國君)의 종묘(宗廟)와 다르지 않고, 제향증상(祭享蒸嘗)43)의 정성이 동촉(洞屬)하여, 전일 무고(無故) 궐사

---

42) 향선지전(享先之奠) : 선조를 제사하는 제례의식.

(궐사(闕祀)44)하던 일을 더욱 슬퍼 하되, 조모와 숙모의 아름답지 않은 말을 언두(言頭)에 일컫지 않더라.

창후와 정숙렬이 태부인 환후 구호함이, 성효를 갈진(竭盡)하여 차성하심을 바라는 뜻이, 각각 몸으로써 병후를 대코자 할 뿐 아니라, 창후의 의술이 편작(扁鵲)45)의 신술(神術)과 화태(華陀)46)의 영공(靈功)을 효칙하는 고로, 당제(當劑)로 먼저 안환(眼患)과 창질(瘡疾)을 고치매, 점점 쑤시던 버러지는 스러져 간 곳이 없고, 양안이 밝은 듯하여, 일순지내(一旬之內)에 사람을 알아볼 뿐 아니라, 창후의 의술이 누월(累月) 치료에 팔진성찬(八珍盛饌)과 화미옥식(華味玉食)이 일일 낙역부절하니, 구미(口味)와 먹음이 날로 새로와, 만반진수(滿盤珍羞)라도 그릇이 비기를 그음하니, 추악하고 눅눅하던 얼굴이, 당차시 하여는 창처(瘡處) 잠깐 나으며, 앞이 어둡기를 덜하며47), 심곡에 맺혔던 화미사식(華味奢食)을 날마다 나오니, 문득 옛 얼굴이 점점 돌아와 비택(肥澤)한 기부(肌膚)가 기름으로 씻은 듯하니, 시녀배는 그윽이 믿게 여기되, 창후 형제와 정·장 이부인의 환열행희(歡悅幸喜)함이 비할 곳이 없으나, 다만 유부인의 성악(性惡)과 심화(心火) 날로 더하여, 신병(身病)에 해로움이 많은지라.

---

43) 제향증상(祭享蒸嘗) : 제사. 증상(蒸嘗); 제사(祭祀)를 뜻하는 말로, '증(蒸)'은 겨울제사를, '상(嘗)'은 가을제사를 말한다.
44) 궐사(闕祀) : 제사를 지내지 않거나 지내지 못하여 빠드림.
45) 편작(扁鵲) : 중국 전국 시대의 의사. 성은 진(秦). 이름은 월인(越人). 임상 경험을 바탕으로 치료하였다. 장상군(長桑君)으로부터 의술을 배워 환자의 오장을 투시하는 경지에까지 이르렀다고 전한다.
46) 화태(華陀) : 중국 후한(後漢) 말기에서 위나라 초기의 명의(名醫)(?~208). 약제의 조제나 침질, 뜸질에 능하고 외과 수술에 뛰어났으며, 일종의 체조에 의한 양생 요법인 '오금희(五禽戲)'를 창안하였다.
47) 덜하다 : 어떤 기준이나 정도가 약하다.

소사의 구병하는 효성이 어찌 창후의 태부인 구완하는 정성만 못하리
요마는, 유부인이 창처(瘡處)를 부딪치며 날마다 가슴을 두드려, 소사의
죽기를 절박히 원하는 고로, 천지신기(天地神祇)의 미워함이 심하여, 소
사 의약을 착실히 하매, 귀 먹은 것이 잠깐 나으며 각증(脚症)48)이 덜리
나, 별증(別症)49)이 나서 못 견디는 바는, 삼촌설(三寸舌)이 속으로 잡
아당기는 듯, 점점 오그라들어 그으니50), 말을 마음대로 못할 뿐 아니
라, 후설(喉舌)이 칼로 써는 듯 아프고, 흉복에 큰 돌을 드리운 듯, 일만
창인(槍刃)51)이 쑤시는 듯하며, 대소변이 순히 통치 못하여 지린52) 오
줌과 구린53) 똥물이 거스르니, 유녀의 성악(性惡)함으로도 말을 시원이
못하고, 아픔이 이 지경(至境)54)에 미치니, 비록 창질과 버러지 쑤시는
것이 나으나, 차마 못 견디는 형상을 어찌 측량하리오. 주야 고통하매
설움을 참지 못하여 쾌히 죽고자 하되, 후설이 더 아리는55) 고로 통곡
도 마음대로 못하는지라.

소사 모친의 환후 별증이 괴이함을 황황 민박하여, 식음을 물리치고
한 때도 병소를 떠나지 않아 구호하는 정성이 아니 미친 곳이 없으되,
유씨 조금도 감동하는 빛이 없어 날로 성악(性惡) 뿐이러니, 창후 곤계
돌아온 일삭(一朔)에 추밀의 환경(還京)하는 선성(先聲)이 이르니, 창후

---

48) 각증(脚症) : 각기(脚氣). 비타민 비 원(B1)이 부족하여 일어나는 영양실조 증
    상. 말초 신경에 장애가 생겨 다리가 붓고 마비되며 전신 권태의 증상이 나타나
    기도 한다. 늑각기병.
49) 별증(別症) : 어떤 병에 딸려 일어나는 다른 증세.
50) 그으다 : 긁다. 손톱이나 뾰족한 기구 따위로 바닥이나 거죽을 문지르다.
51) 창인(槍刃) : 창끝. 창날.
52) 지리다 : 똥이나 오줌을 참지 못하고 조금 싸다.
53) 구리다 : 똥이나 방귀 냄새와 같은 고약한 냄새가 나다.
54) 지경(至境) : 매우 지독한 상태나 형편.
55) 아리다 : 상처나 살갗 따위가 찌르는 듯이 아프다.

곤계 백리장정(百里長程)에 나아가 맞고자 않으리오마는, 태부인 환후 오히려 좋지 못하고, 유씨 병세 날로 위악하여 일시를 떠나지 못하는 고로, 창후는 강외로 가 맞으려 하고, 소사는 문외에서 맞으려 할 새, 추밀의 친붕 제우가 윤가 제족으로 더불어 십리 장정에 맞으러 가니, 윤공이 교지 만리에서 삼년을 머물매 가사 아무리 된 줄 모르고, 자질 등의 망측한 죄루를 자닝히 여기고, 또 사친지회(思親之懷) 간절하여 식불감미(食不甘味)하고 침불안석(寢不安席)하더니, 이미 교지참정이 새로 내려오고 자기 환경할 기한이 되니, 인수(印綬)를 새 참정(參政)에게 전하고, 바삐 경사 소식을 물으며 연일 조보(朝報)를 보매, 정·진 이문의 흉화(凶禍) 참참턴 바를 놀라나, 질녀의 격고등문한 줄을 알며, 그 모친(母親)의 한없는 과악과 유씨의 이상간독(異常奸毒)함은 만고를 기울여도 쌍이 없을지라.

가변의 망극함이 전혀 유녀의 간악임을 깨달아 통완 분해함이, 경각에 자기 몸이 날아, 집에 돌아가 악인을 일천 조각을 내어, 마으고자[56] 의사 일어나는 중, 모친의 과악을 애달아 심려(心慮) 불예(不豫)함으로써, 질양(疾恙)이 일어나 연하여 신음하다가 졸연(猝然) 위중하여 인사를 버리고 식음을 전폐하니, 군관 송잠 등이 지성(至誠) 구호하고, 각읍이 진경(震驚)하더니, 겨우 차성함을 얻어 황성으로 돌아갈 새, 강외의 이르러 창후 빨리 나아와 거륜 앞에 다다르니, 늠연한 신광이 척탁쇄락(滌濯灑落)[57]하여 전자의 감함이 없을 뿐 아니라, 금관(金冠)은 월액(月額)[58]에 빛나고 자포(紫袍)는 옥산(玉山)[59]에 엄연(儼然)하거늘, 재상

56) 마으다 : 부수다. 단단한 물체를 여러 조각이 나게 두드려 깨뜨리다.
57) 척탁쇄락(滌濯灑落) : 깨끗하고 상쾌함.
58) 월액(月額) : 달처럼 둥근 이마.
59) 옥산(玉山) : 외모와 풍채가 뛰어난 사람을 비유적으로 이르는 말.

의 관자(貫子)는 구름 빈상(鬢上)에 두렷하니, 공이 반가운 정신이 황홀하여 바삐 거륜에 내려 그 손을 잡고 실성 비읍하니, 창후 또한 눈물이 여우함을 면치 못하되, 비회를 억제하고 화기를 작위(作爲)하여 붙들어 위로하니, 추밀이 겨우 모친의 존후를 묻잡고 목이 메여 여느60) 말을 못하더니, 날호여 탄 왈,

"자정(慈庭)의 실덕을 간치 못하고, 유가 요녀의 대악을 알지 못하여, 여등(汝等)을 차마 못 견딜 경계를 당케 하며, 내 집을 떠나매 여등이 불효 누명을 실어 천리(千里) 밖에 찬출함을 당하여, 자당 슬하에 모시지 못함을 생각건대, 나의 불효는 만고에 둘이 없고, 여등을 내 손으로 해치 않았으나 유가 독믈(毒物)61)을 금단(禁斷)치 못하였으니, 내 스스로 해함이나 다르리오. 살아서 대인할 면목이 없고, 죽어 구천타일(九泉他日)에 조선(祖先)과 선형(先兄)을 뵈올 낯이 없으리로다."

언파의 오열유체(嗚咽流涕)하며 소사의 나오지 않았음을 괴이히 여겨 물은데, 창후 숙모의 환후 위악(危惡)하시므로 강외(江外)까지 나오지 못하였음을 고하고, 무익(無益)히 비척(悲慽)지 마심을 청할 새, 추밀이 또 조부인 거처를 묻고, 정·진·하·장 등의 사생을 물어 왈,

"유가 요물의 작해함이 너의 형제 부부를 다 죽이기를 도모하되, 여등은 천우신조(天佑神助)하여 사죄(死罪)를 벗어낫거니와, 진·하·장의 죽음이 적실하며, 정씨는 장사(長沙)에서 돌아옴을 얻었느냐?"

창후 정·장 등이 지금 옥누항에 있음과 모친이 옥화산에 무사히 계심을 고하고, 진·하 등은 생남한 지 수삼 년이 되고, 각각 친당의 있음을 대하니, 추밀이 용루(龍樓)에 조알(朝謁)하고 모전에 봉배(奉拜)할

---

60) 여느 : 그 밖의 예사로운. 또는 다른 보통의.
61) 독믈(毒物) : 성미가 악독한 사람이나 짐승.

뜻이 급하여, 가중 소식을 다 묻지 못하고, 창후의 복색이 다름을 괴이
히 여겨, 물어 왈,

"교지에서 조보를 보니 네 손환의 참모사 됨을 알았더니, 무슨 공을
이뤘관데 봉후 작직(爵職)을 받자왔느뇨?"

창후 파적(破敵)한 설화를 대강 고하매, 공이 희동안색(喜動顔色)하여
두굿김을 이기지 못하되, 유녀 분노하는 마음이 형상(形象)치 못하여 여
느 말을 못하고, 바삐 거륜에 올라 빨리 행할새, 창후 계부를 모셔 남문
에 다다르매, 명공거경이 가득이 모여 추밀을 기다리는지라.

공이 거륜(車輪)에서 내려 친척(親戚) 제우(諸友)를 반길 새, 만좌거
경(滿座巨卿)이 소리를 연하여 국사를 선치하고, 기한에 무사히 돌아옴
을 칭하 하며, 창후의 입공 반사함과, 소사의 청현화직(淸顯華職)을 하
례하니, 공이 불감사사(不堪謝辭)하고 추연(惆然) 탄식 왈,

"소제의 불명무식(不明無識)함이 경사의 있을 때도 가간변고(家間變
故)를 살피지 못하여, 자질에게 한없는 곡경을 이루고, 편친께 무궁한
누덕을 끼쳐, 부끄러운 낯으로 사람을 대할 안면이 업도소이다."

정·하·장 제공이 집수(執手) 위로 왈,

"왕사(往事)는 이의(已矣)거니와, 다만 사원의 입공반사(立功頒賜)함
은 행사(行事) 타류의 뛰어나고, 사빈의 출천 성효가 천의를 감동하여,
형의 가내의 불평한 일이 없게 하니, 어찌 기특치 않으리오."

추밀이 추연 탄식이러니, 홀연 허다(許多) 하리추종(下吏追從)이 일위
재상을 옹위하여 나오다가, 장막을 바라보고 즉시 하거(下車)하여 빨리
막차(幕次)에 다다라, 공의 앞에 나아와 배례하니, 추밀이 보건대 참연
애석(慘然愛惜)하여 주야 잊지 못하던 아들을 금일 보매, 의형의 수패
(瘦敗)함이 보기에 두려움을 염려하여, 슬픔과 반가움이 가득하여 말을
못하니, 소사 야야의 신광이 전일과 같지 못하시어 우수(憂愁)하심이 심

하시니, 자가의 가득한 근심을 감추어 이성화기(怡聲和氣)로 위로하며, 신광의 수패하심을 우려하니, 공이 수루(垂淚) 탄 왈,

"너는 나의 수구(愁懼)함을 염려하거니와, 나는 너의 의형(儀形)이 수패(瘦敗)함을 놀라나니, 유가 흉믈(凶物)에게 보채임을 만나 이렇듯 괴이히 되었는다?"

하니, 소사 야야(爺爺)의 말씀을 듣자오매, 심사 더욱 요요(擾擾)하여 양모를 위하여 염려 가득하더라.

명주보월빙 권지칠십이

어시에 소사 야야의 말씀을 듣자오매 더욱 요요(擾擾)하여 양모를 위한 염려 가득하니, 하염없이[62] 봉안의 추수(秋水) 동(動)하는지라. 양주서 사병(死病)을 지내고, 채 소성(蘇醒)치 못하여서 경사로 올라오매, 원로에 뼤쳐[63] 얼굴이 환탈함을 고하고, 모병(母病)이 위악하여 오래 떠나지 못하는 고로, 반노(半路)에 내려가 모셔 오지 못함을 고하며, 바삐 돌아가랴 하니, 공이 청파의 분연 고성 왈,

"뉴가 악인이 너의 양모(養母) 아니라. 오문을 어지럽힌 원수니 내 의(義)를 절(絶)한즉 네 모자지의(母子之義) 없으리니, 네 어찌 나를 대하여 발부(潑婦)의 병을 이르느뇨?"

소사 만좌 중 이 말씀을 들으매, 비록 양모의 허물을 모를 이 없으나, 부끄러움이 새로이 낯을 깎고 싶은지라. 혈읍(血泣) 고두(叩頭) 왈,

"무상(無狀)한 간비(姦婢)의 헛 초사(招辭)로써, 대인이 어찌 자모를 의심하시나니까?"

공이 요수(搖首) 왈,

---

62) 하염없다 : 시름에 싸여 멍하니 이렇다 할 만한 아무 생각이 없다.

63) 뼤치다 : 일에 시달리어서 몸이나 마음이 몹시 느른하고 기운이 없어지다.

"너는 이르지 말라. 유가 악인이 아니면 자정의 실덕하심이 그 지경에 미치리오. 도시 유녀 요물(妖物)의 죄악이니, 아지못게라! 성주의 결사하심이 어찌된 연고로 유녀를 살리시냐?"

좌간에 초후 윤공의 말을 들으매 가려온 데를 긁는 듯, 쟁그라움을 이기지 못하여, 면간에 은은한 웃음을 머금고, 승상 조공을 향하여 가만히 이르대,

"합하는 윤부 시녀 등의 초사와 성상의 결사하심을 밝히 아시리니, 윤합하께 자세히 전하소서."

조공이 미소 왈,

"명강이 이제는 경사에 왔으니 자연 세세히 들을지라. 인친가 부인의 시비를 외인이 어찌 낭자(狼藉)하게 이르리오."

초후 소왈,

"윤합하 알지 못하여 하시니 자세히 전하심이 해롭지 않을까 하나이다."

조공이 초후의 청이 이 같으니 마지못하여 웃고, 윤공을 향하여 가로되,

"형이 교지에서 세월 등의 초사를 듣지 못 하였나냐?"

추밀 왈,

"간비 등의 초사를 베껴 보낸 이가 없는지라, 어찌 알리오."

조공이 짐짓 세월 등의 간악이 위·유를 해한 듯이 말을 시작하여, 그 초사를 대강 이르고, 성상의 결사하심을 전하매, 추밀이 듣고 말마다 심골이 경한(驚寒)하여 손으로 땅을 쳐 통한 분해 왈,

"열위 제붕과 친척 족당이 내 집 변고를 자세히 아는 고로, 보기에서 세 번 더할지라. 유가 발부의 만고 악사간모(惡事奸謀)를 들으매, 마음이 서늘함을 이기지 못하나니, 편친이 발부로 인하여 허다 과실을 지으시니, 다른 일은 이르지 말고, 천위(天威)에 누명을 돌려보낸 일이 통해 분완하여 죽이고 싶은지라. 황상이 어찌 희천의 되지 못한 표문을 좇으

시어, 그 죄과를 물시(勿視)하시리오."

제공이 추밀의 노기를 풀며, 주배를 권하여 반기는 정을 펴되, 추밀이 분분함을 이기지 못하더라.

날이 늦으매 추밀이 궐하에 배알함이 바쁜 고로, 제우 친척을 향하여 후일 종용이 봄을 일컫고, 총총이 금궐로 향하니, 창후 곤계는 집으로 돌아올 새, 문외에 모였던 제공열후(諸公列侯) 헤어져 그 부중으로 향하며, '창후와 소사를 들고 나지 않는다.' 꾸짖으며, 경사에 돌아온 후 서로 보지 못함을 일컫되, 창후 형제 조모와 자당 환후 위극하시니, 우황(憂惶)하여 예인상접(例人相接)64)할 흥황(興況)이 없음을 일컫고, 빨리 옥누항으로 돌아가니, 하공 부자는 소사의 기색이 정엄(正嚴)함을 어려이 넉일 뿐 아니라, 초후 말을 과도히 하여 저를 촉노(觸怒)하였으니, 소사를 대하여 실언(失言)함을 이르고, 아들의 과격함을 책하여 옹서(翁壻) 정회를 펴랴 하는 고로, 중인공회(衆人公會) 중 장설(長說)을 내지 않더라.

추밀이 궐하의 이르니 상이 인견하시어 국사를 선치(善治)함을 일컫으시고, 옥배에 향온(香醞)을 반사하시며, 창후의 재덕과 소사의 성효를 크게 칭찬하시어 명천공이 조사(早死)하나, 그 양재 국가의 동냥이요, 윤가를 흥기할 위인임을 기뻐하시니, 추밀이 백배 돈수하여 불감함을 일컫고, 인하여 주 왈,

"유녀의 죄악이 신모(臣母)에게 누얼65)을 끼치고, 광천 형제와 또 저의 처실 사인을 죽일 번하니, 그 죄 천사무석(千死無惜)이라. 신이 더러

---

64) 예인상접(例人相接) : 예사 사람처럼 서로 대할 수 없음.
65) 누얼 : 누얼(陋-). 사실이 아닌 일로 뒤집어쓴 더러운 허물. 얼; 겉에 드러난 흠이나 허물. 탈.

운 가변을 천문에 드레고, 성상의 처결하심이 황공하오나, 신으로 하여
금 유녀를 의절케 하시어, 희천으로 모자지의(母子之義)를 파하고, 한
그릇 사약으로 그 일명을 끊게 하심이 신의 바라는 바로소이다."

상이 웃으시고 희천의 성효를 일컬으시어, 다시 효자의 마음을 불평
케 말라 하시고, 추밀이 삼년을 교지의 있어 번국 도적을 방어하여, 백
성을 무휼(撫恤)한 어진 덕이 외방지주(外方知州) 가운데 으뜸임을, 안
찰사가 연하여 계문(啓聞)66)하였는 고로, 상이 그 공을 갚으사 특별이
호람후를 봉하시고, 본직 추밀사를 겸하시니, 윤공이 진정으로 부귀를
즐기지 않아 혈심(血心)으로 고사하되, 상이 불윤(不允)하시니, 하릴없
어 사은하고 날이 저묾을 인하여 퇴조하여 옥누항으로 돌아 오니라.

어시에 위태부인이 추밀의 돌아옴을 들으니 반가움이 미칠 듯하나,
자기 과악(過惡)이 뫼 같으니, 비록 친생 기자(己子)라도 볼 낯이 없고,
본디 이 아들을 기탄(忌憚)하는지라. '추밀이 돌아와 악사를 물은즉 무
엇이라 대할꼬?' 그윽이 부끄러워하는 의사 가득하더니, 날이 저문 후
호람후 들어와 모전에 배알할 새, 태부인이 창체(瘡處) 소성(蘇醒)하고
안정(眼睛)이 점점 나아 사람을 시원이 알아보는지라. 아자를 붙들어 소
리 나는 줄 깨닫지 못하여 크게 통곡하니, 호람후 모친의 과악(過惡)과
가변이 흉참하던 바를 생각하매 또한 통곡고자 하되, 구모지여(久慕之
餘)에 친안(親顔)을 득승(得承)하니, 효자의 반기는 정이 가득하니 어이
통곡하리오. 슬픔을 참고 위로 왈,

"불초자 삼년을 이측(離側)하와 발부(潑婦)를 제어치 못한 연고로, 가
변을 일으키고 자정께 참참(慘慘)한 누얼이 돌아가게 하오니, 이는 다

66) 계문(啓聞) : 조선 시대에, 신하가 글로 임금에게 아뢰던 일. ≒계달(啓達)·계
품(啓稟)

소자의 죄라. 구천 타일의 하면목으로 선군(先君)과 선형(先兄)기 뵈오
리까? 원하옵나니, 유가 요물을 없이 하고, 자정이 전과를 버리시고 새
로 성덕을 가다듬으신즉, 소자의 영행이 이 밖에 없사오리니, 청컨대 성
체를 잇비 마소서."

부인이 희허 탄 왈,

"모자 산 얼굴로 반길 줄은 실로 기약치 않은 바라. 노모의 사병(死
病)이 차성(差成)함은, 전혀 광천 부부의 구호하는 정성을 힘입어 회양
(回陽)67)함이라. 인하여 질양(疾恙)의 악착(齷齪) 괴흉(怪凶)턴 바를 일
러, 수월을 신고(辛苦)하되 문정(門庭)에 어른거려 묻는 사람도 없고,
노복도 다 도망하였다가 광아 형제 환쇄하는 소식을 듣고 들어오나, 세
월 비영이 잡혀 죽고, 고중(庫中)에는 승미척포(升米尺布)68)도 없어, 의
식지절(衣食之節)의 구간(苟艱)턴 바와 태복 등이 집을 다 헐어 팔던 일
을 갖추 전할 새, 목이 메고 앞이 어두워 능히 말을 이루지 못하는지라.

공이 듣는 말마다 차악 경해하여 체읍타루(涕泣墮淚)하니, 창후 형제
조모와 부숙의 슬퍼하심을 절민하여, 화성유어(和聲柔語)로 위로하니,
호람후 자질의 위로함으로 좇아 비회를 억제하고 모전의 고 왈,

"자위 이제나 요물의 극악함을 깨달으시고, 광천 등의 인효(仁孝)함을
아시어, 목강69)의 인자한 덕을 효칙하실진대, 소자 석사(夕死)라도 무
한(無恨)일까 하나이다."

---

67) 회양(回陽) : 활기(活氣)를 회복함.
68) 승미척포(升米尺布) : '한 되의 쌀'과 '한 자의 옷감'을 아울러 이르는 말로 아주
   적은 양의 식량과 옷감을 말함.
69) 목강(穆姜) : 중국 진(晉)나라 정문구(程文矩)의 아내. 성은 이(李)씨, 자(字)는
   목강(穆姜). 전처 소생의 네 아들을 자신이 낳은 두 아들보다 더 사랑하여 훌륭
   하게 키웠다.

태부인이 창후 부부의 효성을 의심하여 행혀 교정(矯情)인가 여기더니, 일삭이 되도록 유의하여 살펴도 작위(作爲)하는 일이 없으니, 전일 창후 형제 부부의 액회 태심하여, 성효(誠孝)를 아무리 다하여도 태부인이 감동하는 일이 없더니, 자기 남의 없는 악질(惡疾)과 측량치 못할 가란(家亂)을 천백(千百) 가지로 겪어, 형세 지극히 슬피 된 바에, 창후 등의 출천지효로써 그런 악질을 그치고, 아주 폐맹(廢盲)하였던 안채(眼彩) 다시 밝아 사람을 알아보는지라. 토목심장(土木心腸)[70]과 시호사갈(豺虎蛇蝎)의 흉독함을 다 가진 위인이로되, 점점 감동하여 전일을 뉘우치고, 창후 등을 죽이고자 하는 마음이 줄여져 사랑하는 뜻이 일어나되, 유씨의 말을 듣지 못하여 그 주의(主義)를 알지 못하니, 능히 정한 소견이 없어 아무란 상(狀)이 없더니, 호람후의 말을 듣고 체읍 왈,

"노모 전일 그릇 생각하여 광천 등을 해하였으나, 이후조차 다시 그름이 있으리오."

호람후 모친의 말씀이 의심 없으되, 차후는 한 일도 자기 무심히 아니 살피려 하는 고로, 불호지색(不好之色)을 나토지 않고, 종용이 모셔 말씀하며 정숙렬과 장씨를 볼새, 양소저의 용광 기질이 이목을 현황케 하고, 성심숙덕(聖心淑德)이 외모에 현출(現出)하니, 견자로 하여금 불감앙시(不敢仰視)할 바라. 휘 흔연 애중함이 친녀 같아서, 각각 화란 가운데 무사히 돌아옴을 일컫고, 정숙렬을 향하여 탄식 왈,

"우숙(愚叔)이 현질을 보매 어찌 참괴치 않으리오. 유가 요물의 간험 극악함을 알지 못하고, 현질로써 살인지죄(殺人之罪)에 빠뜨리되, 애매함을 폭백(暴白)지 못하니, 불명암열(不明暗劣)함이 어찌 우숙 같은 이

70) 토목심장(土木心腸) : 흙이나 나무처럼 감정이나 생각이 없는 마음을 비유적으로 표현한 말.

있으리오. 우숙이 그 때 등하불명(燈下不明)71)으로 아무런 줄을 알지
못하더니, 도금(到今)에 한심극의(寒心極矣)72)로다."

정숙렬이 복수청교(伏首聽敎)에 배사(拜辭)할 뿐이오. 온화한 낯빛과
쇄락한 동작이 비무(比無)한지라. 공이 애련(哀憐)하고 유자(乳子) 실리
(失離)함을 통석(痛惜)하여, 유씨 통완함이 갱가일층(更可一層)73)이라.

창후 곤계 일택(一宅)에 모인 지 일삭(一朔)에 담화(談話)가 처음임은
유씨의 환후로 그러함이러라. 창후 계부(季父)께 화도사의 수말(首末)을
고하고 부친 화상을 모셔 오다가 자하산에 봉안하고 옴을 고하니, 공이
비창(悲愴) 왈,

"여등이 상경 후 즉시 형장의 화상을 모셔 오지 않아, 우숙이 배알함
을 더디게 하느뇨?"

창후 고 왈,

"이제는 모셔 오려 하나이다."

공이 조부인을 모셔오지 않음과 하소저 친정에 머무는 연고를 물은
데, 창후 모친과 구조모 조부의 계시되, 표숙 등이 막자르심으로 지금
못 오시고, 하수는 초후 아니 보냄을 고하니, 태부인은 어린 듯이 말을
듣고 신기히 피화(避禍)함을 측량치 못하고, 호람후 명조(明朝)의 관소
(盥梳)하고, 사묘(祠廟)의 오르매, 황연하여 다만 백화헌과 회춘루 뿐이
라. 심중에 차악하나 오직 사묘에 배알하고 내려와 백화헌의 좌하고, 시
녀를 불러 유씨의 거처를 물으니, 태부인 침전 뒤 응휘각에 있다 하거
늘, 휘 뜻을 결하여 시녀 등으로 하여금 유씨 협사(篋笥)에 가 혼서(婚

71) 등하불명(燈下不明) : 등잔 밑이 어둡다는 뜻으로, 가까이에 있는 물건이나 사
람을 잘 찾지 못함을 이르는 말.
72) 한심극의(寒心極矣) : 한심하기가 이를 데 없음.
73) 갱가일층(更可一層) : 어떤 정도 보다 한층 더함.

書)를 내어오라 하고, 유가 악인으로써 부부지의를 폐절하는 뜻을 쓸
새, 창후 모셨더니 이를 보고 경해(驚駭)함을 이기지 못하되 다만 모르
는 듯이 시좌(侍坐)하였더니, 시녀 돌아와 고하되,

"부인이 엄홀(奄忽)하여 계시니 차상공이 약물을 떠 넣으시며, 부인의
정신 차리심을 기다려 나오시어 노야께 고할 말씀이 있다 하고, 혼서를
얻지 못하게 하시더이다."

공이 대로(大怒) 질왈(叱曰),

"여 등이 이제 다시 들어가 혼서를 못 얻어온즉 사죄(死罪)를 면치 못
하리라."

또 시노를 명하여 소사를 잡아 오라 하니, 이 때 유씨 공의 돌아옴을
듣고, 자기를 절통(切痛)하여 할 줄 짐작하매, 익봉잠74)의 효험이 지금
가지 못함을 애달라, 전후의 자기 심력과 재보를 허비하여, 한 일도 소
원에 영합함이 없음을 생각하니 심장이 터질 듯하고, 아무리 독한 기운
을 다하여 창후 형제 부부를 질욕이나 시원이 하고자 하나, 혓바닥을 잡
아당기는 듯하니, 마음대로 독심을 풀지 못하여 성악이 불 일어나 듯하
니, 이를 악물고 소사의 관을 벗겨 던지며 쇠꼬챙이로 쑤시니, 도도히
적혈이 솟아나되, 소사 아픔은 잊히고 부인 병체 더할 바를 절민(切憫)
하여, 모친을 붙들어 상석(床席)에 편히 누우심을 청하여, 왈,

"불초자(不肖子)가 죄 있을진대 시노(侍奴)로 하여금 장책하심이 옳거
늘, 어찌 성체 잇부심75)을 생각지 아니하시니까?"

유씨 이에 더욱 분노하여 소사의 머리를 잡아 벽에 부딪치다가 분한

---

74) 익봉잠 : =도봉잠. 사람을 변심시키는 약. 이 약을 사람에게 먹이면 마음이 변
   하게 되어 먹은 사람의 마음이 먹인 사람의 뜻대로 조종당하게 된다.
75) 잇부다 : 힘들다. 피곤하다.

기운이 막혀 거꾸러지니, 소사 바삐 붙들어 뉘고 약을 떠 넣더니, 시녀 호람후의 명을 전하고 협사를 뒤여 혼서를 얻어내려 하는지라. 소사 자기가 나아가 고할 말씀이 있으니 시녀를 물러가라 하고 부인을 구호하더니, 또 시노가 공의 명을 전하여 잡아 오라 하시던 바를 고하고, 여러 시녀가 들어와 협사를 뒤려 하니, 소사 심신이 아득한 중 야야의 노기 끝을 누르기 어려울지라. 자기 몸이 고대 없어져 부모의 불화하심을 보지 말고자 하나, 능히 미치지 못할지라.

급히 백화헌으로 향할 새, 제 시녀더러 왈,

"혼서를 못 얻어 낸 죄는 여등이 당치 아니 할 것이니, 여차여차 내게로 밀위라."

제녀 비록 공을 두리나, 소사의 명을 감히 거스르지 못하여, 소사를 따라 백화헌 계하의 다다라 시녀 고 왈,

"차상공이 혼서를 감초시고 소비를 질퇴(叱退)하시니, 감히 역명치 못하와 아뢰나이다."

공이 대로하여 양안을 비스듬히 떠 소사를 찰시하여 질왈(叱曰),

"유가 요물은 내 집을 망치고 너희를 죽이려 하던 원수 악인이거늘, 네 하고(何故)로 유녀를 양모(養母)라 칭하며, 내 명을 감히 역하느뇨? 노부 뜻을 결하여 의(義)를 절(節)하려 하나니, 혼서를 내어 옴을 다시 더디게 할진대, 발부를 죽여 분을 풀리라."

소사 망극함을 이기지 못하여 관영(冠纓)을 해탈하고 체읍 애걸 왈,

"부부는 오륜의 중사(重事)라. 자모 비록 실덕함이 계시나 대인이 성덕을 드리우시어 규내(閨內)의 세쇄(細瑣)한 과실을 물시하시고, 해아(該兒)로 하여금 인류(人類)에 충수(充數)하여 자모 해한 불초자가 되지 않게 하심이 마땅하거늘, 어찌 윤의(倫義)를 끊음을 이르시나이까? 소자 당하에서 사죄를 받자올지언정, 혼서는 내어오지 못하리로소이다."

호람후 소사의 말씀과 간언을 들으매, 익익(益益) 대로(大怒)하여 생각하되,

"내 불명하여 찰녀(刹女) 악인을 일찍 없애지 못하여, 가변이 망극한 지경에 이르러, 자질을 하마 보전치 못할 번 하니, 이제 요인을 살려둔즉 희천이 간악지인을 위한 정성을 그치게 할 길이 없는지라. 의(義)를 절하고 출거하나, 희아가 결단코 빈빈이 왕래할 것이요, 요녀가 세상에 있은 후는 나의 자질을 궁극히 죽이고 말리니, 내 비록 박행(薄行)을 면치 못하나, 발부를 죽여 후환을 없이 하리라."

의사 이의 미치매, 천품이 소활하여 본디 잔 염려 사곡(私曲)[76]한 곳의 돌아가지 않아, 사람을 공교히 의심치 않는 고로, 전일은 유씨의 악사를 알지 못하였더니, 당차지시(當此之時)하여는 그 천흉만악(千凶萬惡)을 세월 비영 등의 초사로 좇아 알고, 분노가 불 일 듯하니, 어찌 참으리요.

군관 송규를 불러 행중(行中)에 가져 온 약궤를 들이라 하니, 원래 공이 유씨 욕살지심(慾殺之心)[77]이 있어 독약을 가져온 바라. 송규 아무런 줄 모르고 궤를 드리매, 공이 약을 내어 소매에 넣고 소사를 책 왈,

"유녀를 죽이며 살림은 내 장중(掌中)에 있으니, 요인은 여등과 원수요, 내 집을 망침은 이르지 말고, 그 첩첩한 죄상이 머리를 베어도 속지 못할 바요, 네 발부의 기출이라도 한무제(漢武帝)[78] 구익부인(鉤弋夫人)[79]을 죽이고 그 아들을 세웠으니, 너는 요인의 기출(己出)이 아니라.

---

76) 사곡(私曲) : 사사롭고 마음이 바르지 못함.
77) 욕살지심(慾殺之心) : 죽이고자 하는 마음.
78) 한무제(漢武帝) : B.C.156~87. 중국 전한(前漢) 제7대 황제. 재위 BC141-87.
79) 구익부인(鉤弋夫人) : 한나라 무제의 후궁. 무제가 장성한 아들이 없어 구익부인이 낳은 아들을 태자로 정하고, 후일 구익부인이 황제의 모친으로 정권에 간

노부가 의(義)를 끊으면 오아(吾兒)는 저로 더불어 남이라. 무엇이 그리 관중(款重)하여 양부(養父) 있음을 알지 못하느뇨?"

언필에 시노를 호령하여 소사를 백화헌에 가두라 하니, 창후 계부의 노기를 보매 자기 등의 말이 무익한 줄 알되, 잠잠코 있음이 자질의 도리 아니라. 연망이 머리를 두드려 가로되,

"가변(家變)이 진실로 남이 알까 두려운지라. 이는 다 유자(猶子)[80] 등의 무상함이니 어찌 일편 되이 숙모만 책망하시리까? 하물며 대모의 실덕하심이 숙모께 내림이 없으시니, 계부 숙모의 과실을 물시(勿視)치 않으신 즉, 듣고 보는 자들이 숙부의 처사를 대모께 역정함으로 칠 것이오니, 원컨대 계부는 과도한 거조(擧措)를 마소서."

공이 진목(瞋目) 질왈,

"자위 비록 실덕하심이 계시나, 네 어찌 유가 요물 찰녀에게 비겨 흉휼한 말로 나를 제어코자 하니, 그 죄 어디에 미쳤느뇨?"

이에 시노를 호령하여 창후를 끌어 내치고, 소사를 가두라 하고, 소매를 떨쳐 응휘당을 향하니, 창후 만심(滿心)이 차악(嗟愕)하나 오히려 소사의 망극한 심사에 비치 못할지라.

소사 야야의 가두라 하시는 명이 있으나, 죽음을 그음하여 공의 뒤를 좇아 들어가니 어느 노자가 감히 가두리오. 창후는 왕모를 격동치 않은 즉, 계부의 노기를 돌이키기 어려운 고로, 급히 원양전에 이르러 왕모께 고 왈,

"계부 여차여차 약을 가지시고 응휘각으로 가 계시니, 원컨대 왕모는 계부를 보시고 여차여차 이르시어 숙모의 위급하심을 구하소서."

___
여하여 국정을 어지럽힐 것을 염려해서 사약을 내려 죽였음.
80) 유자(猶子) : 자식과 같다는 뜻으로, '조카'를 달리 이르는 말.

태부인이 혼백이 비월(飛越)하여 이르되,

"가변을 지음은 유씨의 작악(作惡)뿐 아니라 노모의 탓이거늘, 유씨만 죄하리오. 이의 즉시 창후에게 붙들려 응휘각에 이르니, 이 때 호람후 노기 등등하여 청사(廳舍)의 좌하고, 유씨에게 말을 전하되,

"발부 오문을 망해오고, 자질 부부를 온 가지로 죽이려 도모하여, 천단악사(千端惡事)와 만단흉독(萬端凶毒)이 고금을 역수(歷數)하여도, 그 죄 같은 이 없을지라. 여휘(呂后)81)가 조왕(趙王)82)을 짐살(鴆殺)하고 척희(戚姬)83)를 인체(人彘)84)를 만들었으나, 투기(妬忌)로 비롯해 악사를 행함이거니와, 요인으로 비하매 다 어진 여자라. 요인은 당치 않은 악사를 다 행하여 희천을 죽이려 할 뿐 아니라, 광천은 오문의 큰 아해로 누대 봉사를 영(領)하거늘, 그 부부를 해함이 아니 미친 곳이 없고, 공교로운 말과 요악한 꾀로써 자정의 마음을 변하시게 하여 무궁한 누덕을 끼치니, 그 죄상이 천살무석(千殺無惜)이요, 만사유경(萬死猶輕)이라. 나를 요약(妖藥)을 먹여 실성지인(失性之人)이 되게 하니, 이 청한(淸閑)한 여자의 행실이 아니라. 그 죄과를 이르려 한즉, 혀 닳고 흉금

---

81) 여후(呂后) : 중국 한고조의 황후. 성은 여(呂). 이름은 치(雉). 고조를 보좌하여 진(秦)나라 말기·한(漢)나라 초기의 국난을 수습하였으나, 고조가 죽은 뒤 실권을 장악하여 유씨 일족을 압박하여 그의 사후에 여씨(呂氏)의 난을 초래하였다.
82) 조왕(趙王) : 이름 유여의(劉如意). 중국 한(漢)고조(高祖)와 척부인(戚夫人) 사이에 난 아들. 고조가 후계자로 삼고자 했을 만큼 그의 사랑을 받았으나, 고조 사후 여후(呂后)에게 독살을 당했다.
83) 척희(戚姬) : 척부인(戚夫人). 중국 한 고조의 후궁. 고조의 사랑을 받아 아들 조왕(趙王)을 두었으나, 고조가 죽은 뒤, 여후(呂后)에게 조왕은 독살당하고, 그녀는 팔다리를 잘리고 눈을 뽑히는 악형을 당하고 '인간돼지(人彘)'로 학대를 받으며 측간에 갇혀 지내다 죽었다.
84) 인체(人彘) : '인간돼지'라는 뜻으로 중국 한(漢) 고조(高祖) 비(妃) 여후(呂后)가 고조의 애첩 척부인(戚夫人)을 팔다리를 자르고 눈을 뽑는 혹형을 가한 후, 측간에 처넣고 그녀를 지칭해 부르게 한 이름.

이 엄색한 고로 다 이르지 못하니, 악인이 나로 더불어 이름이 부부나 실은 원수라. 빨리 이 독약을 먹고 세상을 유련(留連)치 말아, 나의 절박히 요인(妖人)을 죽이고자 함을 끊고, 긴 세월에 괴롭고 슬픔을 격지 않음이 요인(妖人)에게 가장 영화로운 일이라. 그 죄과를 생각할진대 어찌 머리를 보전하리요마는, 교아같이 배부난륜(背夫亂倫)한 일이 없고, 초에 육례(六禮)85)를 갖춘 조강(糟糠)임을 헤아려 시신이나 예사롭고자 함이니, 이 또 나의 관대화홍(寬大和弘)한 덕이라. 금일로부터 부부지의를 그쳐 한 번 죽으매, 공산을 얻어 시체를 장하리니, 윤씨의 속현함으로 알지 말고 희천이 양자 아님을 밝히 알라."

설파에 약을 재촉하여 들여보내니, 소사 망극함이 여할(如割)하여 급히 약을 앗아 손에 들고 머리를 두드려 실성읍혈(失性泣血)하매, 경상이 참참하여 견자(見者)로 하여금 불승산비(不勝酸鼻)86)하는지라.

공이 아자의 경상을 보매, 비록 밖으로 엄함을 지어 책하나, 안으로 아낌이 간위(肝胃) 타는 듯하되, 유씨 살려둘 뜻은 없어 시녀를 호령하여 유씨 죽기를 재촉하니, 이 때 유씨 중청(重聽)한 병이 잠깐 나았음으로 시녀 전할 나위87) 없이 들을지라. 벌써 도마 위에 오른 고기88) 같아서, 두려울 것이 없는 고로, 발연이 소리 질러 발악고자 하되, 혜 아픔이 극하니 악언을 능히 이루지 못하고, 분함을 이기지 못하여 손가락을 깨물어 한 자 깁에 쓰되,

"호람후 날로써 천고 무쌍한 악인으로 미루어 죽음을 재촉하거니와,

---

85) 육례(六禮) : 우리나라 전통혼례의 여섯 가지 의례. 납채(納采), 문명(問名), 납길(納吉), 납폐(納幣), 청기(請期), 친영(親迎)을 이른다.
86) 불승산비(不勝酸鼻) : 슬프거나 참혹하여 콧마루가 시큰함을 이기지 못하다.
87) 나위 : 더 할 수 있는 여유나 더 해야 할 필요.
88) 도마 위에 오른 고기 : 죽을 위기에 처한 상황을 비유적으로 이르는 말.

존고의 허다 과실이 나보다 적다하리오. 내 비록 어질지 못하나 존고가 만일 목강(穆姜)의 인자한 덕이 있을진대, 나의 허물을 책하고 광천 등을 사랑함이 옳거늘, 날마다 패악부정지사(悖惡不正之事)는 존고 더 잘 생각하여 나를 가르치니, 내 무슨 죄로 혼자 지레 죽으리오. 희천 요악한 놈이 호람후 어림장이를 꾀어 나를 죽이려 하거니와, 내 결단코 호람후의 명을 준봉하여 긴 명을 끊지 않으리니, 국가에서 존고의 과악과 내 죄를 한가지로 다스리면, 감히 역명치 못하리라."

쓰기를 마치매, 시녀로써 공에게 보내니, 호람후 글을 보고 노하는 머리털이 관을 가르치니, 분연이 벌떡 일어나 요하(腰下)에 서리 같은 비도(飛刀)를 빼어 들고 유씨의 침소를 부수고 들어가니, 소사 이를 보매 천지 망망하여 창황이 따라 들어가니, 공이 노기 돌관(突貫)[89]하여 칼을 번득여 유씨를 지를 거동이라. 소사 칼을 앗으려 하니, 공은 유씨를 지르려 덤벙이다가 칼끝에 소사의 손이 상하여 유혈이 돌지하되[90], 소사 오히려 칼을 놓지 않고, 옥면에 누수(淚水) 여우(如雨)하여 부공을 우러러 고 왈,

"여차 망극한 변을 짓지 마시어 해아의 통할한 정사를 돌아보심을 비나이다."

언미(言未)의 창후 태부인을 모셔 이르니, 태부인이 방성통곡 왈,

"노모의 허다 과악을 이르려 한즉 머리털을 베어도 궁진(窮盡)치 않을지라. 어찌 한갓 유씨의 허물 뿐이리오. 오애 부디 유씨를 죽이려 할진대 노모 바삐 죽어 선군을 보옵고 사죄하리니, 괴로운 세상에 구구히 투생(偸生)하여 유식부의 죽는 거동을 보리오."

---

89) 돌관(突貫) : 한꺼번에 기운차게 어떤 일을 함. 치솟아 오름.
90) 돌지하다 : 돌돌 솟아나오다. *돌돌 : 물이 좁은 도랑을 따라 흘러가는 모양.

설파에 품 사이로 좇아 단검을 내어 지르려 하니, 공이 모친의 쥔 칼을 황망이 앗고 청죄 왈,

"불초자 무상하여 자의(慈意)를 알지 못하고, 차후나 가사 온전하여 자질이 무사키를 바라는 고로, 발부를 부디 없이 하려 하더니, 태태 이렇듯 슬퍼하시니, 가변이 다시 충출(層出)하여도 태태 명을 받들어 죽임을 그치고, 혼서(婚書)를 불지른 후 출거(黜去)하려 하나이다."

태부인이 손아의 말을 듣고, 본디 유씨를 편애하는지라, 어찌 출거코자 하리오. 더욱 슬퍼 왈,

"네 부친이 계신즉 나를 출거할 것이로되, 유명(幽明)[91]이 격(隔)하여 천양(天壤)이 즈음치니[92], 내 죄를 다스릴 사람이 없는지라. 네 나로써 이름이 어미라 하여 죄악을 못 이르나, 유씨 죄는 나만 못하거늘 내 무슨 낯으로 유씨를 출거하고 일시나 윤가에 있으리오. 차라리 부모 송추(松楸)를 지켜 향리에 내려가 여년을 마칠지언정, 감히 윤씨 선산에 들기를 원치 아니하노라."

공이 모친 말씀이 여차하니, 사사(事事)에 자기 임의(任意)치 못함을 분완하나, 모친 중병지여(重病之餘)의 소성(蘇醒)치 못한 바에 이같이 통곡하니, 기운이 상할 고로, 위로 왈,

"찰녀(刹女)의 죄과 관영(貫盈)하니 부득이 죽이려 하옵더니, 자위 자애 일편 되시니 하릴없는지라. 이제는 평상이 두오리니 무익한 과거(過擧)를 그치시고, 정당으로 들으소서."

태부인이 아자의 굳은 뜻을 쾌히 돌이켜 유씨를 절혼이이(絶婚離異)

---

91) 유명(幽明) : ①저승과 이승을 아울러 이르는 말. ②어둠과 밝음을 아울러 이르는 말.
92) 즈음치다 : 가로막히다. 격(隔)하다.

치 않을 바를 행희하나, 호람후의 준급함을 아는 고로 혹자 다시 죽일까 겁(怯)하여, 이르되,

"내 아해 유씨를 평상이 두는 날은 노모를 네 집에 편히 있게 하고자 함이요, 유씨를 출거코자 한즉 노모를 우리 부모 송추(松楸)로 보내고자 함이니, 아직까지는 애락(哀樂)을 유식부와 일체로 하리라."

하고, 유씨를 향하여 무슨 말을 하고자 하니, 공이 모친을 붙들어 정침으로 가심을 청하여 왈,

"소자 자의(慈意)를 거스르지 못하여 악인을 무사히 두오나, 그 작변이 또 아무 곳에 미칠 줄 알지 못하오니, 심신이 차악함을 이기지 못하옵나니, 원컨대 자위는 요인을 면전에 자주 불러 보지 마시고, 그 간교악악한 꾀를 청납치 마소서."

부인이 비록 아들의 말이나 이렇듯 준절하니, 본디 지은 허물이 뫼 같은지라, 부끄러워하는 뜻이 있어 다시 말을 못하고, 자손에게 붙들려 원양전으로 돌아오니, 공이 모친 슬전에 머리를 두드려 체읍 고 왈,

"소자 절민한 정사를 아뢰옵나니, 자위 일분이나 소자를 살리고자 하시거든 찰녀의 간험 극악한 계교를 용납지 마시어, 자부 거느리시기를 화평이 하여, 옛날 실덕(失德) 패도(悖道)를 버리시면, 소자 오히려 세상의 머물려니와, 그렇지 않으면 한 번 쾌히 죽어 구천야대(九泉夜臺)에 선인과 선형을 보옵고 가변의 흉참함을 청죄하리이다. 말로 좇아 양항루(兩行淚) 삼삼(森森)하고 분기 막힐 듯, 세념(世念)이 사연(捨然)하니, 위부인이 혹 아들이 죽을까 겁하여 빌어 이르대,

"노모의 과악은 언간(言間)에 다 이를 길이 없거니와, 당차시(當此時)하여는 실로 개과책선(改過責善)하였나니, 네 어찌 믿지 않음이 이렇게까지 하뇨? 노모 털끝만치나 조씨 모자에게 불평함이 있거든 네 앞에서 죽을지라도, 아직 이런 놀라온 말을 말라."

공이 유씨의 글을 모친께 뵈고, 분노함이 견줄 곳이 없어 가로되,

"요인의 죄악이 천지의 가득하거늘, 이제 또 허물을 자정께로 미루는 죄 더욱 방자한 줄을 깨닫지 못하시고, 연애(憐愛)하시는 정을 베어내지 못하시니 어찌 애달지 않으리까? 요인을 출거튼 못하오나, 응휘각은 곧 화당옥루(華堂玉樓)라. 간인의 침소가 가장 외람하온지라. 후당을 가려 옮기고자 하나이다."

부인이 자기는 비록 죽을 지경에 이를지라도 유씨의 흉독을 이를 뜻이 없거늘, 유씨는 자기 과악을 일컬었음을 그윽이 노하여, 사랑하던 정이 일각지내(一刻之內)에 변하되, 공의 노기를 더하지 않으려, 이에 비읍 왈,

"노모 극악궁흉(極惡窮凶)한 죄를 지음이 유씨의 말과 같은지라. 어찌 괴이타 하리오. 유씨 바야흐로 심화 성한 때니, 청컨대 오아는 노모의 마음을 편코자 하거든, 응휘당에 유씨를 두게 하라."

공이 악인을 죽이지 못하고, 또 화당(華堂)에 둘 일이 분함이 흉장이 터질 듯하나, 해포 이측(離側)하였다가 작석(昨夕)에야 돌아와, 모친 마음을 불평케 못하여 증분(憎憤)을 십분 참고 태부인을 위로하며, 좌우를 명하여 소사를 부르라 하니, 차시 소사 바야흐로 유씨를 붙들어 누우심을 청하여, 부친 노기 일시 과격하시나 타일 춘설 같을 바를 일컬어, 동동(洞洞)[93]한 성효가 아니 미친 곳이 없으되, 유씨 일분 감동하는 마음이 없어, 자기 머리를 소사의 가슴에 마구 부딪치매 흉격이 울리는지라.

소사 자약히 빌어, '병체를 이렇듯 마소서' 하되, 유씨 이를 갈며 소사의 일신을 움켜잡고 물어뜯으니, 모진 범이 흉독한 기운을 발하여 사람

---

93) 동동(洞洞) : 동동촉촉(洞洞屬屬)을 줄여 쓴 말. 공경하고 삼가며 매우 조심스러워 함.

을 마구 물어뜯는 형상 같아서, 보기에 무서우니 장소저 체사모골(涕泗毛骨)[94]하여 팔짱을 꽂고 멀리 서있더니, 시녀 부명을 전하는지라.

소사 겨우 몸을 일으켜 부전에 나아가 응명하니, 공이 양구(良久)히 보다가 혀 차고 한삼(汗衫)[95]을 떼어 소사의 손을 싸매고 추연(惆然) 자상(自傷)하더니, 여름옷이라 살이 비추는지라. 소사의 일신이 곳곳이 피엉기었으니, 크게 놀람을 마지않아 연고를 물으니, 소사 창황(蒼黃) 결[96]에 옷을 바꾸어 입지 못하였다가 야야의 보신 바 되니, 대할 말이 없어 유유(儒儒)하다가, 대왈,

"아자 망극한 경계를 당하오니 실로 살 뜻이 없사와 두루 부딪친 곳이로소이다."

공이 비록 소탈하나 어찌 곧이들으리오. 변색 왈,

"네 아자(俄者)[97]에 부딪침이 없거늘, 하고(何故)로 아비를 이렇듯 속이느뇨?"

설파에 응휘각 시녀를 불러 소사의 상한 연고를 물은데, 제녀 무슨 충성으로 유씨를 둣덮으리오[98]. 일시에,

"쇠 꼬치[99]로 쑤시며 쥐어뜯어 계시이다."

하니, 공이 일마다 통한함이 시각(時刻)에 악인을 너흘고자[100] 하되, 태부인이 응당 과도히 말리실지라. 분노를 서리담고 오래도록 말을 않

---

94) 체사모골(涕泗毛骨) : 눈물이 흘러 털끝과 뼛속까지 스며듦.
95) 한삼(汗衫) : 손을 가리기 위하여서 두루마기, 소창옷, 여자의 저고리 따위의 윗옷 소매 끝에 흰 헝겊으로 길게 덧대는 소매.
96) -결 : '지나가는 사이', '도중'의 뜻을 더하는 접미사.
97) 아자(俄者) : 조금 전, 방금 전.
98) 둣덥다 : 두둔하다. 비호하다.
99) 꼬치 : 꼬챙이.
100) 너흘다 : 물다. 물어뜯다. 씹다.

더니, 태부인께 고왈,

"요인이 일분도 뉘우치는 일이 없고 성악이 점점 더하여, 희천을 보전할 길이 없는지라. 소자 요행 악인의 혈육을 받음이 두 낱 여식이요, 아들을 낳지 않아 문호에 대화를 취치 않았으되, 요물의 작변이 아무 곳에 미칠 줄 모르오니, 천만 바라옵나니 자위는 악인의 흉심을 듣지 마시어, 간계의 빠지지 마소서."

설파의 수루(垂淚) 장탄(長歎) 왈,

"저 창천이 어찌 유가 요물을 금세에 머물러, 내 집의 변고를 한없이 일으키는고? 가히 천의를 알지 못하리로다. 내 입어세(立於世)하매, 한 조각 적불선(積不善)의 노릇을 않고, 효우를 완전코자 한 것이, 유녀의 연고로 자정께 무궁한 누얼을 끼쳐 불효 비경하니, 살 뜻이 없고, 형수를 하마 사지(死地)의 빠지게 할 번 하니, 마침 피화함을 신기히 하시어 보전함이나, 내 저버림을 극진히 하였는지라. 생전사후(生前死後)에 조선(祖先)의 죄인이 됨을 면치 못하니, 어찌 슬프지 않으리오."

창후 형제 역비(亦悲)하여 관을 숙일 뿐이요, 태부인은 유씨의 성악이 차지 않아, 소사의 일신이 참담이 상하였음을 보고, 비로소 오늘날에 다다라 과도히 여기되, 오히려 연무중(煙霧中) 사람 같아서 창후 형제의 성효가 진정 마음임을 채 알지 못하더라.

호람후 심회 어지러우나 노분을 참고, 소사의 상처를 살펴 약을 바르라 당부하고, 엄절이 책왈(責曰),

"대순(大舜)이 만고 성인이시되, '소장즉수(小杖則受)하고 대장즉주(大杖則走)하라'[101] 하였으니, 너의 성효(誠孝) 출천(出天)하나, '경신

---

101) '소장즉수(小杖則受)하고 대장즉주(大杖則走)하라' : 작은 매는 맞되 큰 매는 도망하여 피하라는 말.

(敬身)이 위대(爲大)함을'[102] 생각하여 보신지계(保身之計)를 헤아림이 마땅하거늘, 하고(何故)로 악인의 독수를 피치 않아 죽기를 두려워하지 않느뇨? 네 악인을 위한 정성이 몸이 상하되 아픈 줄을 알지 못하나, 내 또 네게 존중함이 악인만 못하지 않으리니, 어찌 악인을 먼저 알고 아비로써 버금으로 알아 내 말을 경히 여김을 노예같이 하고, 악인의 간험지설(姦險之說)을 중히 여김은 엄부(嚴父)의 정대한 경계같이 준행하니, 이 전혀 악인의 성독(性毒)을 두리고 아비 용렬코 풀어짐을 업신여김이거니와, 어찌 나의 통한함이 없으리오. 네 발부의 앞에 있은 지는 일삭이요, 노부는 작석(昨夕)에 돌아왔으니, 인자(人子)의 정리에 아직 내 앞을 떠나지 않음이 옳거늘, 악인의 병이 무슨 대사라 일시도 물러나지 못할 줄로 아느뇨? 금일부터 노부의 앞을 떠나지 말라."

소사 부복 청죄 왈,

"불초아(不肖兒)가 무상하와 엄훈을 거역함이 많사오니 죄 죽어 마땅하오나, 엄전을 연고 없이 물러 나옴이 아니라, 자모의 질환이 만분 위악한 지경이오니, 인자의 도리 차마 떠나지 못함이니, 어찌 감히 엄명의 중하심을 알지 못함이리까?"

설파에 경운화풍지상(慶雲和風之相)에 수운(愁雲)이 함집(咸集)하니, 공의 연애 귀중하는 정을 비할 곳이 있으리오마는, 유씨를 통해함이 극하매 연좌(緣坐)가 없으리오. 정색 왈,

"네 악인의 험독(險毒)을 두려 아비 말을 홍모(鴻毛)같이 여기니, 차후란 날더러 양부(養父)라 말고 행로(行路)[103]같이 여기라."

---

102) 경신(敬身)이 위대(爲大)함 : 내 몸을 공경하는 것이 가장 크다는 말.
103) 행로(行路) : 늑행로인(行路人). 오다가다 길에서 만난 사람이라는 뜻으로, 아무 상관이 없는 사람을 이르는 말.

언파의 소매를 떨쳐 백화헌으로 나오니, 창후 곤계 황공하여 모셔 나오되 감히 승당치 못하고 계하의 부복하니, 공이 창후를 일장 대책하여, 유씨 죽이려 함을 부질없이 태부인께 고하여 계교 그릇 됨을 책하더니, 문득 종자(從者)가 취운산 하·정·진 제공이 내림(來臨)함을 고하니, 공이 반겨 창후의 평신함을 이르니, 제인을 맞으매 소사는 물러나더라.

삼공이 승당하여 한훤파(寒暄罷)에 하공이 문 왈,

"소제 형과 영질(令姪) 등을 반기고자 이르렀더니, 어찌 기색이 화열치 못하뇨?"

윤공이 미우를 찡겨 왈,

"소제 누년 집을 떠났다가 돌아와 모자 숙질이 모이매 가히 기쁘다 할 것이로되, 지난 변고를 생각하매 심골이 경한(驚寒)함을 이기지 못할 뿐 아니라, 사고 연다(連多)[104]하여 유가 발부를 죽이도 못하고 출거도 못하니, 차후 화란이 또 어느 곳에 미칠 줄 알리오. 소제 이를 생각하매 보지 말고자 하거늘, 자질의 이상함은 악인을 위한 성효가 소제를 향한 정(情)에서 세 번 더하고, 악인을 두려워함은 군상의 버금이라. 어찌 통한치 않으리오."

제공이 짐작하여 말을 않고, 하공이 윤공을 향하여 소사 봄을 청한대, 윤공이 아자(兒子)를 명소하니, 소사 초후의 말과 하씨의 돌아오지 않음을 분노하여 하공을 보지 말고자 하였더니, 부명을 이어 승명(承命) 추진(趨進)하매, 공이 정색 왈,

"열위 존형은 곧 여부의 죽마지우(竹馬之友)[105]라. 네 무슨 괴거(怪

---

104) 연다(連多) : 걸려 있는 것이 많음.
105) 죽마지우(竹馬之友) : 대나무 말을 타고 놀던 벗이라는 뜻으로, 어릴 때부터 같이 놀며 자란 벗.

擧)로 띠를 끌어 맞기를 폐하느뇨?"

소사 불민함을 사죄하고, 삼공께 예필에 말석에 시좌하니, 하공이 극애(極愛)하여 손을 잡고 흔연 소왈,

"현서는 백년 손이라 하였고, 세상이 괴이하여 빙가를 만모(慢侮)하고 부형의 벗이라도 빙악 된 후는 공경치 않음은 폐풍(弊風)이니, 현서를 홀로 책하리오. 돈아(豚兒)가 연소하여 말을 삼가지 못함이 있으나, 노부 가르친 일이 아니니, 현서가 날을 미온함이 당연지사(當然之事)냐?

소사 피석 왈,

"소생이 어찌 합하를 미온하리까? 영윤이 벼르기를 초적 역탁같이 해하렸노라 하니, 혹자 강한한 세엄이 긴 명을 지레 끊음이 있을까 두려, 과연 머리를 움치고 존전에 봉배(奉拜)함을 원치 아니 함이니이다."

정공이 희연 소왈,

"하형의 말이 다 진정이거늘 사빈이 어찌 대답함을 가작(假作)으로 하느뇨? 자의 분두에 말을 과격히 함이 있으나, 동기를 위한 정이 넘쳐 앞뒤를 헤아리지 못하고, 분완하던 바를 다 토설하매, 사빈이 크게 노함이거니와, 어찌 그대도록 매몰하여, 부자가 지금 얼굴을 알지 못하니, 평일 화흥하던 기량이 아닌가 하노라."

윤공이 소사의 노하는 곡절을 물어 알고, 다만 이르되,

"자의 말은 다 정론이요, 돈아(豚兒)의 노함은 다 협액(狹額)한 연고라. 돈아가 비상히 화란을 겪으매 성정이 많이 상하고, 다만 아는 것이 유가 발부요, 기여는 소제라도 행로인(行路人)같이 여기니 통해하나, 괴벽한 품질을 일시지간(一時之間)에 고치지 못하여, 저의 하는 대로 버려두노라."

하공 왈,

"원광의 언사 무식광패(無識狂悖)함이 심하니, 사빈의 노함이 괴이하

리오."

윤공 왈,

"소제 해포만에 돌아오되, 식부와 손아를 보지 못하니 창연(愴然)한지라. 식부를 쉬이 돌아보냄이 어떠하뇨?"

하공이 원래 성인한 여아를 매양 데리고 있을 것은 아니로되, 유씨의 극악함이 여아를 윤부로 보내는 날은 용담호구(龍潭虎口)에 들이침 같을지라. 사정에 민박함을 이기지 못하되, 사색치 않고 답왈,

"여아 저의 도리 벌써 돌아왔음 직하되, 약질이 비상변고(悲傷變故)하여 신병(身病)이 떠나지 않고, 사람이 되지 못하였는 고로, 금일(今日)에 이르도록 천연(遷延)하였더니, 조만(早晚)에 아부로 더불어 형에게 배현케 하리라.

윤공이 척연 왈,

"소제 불행하여 악인에게 두 낮 여식을 두매, 장녀의 간험함이 모풍(母風)을 전주(專主)하여 석가를 어지럽히니, 차악 경심함이 오문에서 더한지라. 아지못게라! 차녀는 용우할지언정 오히려 악악함은[106] 면하였더니, 존문에 작죄함이 업더냐?"

하공이 답왈,

"식부의 현숙함은 다시 일컬을 바 아니라. 광아의 외람한 처실이니 소제 매양 과분함을 두려워할 뿐 아니라, 일월이 갈수록 한 조각 허물을 보지 못하니, 형은 내 며느리에 다다라 조금도 염려 말라.

윤공이 탄 왈,

"형언은 과도한 위자(慰藉)[107]거니와, 저의 행사 일컬을 것이 없으되,

---

106) 악악하다 : 악악거리다. 억지를 부리고 고함을 지르며 떠들썩거리다.
107) 위자(慰藉) : 위로하고 도와 줌.

드러난 허물이나 면하였으면 만행이라. 소제 저를 보고자 뜻이 있으면 자주 나아가 반기리니, 부질없이 악인의 곳에 보내어 그 어미 악사를 배우게 말라."

하공이 심중에 또한 여부(女婦)를 다 윤가에 보내고자 않는 고로, 윤공의 말을 가장 깃거 가로되,

"소제 식부와 여아를 돌아 보내어 영당 태부인 질환을 구호할 것이로되, 여아는 질양이 떠나지 않고, 식부는 원광의 고집이 과인하여 존부 왕래를 막는 고로, 제 가장의 뜻을 우기지 못하여, 형의 상경함을 들되 귀근함을 청치 못하니, 소제 그 여자 됨을 가련히 여기더니, 형이 원광의 뜻 같아서 식부를 보내지 말라 하니, 소제는 다만 형의 말만 좇으리라."

호람후 추연 왈,

"우제도 인심이라. 오래 떠났던 여식을 데려다가 보고자 않으리오마는, 여아 그 어미의 흉독을 닮을까 두려, 보냄을 청치 아니하노라."

낙양후 소왈,

"형이 팔척 대장부로 일개 부인의 소소 과실을 물시(勿視)치 못하여, 그대도록 여러 번 일컫느뇨?"

윤공 왈,

"소제 중심의 골돌한 분한과 미운 것을 풀지 못하매, 자연 언두에 일컫는 바로다."

드디어 빈주 종용히 담화하며 주배를 날리더니, 정병부와 초평후 파조 후 윤공을 배견코자 이르니, 소사 초후의 옴을 듣고 몸을 일어나고자 하거늘, 호람후 꾸짖어 왈,

"제 비록 일시 격분으로 욕함이 있으나, 네 한갓 처남으로 말고, 누이의 안면을 돌아보아 양가의 화기를 상해오지 않음이 옳거늘, 하고(何故)로 몸을 피코자 하느뇨? 하 괴벽함이, 일마다 성정이 그릇 되었으니, 주

의(主意)를 실진무은(實陳無隱)[108]하라."

소사 엄부의 중책(重責)이 금일 처음이라. 어찌 황공치 않으리오. 피석 사죄하고 도로 준순(遵順) 궤좌(跪坐)하니, 초후와 병부 승당하여 윤공께 배현하니, 공이 반겨 흔연이 별회를 이르고, 손아의 비상함을 보지 않았으나 두굿김을 이기지 못하고, 식부의 돌아오지 않음을 결연(缺然)하고, 그 질양을 염려하니, 초후 윤공이 매제를 데려올 뜻이 있음을 보고, 이에 낯빛을 정히 하고 가로되,

"소생의 집이 합하의 대은을 생각할진대, 머리털을 빼어도 갚삽지 못할 덕음(德陰)이라. 한 누이를 존문에서 죽이시는 것을 족히 한하리까마는, 사정은 실로 베기 어려운 것이요, 소생의 양친이 슬하 상척(喪慽)[109]에 남 달리 상하신 심장이시라. 합하의 화홍(和弘)하심으로써, 일매를 충학이 남강에 들이쳐 죽은 이로 아시어 찾지 마심이 행심이라. 하물며 소매 희한한 변고를 겪은 후 질양이 하루도 떠날 적이 없고 정신이 혼미하여, 여자의 구고를 받들며 가부를 섬기는 도를 차리지 못하게 되었으니, 비록 남이 아니 죽여도 장수함을 바라지 못하리니, 부모와 동기의 정리 구구키를 면치 못함이나, 저의 팔자 남만 못하여 아시로부터 화란을 겪고, 사람에게 미움을 받아, 일신 골절을 분쇄(粉碎)하여 물에 띄우는 액화를 당하니, 만일 죽청의 음덕 곳 아니런들, 복아와 저의 목숨이 보전함을 어찌 얻었으리이까마는, 요행 회생하고 남아를 생하여 세상에 났던 자취 멸치 아니하니 다행한지라. 합하는 원컨대 제 일생을 찾지 마시어, 버린 자부로 치시면, 소생의 남매 서로 의지하여 부모의 참절하신 심사를 위로코자 하옵나니, 저의 형세 위란(危亂)키를 미쳐는,

---

108) 실진무은(實陳無隱) : 사실을 숨기지 않고 다 말함.
109) 상척(喪慽) : 참척(慘慽). 자손이 부모나 조부모보다 먼저 죽는 일.

어느 겨를에 부부 화락하여 복록이 완전함을 바라리까? 사빈이 소생의
말을 노하여 서로 보기를 피한다 하거니와, 소생의 누이가 독수에 마쳤
을진대, 소생이 동기를 위하여 배은망덕한 무상필부(無狀匹夫) 될지언
정, 초적을 멸한 칼이 다시 매제의 원수 갚음을 면하리까마는, 천도 밝
히 살피심을 인하여 은인의 두 번 살리는 덕음을 입은지라. 차고로 원한
을 잊고 소매를 존문의 보내지 않으려 하옵나니, 사빈이 소매 아니라도
다른 부인이 계시고, 그 몸이 팔척 장부로 연기 십칠에 작차(爵次) 재렬
(宰列)의 거하였으니, 위권(威權)이 사이(四夷)110)를 들렐지라.111) 자연
이 위(位)에 좋은 처첩을 모으기 어렵지 아니하오리니, 구태여 소매 같
은 처잔약질(悽孱弱質)112)을 데려와 칼로 쑤시며 노113)로 자르고114) 짓
두드려 전대(前代) 없는 형벌을 쓰시고, 신체도 한 덩이 흙을 파고 묻음
을 수고로이 여겨, 망망한 해중에 들이쳐 어복을 채운들 무엇이 쾌하리
까? 소생이 매제의 화(禍)를 보고, 그 때 영아(令兒)를 만단(萬端)에 썰
고자 뜻이 있으되, 합하의 대은을 차마 저버리지 못하고, 고수지자(瞽瞍
之子)115) 순(舜)이 있음을 생각하여, 유부인은 극악하나 영녀는 모풍이
없어 합하의 어지심을 품수하였으므로, 분한 것을 참고 여러 세월을 좋
은 듯이 지냈삽나이다."

초후가 말을 다 못하여서 하공이 작색(作色) 왈,

---

110) 사이(四夷) : 예전에, 중국의 사방에 있던 동이, 서융, 남만, 북적을 통틀어 이
　　르던 말.
111) 들레다 : 야단스럽게 떠들다.
112) 처잔약질(悽孱弱質) : 슬프고 가냘프며 허약한 자질.
113) 노 : 실, 삼, 종이 따위를 가늘게 비비거나 꼬아 만든 줄.
114) 자르다 : 단단히 죄어 매다.
115) 고수지자(瞽瞍之子) : 고수(瞽瞍)라는 사람의 아들. *고수(瞽瞍) : 중국 순(舜)
　　임금의 아버지. 어리석고 사리에 어두웠기 때문에 붙여진 이름이라 함.

"네 비록 동기를 사랑하나 여아의 화복고락(禍福苦樂)이 사빈에게 있으니, 그 거취를 우리 부자가 처단치 못할지라. 어찌 말을 많이 하며 출가한 누이를 평생 데리고 있을 듯이 하느뇨? 윤형과 노부 있고 사빈과 유아 있어 여아의 삼종지탁(三從之托)[116]이 두렷하니 구태여 네게 의지할 바 없느니, 모름지기 잠잠하라."

언파의 사기 열숙(烈肅)하니, 초후 황공무언(惶恐無言)이요, 윤공이 가로되,

"뉘가 발부의 간험독악(姦險毒惡)을 생각할진대 현서의 말이 옳으니, 하형이 어찌 책하느뇨? 아부(兒婦)의 질양이 염려롭거니와 의치(醫治)를 각별이 하여 차성(差成)한 후 데려 오나, 노부 전일같이 무심치 않아 간인의 일동을 다 살펴 자부로 하여금 위태한 일이 적게 하리니, 현서는 고집치 말라. 아부를 아니 보낼수록 찰녀의 뜻을 맞히는 잦이니, 더욱 분한지라. 내 어찌 요인을 두려워하여 자부와 손아를 데려오지 않으리오."

초후 가장 불열하나 다시 말을 못하고, 소사는 정색 궤좌(跪坐)하여 봉안(鳳眼)이 시슬하고[117], 주순(朱脣)을 열지 않으니 구추상천(九秋霜天)에 서리를 뿌림 같은지라. 좌상 제공이 개용치경(改容致敬)하고, 초후 또한 그 위인을 가벼이 여기지 못하더라.

이윽고 일가 제족과 친붕고우(親朋故友)가 모이니, 문정에 거마(車馬)가 분분하고 당중에 금옥관면(金玉冠冕)[118]이 함집(咸集)하여, 윤공을

---

116) 삼종지탁(三從之托) : 예전에, 여자가 따라야 할 세 가지 도리를 이르던 말. 어려서는 아버지를, 결혼해서는 남편을, 남편이 죽은 후에는 자식을 따라야 했다. =삼종지도(三從之道)
117) 시슬하다 : 날카롭다. 모양이나 형세가 매섭다.
118) 금옥관면(金玉冠冕) : 금이나 옥으로 된 면류관이라는 뜻으로 '높은 벼슬아치'를 비유적으로 이르는 말.

작일 얼핏 봄을 일컬어 담화할 새, 면면이 창후의 재덕을 칭찬하고, 소사의 대효를 감탄하여 일컬으니, 호람후 탄 왈,

"자질이 현효하되 내 불명한 연고로 가내에 발부(潑婦) 악인(惡人)을 없애지 못하여, 광천 등을 하마 보전치 못할 번 하니, 가변을 생각할수록 마음이 차고 뼈 시린지라. 이제 찰녀의 만악천흉(萬惡千凶)이 나타난 후도 쾌히 없애지 못하니, 구천(九泉) 타일(他日)에 하면목(何面目)으로 선형(先兄)을 뵈오며, 조선(祖先)의 죄인 됨을 면치 못하리니, 이제 일가 친붕을 대하나 어찌 참괴치 않으리오. 선형이 일찍 기세하시므로 악인이 기탄할 이 없어, 요악방자(妖惡放恣)를 마음대로 행함이니 어찌 분해치 않으리오."

인하여 추연(惆然) 자상(自傷)하니, 정공 등이 위로하며, 명천공의 후사가 빛남을 일컬어 청문 형제를 두었으니, 명천공이 사이불새(死而不死)라 하더라.

일모도원(日暮途遠)하매 제인이 각산(各散)하고, 윤공이 자질을 거느려 태부인께 혼정(昏定)할 새, 창후 비로소 우소저로 결약남매(結約男妹)하여 데려온 수말을 고하니, 태부인이 지금까지 보지 못하였더니, 차일에야 불러 보고 조손숙질이 의를 맺을 새, 질아의 의기를 아름다이 여기고, 우소저의 빙자아질(氷姿雅質)을 사랑하여 흔연이 일택지상(一宅之上)에 두어 무휼(撫恤)하더라.

소사 엄전의 책을 받자올지언정 능히 모친을 아니 구호치 못하여, 주야 불탈의대(不脫衣帶)하고 약류를 친집하며 죽음(粥飮)과 찬선을 구미(口味)의 합당토록 하며, 정성이 갈수록 더하더라.

부인이 공이 자기를 죽일까 겁도 없지 않은 가운데, 경아의 슬픈 신세를 생각하매 칼을 삼킨 듯하고, 현아의 무정함을 탄하여 여러 가지 심화더욱 불인(不忍)하여, 병을 더어 성악도 부리지 못하니, 소사의 망극함

은 이르지 말고 창후 역시 병침을 떠나지 못하나, 시녀 양낭의 무리야 무슨 정성으로 유부인 병을 근심하리요마는, 자연 소사의 초조함을 인하여 조석(朝夕) 대변(待變)[119] 중에 있으니, 비복 등이 소사의 심장을 사름이 하루를 견디기 어려움을 저마다 우려하여, 발이 땅에 붙지 않고 혼백이 비월(飛越)하여, 혹자 창후와 소사께 죄를 얻을까 두리고 근심하여, 각각 몸을 죽여 갚으려 하니, 비록 호령을 발치 않으나 위엄이 늠렬하여, 비복이 다시 태부인과 유씨께 설만치 않아, 속으로 미워할지언정 겉으로 공순(恭順)함이, 사지(死地)라도 불감역명(不敢逆命)할 지경이니, 태부인은 더욱 창후 형제 돌아온 후로부터, 자기 몸이 점점 존귀함을 깨닫는지라.

정부인이 유부인의 질환이 위독함을 보고, 가만히 소찰(小札)을 하소저에게 부쳐 돌아옴을 재촉하니, 하씨 거거(哥哥)의 고집을 미온(未穩)할 뿐 아니라, 진·조 양부인이 다 윤가에 발자취를 디디지 말라 하여, 소사의 돌아옴을 들었으되 영영 구가로 보낼 뜻이 없어, 상(常)해[120] 이르기를,

"일 골육을 두어 세상의 났던 자취를 끼쳤으니, 다시 부부의 화락과 신세 쾌활키를 구치 말고, 생양가(生養家)[121] 부모 슬하에서 고요히 일생을 지내라."

하니, 소제 시러금[122] 구가로 나아갈 길이 없고, 존구(尊舅) 환경하신 지 사오일이 넘되, 즉시 배알치 못함을 그윽이 죄를 지은 듯 방하(放下)

---

119) 대변(待變) : 죽음의 변(變)을 기다린다는 뜻으로, 병세가 몹시 심하여 살아날 가망이 없게 된 처지를 이르는 말.
120) 상(常)해 : 항상. 늘.
121) 생양가(生養家) : 생부모의 집과 양부모의 집을 함께 이른 말.
122) 시러금 : 이에, 능히

치 못하더니, 또 정숙렬의 서찰을 보매, '숙모의 질환이 위악하시니, 돌아와 구호함이 마땅함을 일렀으니', 소제 숙렬의 서간을 부모께 뵈고 돌아감을 청하니, 하공 부부 마지못하여 허락하나 실로 깃거 않고, 정공 부부도 그 형세 가히 안 가지 못할 줄 알고 막지 않으나, 유씨의 성악을 근심하여, 숙렬에게 서찰을 부쳐,

"간인이 하씨를 해할 간계 있는가 상심(詳審)하여[123] 위급지사(危急之事) 있거든 빨리 돌려보내라."

하니라. 하소저 초후의 나간 때를 타 생양부모(生養父母)와 순태부인께 하직하고, 유아를 거두어 옥누항의 이르니, 호람후 식부의 돌아옴을 듣고 크게 반겨 태부인을 모셔 하씨를 볼 새, 시녀 유아를 안아 공께 드리니, 공이 한 번 보매, 이 문득 천일지표(天日之表)요, 용봉지재(龍鳳之材)라. 대인기상(大人氣像)의 비범한 골격이 소사의 아시 적으로 더한지라. 탐혹 희열한 정이 아무 곳으로 좇아 나는 줄 깨닫지 못하여 하더니, 하소저 삼촌(三寸) 금련(金蓮)을 가벼이 옮겨 당하에 부복 청죄(請罪)하니, 옥성화음(玉聲和音)이 형산(荊山)[124]의 박옥(璞玉)[125]을 두드리는 듯, 화지(花枝)의 앵성(鶯聲)이 처음으로 부르지지는 듯, 맑은 광휘 만방에 조요(照耀)하니, 공이 크게 반겨 빨리 승당(昇堂)함을 명하니, 소제 황공하여 승함취사(昇檻就舍)[126]하고, 안서(安徐)히 나아가 태부인과 존구께 재배하니, 공이 바삐 슬전(膝前)의 좌를 주고, 집수 탄 왈,

---

123) 상심(詳審)하다 : 자세히 살피다.
124) 형산(荊山) : 중국 호남성(湖南省) 형산현(荊山縣) 북쪽에 있는 산. 옥(玉)의 산지로 유명하다.
125) 박옥(璞玉) : 쪼거나 갈지 아니한, 천연 그대로의 옥 덩어리.
126) 승함취사(昇檻就舍) : 난함(欄檻)을 올라 방[房舍; 방]에 들어감. *난함(欄檻); 층계, 다리, 마루 따위의 가장자리에 일정한 높이로 막아 세우는 구조물. 사람이 떨어지는 것을 막거나 장식으로 설치한다. =난간(欄干)

"노부(老父) 불명하여 간인의 흉독을 알지 못하고, 자질 부부로 하여금 고상(苦狀)을 배불리 겪게 하니, 금일 현부를 보매 참괴한지라. 연이나 현부의 복이 높고 팔자 길함을 힘입어, 참화에 목숨을 보전하고 행여 기린(麒麟)을 생하여, 오문(吾門) 영화를 도우니, 이만 즐거움이 없는지라. 차후 현부는 모름지기 한갓 효의를 크게 여기지 말고, 보신지책(保身之策)을 생각하여 다시 참해(慘害)를 받지 말라."

하소저 양수로 땅을 짚어 듣기를 마치매, 감히 일언을 대(對)치 못하니, 공이 애지연지(愛之憐之)하여 두굿거움127)을 이기지 못하더라.

---

127) 두굿겁다 : 자랑스럽다. 대견스럽다. 기쁘하다.

어시에 윤공이 애지연지(愛之憐之)하여 두굿거옴을 이기지 못하고, 태부인은 주견(主見) 없는 사람 같아서 양손(兩孫) 부부를 구태여 미워함도 없고 사랑하는 정도 채[128] 나지 않으나, 본품(本品)의 악악 흉독(凶毒)함을 벼렸을지언정, 오히려 극진히 어진 곳의 나아가지는 못하여, 창후 형제와 정·장 등의 특이함을 아름다이 여기되, 또 생각한즉,

"저것이 황씨의 소생이요, 내 골육이 아니니, 이 계조모(繼祖母)를 무엇이 관중(款重)하여 이다지도 지성으로 받들어 효성이 이 같으니, 알지 못하리로다."

의사 이의 미쳐는, 몸을 아무리 가질 줄 몰라, 넋을 잃고 두 눈을 굴리며, 흉휼(凶譎)한 말도 줄어졌으니, 창후 등의 지성으로 구호하는 성효를 입어, 악질과 폐맹 하였던 양안이 다 시원이 뜨였음을 대희하여, 많이 감동한 바라.

호람후 아손(兒孫)을 슬상에 유희하나, 태부인이 보고 멀건 눈을 뒤룩이고, 마음에 사랑하는 듯이 긴 부리를 실룩거리고[129] 거두든[130] 턱을

---

128) 채 : 채. 아직. 어떤 상태나 동작이 다 되거나 이루어졌다고 할 만한 정도에 아직 이르지 못한 상태를 이르는 말.

흔들어 아해를 어르니, 공이 모친의 허손(虛損)131)이 구는 것을 보고 추
감(惆憾)하여, 재삼 유씨의 극악을 고하여 아른 체 마시고 안정(安靜)이
계심을 청하더라.

하소저 정숙렬과 장씨로 더불어 반기는 정을 능히 펴지 못하고 응휘
각에 이르니, 유부인이 만무생기(萬無生氣)하여 명맥이 끊어지지 않았
을지언정 형용인즉 귀신이라. 소사는 상하에서 천지망망(天地茫茫)하
니, 좌를 둘러봄이 없고, 창후는 흠신경동(欠身驚動)하여 맞아, 수숙이
예필 좌정에 하씨 나직이 그 입공반사(立功班師)함을 칭하고, 존고의
질환을 우황하니, 창후 또한 사사하고 숙모의 환후로 절민하여, 즉시 나
아가 배견치 못함을 일컫고, 이에 유아를 데려 오라 하여 보매 작인의
비상 특출함이 무쌍한지라. 사랑스럽고 귀중함이 친자로 다름이 없으
니, 이에 소사의 소매를 다래여, 가르쳐 왈,

"수세 해자(孩子)의 용모 골격이 완연이 귀인의 격이요, 오복(五
福)132)과 재덕이 나타나니 이로 좇아 문호를 가히 흥기할지라. 현제에
게 치하(致賀)하노라."

소사 하씨의 어성을 듣되 중심에 노함이 가득하였는지라. 마침내 눈
을 들어 보지 않으니, 창후 해아를 소사의 곁에 앉히고 재삼 보라 하니,
유자(幼子)가 흔흔(欣欣)이 반겨 소사의 무릎에 안겨 손을 어루만지는지
라. 소사의 중산지중(重山之重)으로도 아자의 기특함을 보매 사랑하는

---

129) 실룩이다 : 실룩실룩하다. 근육의 한 부분이 한 쪽으로 비뚤어지거나 기울어
지게 움직이다. 또는 그렇게 하다.
130) 거두들다 : 걷어들다. 거두어들이다. 늘어진 것을 말아 올리거나 깔려 있는 것
을 접거나 개키다. *거두든 턱; 주걱턱.
131) 허손(虛損) : 공연한 짓을 하여 손해를 봄.
132) 오복(五福) : 유교에서 이르는 다섯 가지의 복. 보통 수(壽), 부(富), 강녕(康
寧), 유호덕(攸好德), 고종명(考終命)을 이른다.

정이 유출(流出)하되, 하씨를 미온(未穩)하고, 모친의 엄엄(奄奄) 시진
(漸盡)133)하는 거동을 대하여 촌장이 스러지는 듯하니, 아이를 가차할
흥미 없어 시녀 초벽으로 하여금 유아를 안아가라 하니, 초벽이 나아가
공자를 안으려 하니 유애 소사를 붙들고 일어나지 않는지라. 소사 괴로
이 여겨 유아를 물리쳐 나가 놀라 하니, 그 매몰함이 한 조각 인정이 없
는 듯한지라. 유아가 가장 무류하여 물러 앉되 밖으로 나가지 않으니,
창후 어여쁨을 이기지 못하여, 도로 무릎 위에 앉혀 귀중함을 이기지 못
하고, 질아의 기이함을 보매 자기 잃은 아들을 생각고 새로이 척비(慽
悲)하더라.

　차일 황혼에 유씨 엄홀(奄忽)하여 명재수유(命在須臾)134)라. 소사 망
극함이 천지 어두운지라. 찬 칼을 빼어 팔을 그으매 붉은 피 돌지어135)
흐르고, 깁 같은 가죽이 찢기여 수정(水晶) 같은 뼈 드러나니, 견자로
하여금 참달(慘怛)할 바라. 창후 여측(如廁)하러 갔다가 들어와 차경을
보매, 자기 가슴이 미어지는 듯하여, 바삐 소사의 손을 잡고 이르대,
　"현제야, 차마 어찌 부모의 생지(生之)하신 몸을 상해오미 이에 미쳤
느뇨? 현제 숙모의 친생이 아니니 수혈(輸血)을 내어 써도 구태여 효험
이 있을 줄 알지 못하니, 어찌 생각지 못하느뇨?"
　소사 체루 대왈,
　"소제 비록 자당 기출이 아니나 수혈이 혹자 유익할까 바람이니, 차시
를 당하여 소제 몸이 홀로 성키를136) 구하리까?"

---

133) 시진(漸盡) : 기운이 빠져 없어짐.
134) 명재수유(命在須臾) : 목숨이 아주 짧은 시간에 달려 있음.
135) 돌지하다 : 돌돌 솟아나오다. *돌돌 : 물이 좁은 도랑을 따라 흘러가는 모양.
136) 성하다 : ①물건이 본지 모습대로 멀쩡하다. ②몸에 병이나 탈이 없다.

언필에 혈기(血器)를 들어 모친 입에 드리되, 유씨 아무런 줄 모르고 기운이 점점 실 같아서 경각에 그쳐지는 거동이라. 소사 모친의 운명하는 거동을 속수(束手)[137]치 못하여 정성을 갈진(竭盡)하여 유한이나 없고자 함으로, 이에 몸을 일으켜 원림(園林) 깊은 곳에 들어가 혈서로 천지신명께 축원할 새, 동촉(洞屬)한 성효 가히 창합(閶闔)[138]에 사무칠지라. 북두칠성을 향하여 칠등을 벌이고 배축(拜祝)하니, 소사를 좇은 자 서동 일인이라. 다만 소사의 배축하는 소리 가만하여 서동도 알아듣지 못하고, 즉시 혈서를 살와버리니 그 사의를 알 이 없으되, 오직 칠등이 명랑하여 화광이 영영(煐煐)하고 월색이 조요(照耀)하여 천지를 비추는 가운데, 윤소사의 혈읍애성(血泣哀聲)이 상철운소(上徹雲宵)[139]하니, 일로 드디어 유씨 회두(回頭)[140]함을 얻으니 차하를 분해하라.

소사 분향을 마치고 병소의 이르니, 부인이 한결같이 인사를 버렸으되, 얼음 같던 수족이 잠깐 온기 있으니, 소사 요행을 죄는 심장이 초갈키에 미치니, 창후 저토록 함을 괴이히 여겨 역시 초전(焦煎)함을 마지 않고, 소사의 엄엄(奄奄) 시진(澌盡)함을 착급하여 죽음을 권하되, 소사 다만 청수(淸水) 일기(一器)로 타는 목을 적시나, 차마 식음을 나오지 못하니, 창후 또한 숙모의 위악함을 근심할 뿐 아니라, 소사의 보전키 어려움을 염려하여 역시 먹지 못하고 숙식을 폐하니, 의형(儀形)이 환탈(換奪)하였더라.

---

137) 속수(束手) : 팔짱을 끼고 가만이 있음.
138) 창합(閶闔) : ①천문(天門). ②궁궐의 정문.
139) 상철운소(上徹雲宵) : 위로 올라 하늘에 통함.
140) 회두(回頭) : 머리를 돌린다는 뜻으로, 마음이나 진로, 생각 따위를 바꿈을 이르는 말.

차시 유부인이 엄홀하여 계명(鷄鳴)의 이르도록 인사를 모르는 가운데, 일장(一場) 신몽(神夢)을 얻으니, 자기를 우두나찰(牛頭羅刹) 141)같은 황건녁사(黃巾力士)142) 수삼 인이 잡아 일신을 사슬에 얽으며 쇠채143)로 두드려, '어서 풍도지옥(酆都地獄)144)으로 가자.' 하고 구박하니, 유씨 험준한 산로(山路)가 깎아지른 듯한 곳으로 울며 행하더니, 한 곳에 이르르는 주궁패궐(珠宮貝闕)145)이 운소(雲宵)의 닿았고, 허다 갑사(甲士)가 창검을 들어 문마다 섰는데, 첫 문에 주필로 썼으되, '명사계(冥司界)146) 삼라전(森羅殿)'이라 하였더라. '염왕이 유씨를 잡아들이라 한다' 하고, 무수한 귀졸이 유씨를 꺼들어147) 중중첩첩(重重疊疊)한 문호를 지나 염라전(閻羅殿)148) 계하(階下)의 꿀리매, 염왕이 제관(諸官)을 명하여 유씨의 죄상을 읽혀 들리라 하니, 서녘 반항(班行)에 집사(執事)하는 관원이 홍포를 부치고 옥대를 돋우어 빨리 나아와, 귀록(鬼錄)을 펴고 소리를 높여 유씨의 선후 중첩한 죄를 일일이 읽으니, 유씨의 아시(兒時) 행사로부터 금년까지 베풀었으니, 척자일언(隻字一言)149)도 어긋남이 없어, 궁흉극악(窮凶極惡)한 꾀와 간험사특(姦險邪慝)한 심술

---

141) 우두나찰(牛頭羅刹) : 쇠머리 모양을 한 악한 귀신.
142) 황건역사(黃巾力士) : 신장(神將)의 하나. 힘이 세고 누런 두건을 쓰고 있다고 한다.
143) 쇠채 : 쇠로 만든 채찍.
144) 풍도지옥(酆都地獄) : 도가에서에서 이르는 지옥.
145) 주궁패궐(珠宮貝闕) : 진주와 조개껍질로 장식한 매우 화려한 궁월을 가리킴. 수신(水神)이 사는 궁궐을 말하기도 한다.
146) 명사계(冥司界) : 명부(冥府) 곧 염라대왕이 관장하는 지옥을 이름.
147) 꺼들다 : 잡아 쥐고 당겨서 추켜들다. 함께 거들거나 들고 나오다.
148) 염라전(閻羅殿) : 염라대왕이 사는 궁전.
149) 척자일언(隻字一言) : 글자 하나 말 한마지.

이 비할 데 없으니, 비록 자기 일이나 부끄러움이 욕사무지(欲死無地)하거늘, 그 관원이 읽기를 마치고 꾸짖어 왈,

"천사무석(千死無惜)이요, 만사유경(萬死猶輕)의 죄를 지었으되, 부끄러우며 뉘우침이 없어 갈수록 효자 현부를 죽이고자 뜻이 그칠 길이 없는지라. 마땅히 아비대지옥(阿鼻大地獄)150)에 가두어 천백 년이라도 인간에 나지 못하게 하리라."

염왕이 또 수죄(數罪)함을 마지않고 귀졸(鬼卒)더러 분부하되,

"유녀의 죄상은 범연한 곳의 비기지 못하리니, 이제 대지옥(大地獄)에 가두어 사갈(蛇蝎) 호표(虎豹)와 온갖 더러운 짐승 가운데 넣어, 주야로 보채고 뜯겨 못 견디게 하고, 삭망(朔望)으로 잡아 내어 유확(油鑊)151)의에 삶으며 쇠꼬치로 쑤시고 검극으로 짓두드려 육장(肉醬)을 만들어, 다시 살려내어 대지옥에 들이쳐 두고 보채기를 그치지 말라"

귀졸이 청령(聽令)하고 유씨의 꼭뒤를 질너152) 지옥으로 향할새, 유씨 혼비백산 하여 지옥 길을 보매 한 곳도 평탄치 않아, 진창 구렁 아니면 기구(崎嶇)한 산곡이로되, 무서운 짐승과 이름 모르는 버러지 담아 부은 듯이 쑤석이다가153) 사람을 보고 침노하려 하니, 유씨 두렵고 흉함을 이기지 못하여 능히 행치 못하니, 귀졸이 유씨의 등을 후리며154) 왈,

---

150) 아비대지옥(阿鼻大地獄) : 불교의 팔대지옥(八大地獄)의 하나인 무간지옥(無間地獄)을 말한다. 오역죄(五逆罪)를 짓거나, 절이나 탑을 헐거나, 시주한 재물을 축내거나 한 사람이 가는데, 한 겁(劫) 동안 끊임없이 고통을 받는다는 지옥이다. *오역(五逆); 다섯 가지 악행. 소승 불교에서는 아버지를 죽이는 일, 어머니를 죽이는 일, 아라한을 죽이거나 해하는 일, 승단의 화합을 깨뜨리는 일, 부처의 몸에 상처를 입히는 일 따위의 무간지옥에 떨어질 행위를 말함.

151) 유확(油鑊) : 끓는 기름이 담긴 가마솥.

152) 지르다 : 찌르다.

153) 쑤석이다 : 함부로 들추거나 뒤지거나 쑤시다.

154) 후리다 : 휘둘러서 때리거나 치다.

"이 길을 이리 무섭게 여길진대, 저 지옥에 가 백만 년이 지나도록 천일(天日)을 얻어 보지 못하고, 호표(虎豹)와 산제(山猪) 네 몸을 온 가지로 뜯어 먹을 것이요, 삭망(朔望)에 번(番)마다 잡아 내어 익도록 삶아, 창검으로 쑤실 제는 어찌 견디리오."

유씨 울며 행하여 지옥 밖에 가 눈을 들어보매, 교아가 배를 갈렸으며155) 머리 따로 나고 일신에 피를 흘리고 우는 가운데, 온갖 축생이 침노하는지라. 유씨 교아를 보매 반갑고 설움이 무궁하여, 실성 읍체(泣涕) 왈,

"우리 숙질이 무슨 죄로 이런 몹쓸 더러운 곳에 와 모들 줄 알리오. 현질은 도시 광천 흉한 놈을 만난 탓으로 참혹히 마치니, 무슨 말을 하리오."

교아 바야흐로 설운 말을 하려 하더니, 문득 세월 비영 신묘랑 등이 다 몸에 피를 흘리고 나와 악써 울며, 저희 죽음이 유씨 탓이라 하여 붙들고 원망하며, 신묘랑은 다시 세상에 나 윤가를 어지럽히겠노라 하더라.

남녘 지옥으로써 형봉이 내달아 베인 머리를 두드리며, 정병부에게 잡혀 원억히 죽음을 원망하니, 유씨 심혼이 비황함을 이기지 못하여 어린듯이 말을 못하고, 귀졸의 재촉함을 인하여 정히 지옥에 들려 하더니, 홀연 염왕의 명이 있어, 사자가 전하되,

"유녀의 죄상이 만사(萬死)라도 속(贖)하기 어려운 고로 지옥에 잡아 넣어 고초를 겪게 하였더니, 영허도군(靈虛道君)이 천지신명께 유씨의 명을 빌어, 상천이 감동하시어 유녀를 도로 내어 보내게 하시니, 효자 현부의 성효를 극진히 받게 하라."

하시니, 귀졸이 즉시 유씨를 데리고 오던 길로 나올 새, 교아 세월 비

---

155) 갈리다 : '가르다'의 피동형. *가르다 : 쪼개거나 나누어 따로따로 되게 하다.

영 등과 태복의 원망 소리 흉하더라.

동남간으로 상운(祥雲)이 애애(靄靄)하고 서기(瑞氣) 반공(蟠空)한 바의, 청의 여동이 학을 타고 내려와 유부인을 청한데, 유씨 왈,

"첩이 여동(女童)을 모르거늘 어찌 청하느뇨?"

여동이 소왈,

"나를 좇아오시면 천궁에 가기 어렵지 않으리이다."

하고, 부인을 학의 등에 태워 한 곳에 다다르니, 수정(水晶) 기둥에 옥청궁(玉淸宮)156)이라 하였더라.

모든 시녀 유씨더러 배례하라 하니, 눈을 들어 보매 엄구와 존고 황부인이라. 공과 부인이 유씨를 앉으라 하고, 탄식 왈,

"우리 부부 세상을 버리고, 위씨 현의 부처를 조르는 중, 현의 위인을 기탄하더니, 현이 금국에 가 죽은 후, 너와 하는 바가 다 흉참지사(凶慘之事)라. 위씨는 혹자 투미하여157) 간모를 깨닫지 못하나, 네 가르쳐 광천 등의 남매(男妹) 처(妻) 제(弟)를 참해(慘害)하니, 그 죄악이 바다 같은지라. 어찌 지옥을 면 하리오마는, 희천의 성효 신기(神祇)를 감동하여, 너의 중첩한 대죄를 쾌히 사하고, 도로 내어 보내게 정한지라. 우리 부부 너더러 회심자책(回心自責)하라 함이 구설(口舌)이 수고로운 고로, 천경(天鏡)을 비추어 전전악사(前前惡事)를 보게 하고, 희천의 대효(大孝)를 알게 하리라."

언파에 시녀를 명하여, 큰 거울을 들어 윤부를 비추고 유씨로 보게 하라 하니, 유씨 엄구와 존고의 말씀을 듣자오매 한출첨배(汗出添杯)하니,

---

156) 옥청궁(玉淸宮) : 도교 삼청궁(三淸宮)의 하나로, 원시천존(元始天尊) 곧 옥황상제가 사는 곳이라 함.
157) 투미하다 : 어리석고 둔하다.

그 명을 거역치 못하여 천경을 잠깐 보매, 윤공과 황부인이 기세함으로부터 자기 위씨를 꾀어 불의를 행하던 거동이며, 창후 형제를 치고 조르던 형상과, 의열을 서릇어 농에 넣어 형봉을 주던 모양이며, 정·진·하·장 사소저를 온 가지로 해하던 거동이 오히려 자기라도 잊은 일이 있거늘, 천경에는 완연하여 자기 모녀의 극악 흉참함이 금즉하여158) 뵈는지라.

창후 형제 아시(兒時)에 미곡을 나르며, 시초(柴草)를 시켜 백만 가지 천역을 몸소 할 때에, 태부인과 자기 중헌에 나와 창후 곤계를 짓두드리다가, 난 데 없는 돌덩이 내려져 대골과 낯을 크게 상해오니, 사람의 조화며 귀신의 일임을 알지 못하여 여러 세월에 의아하던 바, 천경의 보매는 정병부 높은 나무에 올라, 소매 속에서 돌을 내어 던지는 족족 자기 모녀(母女) 고식(姑媳)이 맞는 거동이요, 형봉의 머리를 베어 경희전에 들이치고 황건칠귀(黃巾七鬼)와 악풍운무(惡風雲霧)를 몰아 당중을 현황케 하며, 크게 호령하던 자를 또 사람이며 귀신임을 분변치 못하였더니, 천경에는 완연이 정병부라. 유씨 황황 참괴함은 이르지도 말고, 자기 평생 은악양선(隱惡佯善)하여 악사를 행하나, 가만하며 공교함을 으뜸 하여 남을 싼 듯이 기이던 일이, 다 천경에는 반 점 흐릿한 것이 없이 비추고, 중관의 호화를 흠앙하여 현아를 내어 중광을 뵈노라 하는 것이, 소사 여의(女衣)를 개착하고 중관을 뵌 후, 중관이 돌아갈 때, 소사 대로에 나가 중관을 짓두드리는 형상이며, 창후 형제와 정·진·하·장 등이 한 조각 원망지심이 없고, 매양 태부인과 자기를 감화치 못할까 슬퍼하는 거동이요, 화란 후 창후 형제 남·양 이처로서 돌아와 자기 고식(姑媳)의 질환을 초전(焦煎)하다가, 호람후 상경 후 소사 아무리 할 줄

---

158) 금즉하다 : 끔찍하다. ①정도가 지나쳐 놀랍다. ②진저리가 날 정도로 참혹하다.

몰라 하는 형상이며, 자기 병세 위독하매 소사 단지(斷指)하여 자기 입
에 드리우는 거동이며, 소사 원림(園林) 수목 사이에서 칠등(七燈)을 버
리고 혈서(血書)로 축사를 써 분향배축(焚香拜祝)하여, 양모의 질양(疾
恙)을 대신함을 빌매, 상천이 감동하시는 바가 뵈니, 유씨 석년 창후 형
제를 죽이고자 이를 갈고, 마음이 돌같이 뭉쳤던 악심이, 오늘날 한 꿈
에 천경을 보매, 흉심(凶心)이 춘설 같고 애달프고 뉘우침이 병출(並出)
하니, 도리어 아무런 상(狀)이 없어 어린 듯이 서있더니, 문득 밖으로
좇아 금병(錦屛)을 걷어치우며 진주(珍珠) 발을 들치는[159] 바에, 일위
선관이 광의대대(廣衣大帶)로 한가히 걸어 들어오니, 이 곧 명천공이라.
유씨 황망이 예(禮)한데, 공이 답배하고 좌정하매, 윤노공과 황부인이
유씨더러, 왈,

"네 천경을 쾌히 보았으니 이제는 악심이 없을지라. 위씨 불인(不人)
이 근간엔 주견 없는 사람이 되어 마음을 정치 못하였나니, 네 쾌히 깨
달은 즉, 위씨는 자연 어진 사람이 되리니, 모름지기 효자 현부의 성효
를 길이 받고 다시 과악(過惡)을 발치 말라."

유씨 머리를 두드려 죄를 청하니, 노공 왈,

"지난 일은 다시 제기치 말고, 새로 어진 마음을 나타내는 것이 옳으
니, 무익한 청죄를 말라. 네 이 한 꿈이 허사(虛事)라 하고, 믿지 않아
기탄(忌憚)하는 바 없어서는 헛되이 여기리니, 가히 증험을 두어 몽조
(夢兆) 분명케 하고, 너의 악사를 삼라전(森羅殿)에 일일이 치부(置簿)함
이 되고, 천경에 비췸을 생각하라. 세월 비영 형봉이 악사를 도움이 통
해한 고로, 지옥에 가두었더니 몽사 헛되지 않음을 밝히 알게, 삼요(三
妖)의 영백(靈魄)으로써 환도번물(還道飜物)[160]하여 흑적(黑赤) 양색(兩

---

159) 들치다 : 물건의 한쪽 끝을 쳐들다.

色)의 장사(長蛇) 셋을 만들어, 네가 누어있는 상하(床下)에 서려있게 하리니, 예사 장사(長蛇)로 알지 말라."

유씨 송연(悚然)하여 겨우 대(對)하되,

"첩의 죄 여산(如山)하와 귀록(鬼錄)과 천경(天鏡)을 보오니 뉘우치는 뜻이 각골(刻骨)하오니, 흉노(凶奴)와 간비(姦婢)의 혼백으로써 장사를 아니 만들어 보내서도, 다시 죄를 범치 아니 하리이다."

노공 왈,

"개과천선은 성인의 허하신 바라. 네 회과(悔過)할진대 오문의 경사요, 희천에게 행(幸)이니 어찌 기쁘지 않으리오. 연이나 장사를 상 밑에 잠깐 넣어 몽사 분명한 줄 알게 하리라."

최후의 명천공이 추연 탄 왈,

"소생이 일찍 세상을 버려 자정께 불효를 끼치고, 사제(舍弟)로 하여금 안항(雁行)이 외롭고 그림자 처량케 하며, 자녀로써 궁천지통을 품게 하니, 구천야대(九泉夜臺)에 영백(靈魄)이 부모를 모셔 상제 은총을 입사와 옥청궁 선복(仙福)161)을 누리나, 돌아 세상을 여념(慮念)컨대 가사(家事)의 망측함과 변고의 층생(層生)함이 수수(嫂嫂)의 일공(一空)이 막혀 트이지 못함이러니, 금일 쾌히 깨달았으니 이제는 가란(家亂)을 비로소 진정할지라. 오문의 복이니 행심함을 이기지 못하리로소이다."

유씨 부끄러운 낯이 달아올라 다만 청죄할 뿐이러니, 황부인이 일종162) 차를 주어 왈,

"네 고황(膏肓)163)에 든 병을 태상노군의 감로수(甘露水)164) 아닌즉

---

160) 환도번물(還道飜物) : 죽어 지옥에 든 자를 형상을 바꾸어 환생(還生)케 함.

161) 선복(仙福) : 신선으로서의 복(福).

162) 종 : 종지. 간장·고추장 따위를 담아서 상에 놓는, 종발보다 작은 그릇.

163) 고황(膏肓) : 심장과 횡격막의 사이. 고는 심장의 아랫부분이고, 황은 횡격막

고칠 길이 없는지라. 이 차를 마시면 악심과 백병이 소쾌(蘇快)하리라."

유씨 쌍수로 받자와 마시매, 후설이 서늘하고 흉금이 상쾌하여, 사지골절(四肢骨節)의 두루 아픈 것이 구름이 걷히며 안개 스러지듯 하고, 사사난렴(私私亂念)과 괴악(怪惡)한 욕화(慾火)가 다 잊혀지는지라. 유씨 또 옥청궁을 보매 진념(塵念)이 사라져, 황부인께 고하여, 말째 시녀 항에나 있게 해주심을 고하니, 부인 왈,

"현부를 상제 명으로 내어 보내라 하실 뿐 아니라, 세연(世緣)이 진할 때 있으니, 어찌 지레 들어오리오. 덕을 닦고 선을 힘쓰면 사후에 아비대지옥(阿鼻大地獄)을 면하고 천궁 부귀 쾌락을 보리라."

하니, 유씨 배사(拜謝)하고 말석(末席)에 시좌(侍坐)하였더니, 윤노공이 때 늦었음을 일러 나가기를 재촉하니, 유씨 마지못하여 일어나 구고와 숙숙께 하직하고, 청의 여동을 따라 옥청궁을 나오매, 여동이 일엽(一葉) 소선(小船)을 가져 유씨를 태워 망망대해(茫茫大海)에 띄우니, 물결이 흉용(洶湧)한지라.

놀라 깨치니 금계(金鷄)[165] 새배를 보하고, 좌우에 창후 형제와 정・하・장 삼인이 벌여있는 데, 소사는 자기 손을 받들어 실성 비읍 하니, 유씨 꿈을 깨매 기운이 씩씩하고 사지(四肢) 경쾌하여 완전하고, 염나국(閻羅國)과 옥청궁(玉淸宮) 풍경이 눈의 벌여있고, 귀록(鬼錄)에 자기 과악의 죄목(罪目)을 쓴 것이 중첩(重疊)한데, 교아 세월 비영 등의 아니꼬운 일이며, 지옥의 흉참함이 눈에 벌여있고, 천경의 비상함이 하늘과 귀신이 먼저 앎을 깨달아, 비로소 두렵고 놀라니, 악악(惡惡) 간험(姦

의 윗부분으로, 이 사이에 병이 생기면 낫기 어렵다고 한다.

164) 감노수(甘露水) : 감로수. 맛이 썩 좋은 물.

165) 금계(金鷄) : '닭'의 미칭(美稱). 꿩과에 속한 새.

險)턴 바를 뉘우쳐, 이 날에야 감동하여 도리어 미칠 듯하고, 자질이 자기로 인하여 촌장(寸腸)을 사르고 몸을 상하는 것을 참잔비절(慘殘悲絶)하여, 부지불각(不知不覺)에 소사의 싸맨 손을 잡고 실성운절(失性殞絶)하여 왈,

"이 부끄러움과 뉘우침을 어데 비하며 무엇으로 형상하리오. 내 눈이 있으나 망울166)이 없어 현효(賢孝)한 자질(子姪) 부부를 천백 가지로 해하여, 옥이 부서지고 물이 엎칠 번하니, 나의 죄악이 천지에 자옥한지라. 뉘 나를 형벌하여 만(萬)의 한 죄를 속(贖)하리오."

설파의 호곡(號哭) 운절(殞絶)하니, 소사 형제 부인의 인사 차림을 보고 영행함을 이기지 못하나, 창후는 병심을 요동하여 자기 형제를 물어뜯지 못함을 한하여 호곡함인 줄 알고,

"어느 시절에나 감화하리오."

하여, 근심이 미우를 잠그고, 소사는 황황(惶惶) 초전(焦煎)하더니, 그 뉘우치심을 들으매 도리어 놀라움이 극하여, 그윽이 생각하되,

"새가 죽을 때면 그 소리가 슬프고, 사람이 죽을 때면 그 말이 착하다 하니, 양모 반드시 별세(別世)하시려 이리 이르심이니, 어찌 경악(驚愕)치 않으리오. 아무려나 양모의 위태하신 거동을 살펴 다시 약을 써 보리라."

하고, 가까이 나아가 촉을 돋우고 양모의 얼굴을 자세히 본즉, 안정(眼睛)이 면경(面鏡) 같고 혈색이 삼오홍옥(三五紅玉)167)을 묘시할지라. 아무리 보아도 수한(壽限)이 장원하여 향수(享壽)할 상격이니, 중년(中年)에 요사(夭死)치 않을 듯한지라. 재삼 위로하고 소사 이성화기(怡聲和氣)하여 병심을 요동치 마심을 청하니, 유씨 몽사를 생각하매 애달프

166) 망울 : 눈망울.
167) 삼오홍옥(三五紅玉) : 열다섯 살의 홍옥처럼 붉은 얼굴.

고 설움이 복받쳐, 오래도록 울기를 그치지 못하니, 차시 호람후 신성(晨省)하러 들어온즉, 태부인은 아직 잠을 깨지 못하였고, 문득 응휘각에서 처절한 곡성이 들리니, 유씨 또 모진 수단으로 자질 부부 중에 누구를 해하였는가?, 경악하여, 만일 아무나 해하였을진대 부지불각에 유씨를 죽이고 나오려 하여, 가만히 응휘각에 나아가 합장 뒤에 서서 틈으로써 방 중을 보매, 창후 형제 유씨를 붙들어 상회(傷懷)치 마심을 청하며, 유씨는

"이 뉘우쁨168)과 참괴한 것을 긴 날에 어찌 견디리오."

하여, 울기를 마지않더니, 이윽고 그친 후 좌수로 소사를 집수하고 우수로 창후의 손을 잡아, 탄성 체읍 왈,

"나의 전전 과악을 금일 헤건대 천지에 쌓을 곳이 없는지라. 현질과 희아가 제순(帝舜)과 증삼(曾參)의 대효를 법(法)받아, 비록 원한을 품지 아니하나, 내 마음에 참괴함이 낯 둘 땅이 없으니, 차라리 죽기를 바라나, 귀신류(鬼神類)에도 참예치 못하여 옥중 죄수 되리니, 이 몸이 생사 간 무엇이 되었느뇨?"

창후 형제 부인의 쾌히 깨달음을 보매 기쁨이 이 밖에 없는지라. 흔연 고 왈,

"왕사(往事)는 물이 엎침 같고, 전혀 재하자(在下者)의 불초(不肖)함이니, 자정께 무슨 실덕이 되시리까?"

유씨 몽사를 대강 이르고, 소사의 손과 팔이 상함이 몽중(夢中)의 볼 적과 다르지 않음을 갖추 일러, 슬퍼함과 뉘우치는 말이 혀가 닳을 듯하고, 전전 악사를 스스로 일컬어 부끄러워함을 형상치 못하니, 호람후 양구히 서서 보다가 더욱 예사롭지 않게 여겨 즉시 나오니라.

---

168) 뉘우쁘다 : 후회(後悔)스럽다. 뉘우치는 생각이 있다.

창후 형제 부인의 몽사를 듣고 조부모의 밝히 가르치심을 들으매 새로이 척비(慽悲)하나, 부인의 심사를 요동치 않으려 화성유어(和聲柔語)로 위로하며, 죽음(粥飮)을 내어 와 진(進)함을 청한데, 유씨 자질 부부를 처음으로 사랑하며 귀중하는 정이 혈심에 비롯하여, 그 권하는 바를 마시고 정·하·장 삼인을 나아오라 하니, 창후 형제 물러나 멀리 좌한대, 삼소저 부인 앞에 나아가니 유씨 또 일장을 통읍하여 뉘우치는 말이 무궁하여, 정소저의 찬적함과 하씨 죽였던 바와 장씨를 설억에게 팔려 하던 바가 다 자기 꾀임을 일컬어 목이 메니, 삼소저 부인의 회과함을 들으매 기쁨을 이기지 못하여, 하소저 정금 공경 왈,

"첩신(妾身)이 병이 미류(彌留)하와 오래 물러 있어, 질환을 시호(侍護)치 못함이 죄당만사(罪當萬死)로소이다."

말씀을 마치매 청아한 성음이 볼수록 기이하니, 유씨의 악악함이 원간 그 자질 부부의 남달리 기특하고 아름다움을 더욱 통한하더니, 오늘날 깨닫기를 쾌히 하매, 본디 총명 영오함은 천생 품질이라. 위부인같이 마음을 정치 못하여, 이를 의아하고 저를 괴이히 여겨 그 성효를 미처 깨닫지 못하고, 주견이 없어 아무리 할 줄 모르는 것이 아니라, 창후 형제의 출천대효(出天大孝)를 감탄하며, 진소저의 돌아오지 않은 연고를 물어 탐탐(耽耽)한 정과 체체한169) 사랑이 비할 곳이 없는지라.

유아를 데려 오라 하여 그 비상 특이함을 깃거 황홀한 자애 인사(人事)를 잊으니, 소사 자기 생전에 양모를 감화치 못할까, 각골이 슬퍼하던 한이 오늘날 시원히 풀렸으니, 인간 낙사(樂事)가 이 밖에 없는지라. 이른 바, '지성이면 감천'임을 소사에게 비함 직하더라.

---

169) 체체하다 : 체체하다. 행동이나 몸가짐이 너절하지 않고 깨끗하며 트인 맛이 있다.

소사 모부인이 소통(疏通)코 어질어 악사를 버리고 쾌히 깨달으심을 환열하더라.

동방이 기백(旣白)하매 창후 형제와 정·장 이부인이 존당에 신성(晨省)할새, 유부인 병세 매우 나음을 고한데, 태부인이 크게 깃거 하더라.

차일 하소저 응휘각에서 부인을 모셨더니, 홀연 후창이 스스로 열리며 양색(兩色)의 장사(長蛇)가 부인 상하를 빨리 향하니, 유씨 혼비백산하여 한 소리를 크게 지르고 엄홀(奄忽)하니, 하소저 역시 대경하여 붙들어 구호하며 시녀로 소사께 고하니, 소사 급히 이르러 곡절을 물으니, 소제 장사(長蛇)로 인하여 존고 놀라심을 전하니, 소사 부인 누운 상요(床褥)를 편히 들어 옮기고 본즉, 과연 길이 열 자나 한 장사(長蛇) 셋이 머리를 맞추고 꼬리를 서려 흉독(凶毒)을 발코자 하다가, 소사의 정명지기(正明之氣)를 당하매 귀신의 음허(陰虛) 비루(鄙陋)한 요정이 감히 자취를 발보이지[170] 못하여, 구멍을 얻고자 하니, 소사 자정의 몽사를 들었는 고로, 장사가 간비(姦婢)의 정녕(精靈)임을 헤아리매 흉히 여겨, '차사(此蛇)를 없애지 않아서는 다시 요악한 일이 없지 않으리라.' 하여, 이에 끌어내어 친히 불을 놓아 사르니, 아니꼬운 내가 코를 거스르고 흉한 기운이 동북으로 향하거늘, 소사 주필 부작을 써 사르니, 요악한 기운이 스러지더라.

소사 장사를 없이 하고 부인을 구호하니, 부인이 비로소 숨을 내쉬고 정신을 차려 몽사의 맞음을 신기히 여기되, 전과를 뉘우치매 자기 죽어 죄를 속고자 싶은지라. 소사의 팔을 어루만져 왈,

"나의 죄과(罪過)를 헤아릴진대 고당화루(高堂華樓)에 안과(安過)함이

---

170) 발보이다 : ①무슨 일을 극히 적은 부분만 잠깐 드러내 보이다. ②남에게 자랑하기 위하여 자기가 가진 재주를 일부러 드러내 보이다.

두렵고, 사람을 대할 면목이 없으니 차라리, 후당 소실(小室)에서 두문불출(杜門不出)하여 죄를 만에 하나나 속(贖)함을 원하노라."

인하여, 하씨를 죽은 줄로 알았다가 왔음을 보고, 악심이 더하여 칼로 찌르려 하다가 팔만 상하고 미처 죽이지 못하여서 초후 데려감을 이르고, 현아의 일생이 구가에 무안(無顔)함이, 자기로 인하여 초후의 박대함을 받음을 일컬으며, 모녀 생전에 다시 보지 못하게 되었음을 슬퍼, 금일이야 현아를 못 잊는 뜻이 가득하니, 소사 이성화기(怡聲和氣)로 매저(妹姐)를 쉬이 데려와 반기시게 할 바를 고하니, 유씨 추연 탄왈,

"나의 악착함이 하씨를 짓두드렸으되, 하가 화홍(和弘) 후덕(厚德)하여 여아의 몸이 반석 같고, 초후 여아를 죽이지 않았으니 하면목으로 귀근(歸覲)을 청하리오."

소사 대왈,

"자위 어찌 저저 데려옴을 가장 어려운 일로 아시나이까? 하씨 성효 천박하여 그 과격한 오라비로 더불어 한가지로 자위를 원망하던 고로, 즉시 돌아오지 않았다가 작일에야 이르렀거니와, 저 집 일로 이를진대 그 딸의 일생을 소자에게 의탁고자 하면, 저저의 귀근 길을 막지 않고 돌아 보내는 것이 옳으니, 소자 비록 용렬하오나 실로 하가는 반점도 무서움이 없으니, 초후 아냐 정국공의 죽은 아비까지 일어나와 소자를 욕책(辱責)한다 하여도, 소자 또한 할 말이 많으니 두렵지 않되, 고어에 '부모 사랑하는 바는 견마(犬馬)라도 예사로이 못한다.' 함으로, 하씨를 예사로이 보고 초후와 겨루지 아니하옵나니, 사람이 성현이 아닌 밖에야 혹 허물이 있기 괴이치 아니하니, 자정이 일시 실덕함이 계시나 깨달으심이 밝으시니, 하가에서 다시 무엇이라 하리까?"

유씨 손을 저어 이르되,

"오아가 어찌 망녕된 말을 하느뇨? 하가는 한 조각 허물이 없으니, 괴

이한 말을 말고 초후를 보아 나의 죄과를 일컬어, 화순(和順)이 사죄하고 여아의 귀녕(歸寧)을 빌어 보라."

소사 웃으며 왈,

"자위 어찌 이런 괴이한 말씀을 하시나니까? 하씨 일분 염치 있을진대, 돌아올 제 저저와 한가지로 오미 마땅하거늘, 암매(暗昧)한 인사가 미처 생각이나 하였으리까?"

유씨 재삼 하소저의 성효 덕행을 일컬어, 소사의 나무라 함을 민망이 여기는지라, 이 때 하소저 장씨로 더불어 봉관을 숙여 말이 없으되, 옥면의 훈색(暈色)171)을 띠었더라.

어시에 장소저 양주서 돌아온 월여의 존고의 환후로 아자를 데려 오지 못하였더니, 공이 하소저의 아자를 보매 장소저 유자를 사상(思想)하여 쌍섬을 명하여 공자 데려옴을 재촉하는지라. 장소저 또한 유자를 잊지 못하여 표숙 부부께 상서하여 해자(孩子)를 보내소서 하니, 처사 유아를 유랑으로 호송하니, 공이 창후와 유아를 보매 상모 두렷하여, 일륜(一輪) 명월(明月)이요, 강산 정기를 품수하여 맑은 눈이 효성(曉星)을 업신여기매, 징파(澄波)와 이웃하며, 너른 이마는 편옥(片玉)을 깎았으며 흰 귀밑은 백년(白蓮)을 꽂았거늘, 붉은 입에 옥치(玉齒) 미인의 태도(態度)니, 복록이 장원지상(長遠之相)이라. 공의 대희 환열함과 창후의 탐혹 과애함이 비무(比無)하여, 즉시 안고 내당에 들어와 태부인께 뵈옵고, 소사를 불러 부자 보게 할 새, 공이 양 식부를 가까이 좌를 명하여 새로이 애중하며, 화란여생(禍亂餘生)이 양가(兩個) 기린(騏驎)을

---

171) 훈색(暈色) :광물의 내부나 표면에서 볼 수 있는, 선이 분명하지 않고 보일 듯 말 듯 희미하고 엷은 무지개 같은 빛깔.

무사히 생함을 더욱 기특히 여겨, 이에 비로소 양아의 명을 줄 새, 하씨 유자로써 창린이라 하고 장씨 생아로써 세린이라 하여, 탐혹(耽惑)한 사랑이 장리보옥(掌裏寶玉) 같더라.

창후 형제 유부인 환후로 인하여 부친 화상을 모셔 오지 못함을 민민(憫憫)하더니, 이제 부인이 차성(差成) 회과(悔過)하고, 다시 가변(家變)의 염려 없는 고로, 비로소 택일하여 화상과 조부인을 모셔 올새, 이 때 호람후 환가(還家)한 지 일순(一旬)에 출입함이 없어, 현아 소저도 가봄이 없으나 초후는 조참 길에 아침마다 윤부에 이르러 공을 배현할 새, 부공의 동기 같은 친우이심을 공경할 뿐이요, 구태여 옹서지의(翁壻之義)를 나토미 없더라.

윤공이 이에 소사와 일가 족친으로 더불어, 자하산에 나아가 명천공 화상을 맞아 올 새, 창후는 태부인을 모셔 있으라 하고, 위의를 갖추어 나아가니, 정공이 또한 병부를 명하여, 자하산에 가 명천공 화상을 호행하여, 으뜸은 자기 정을 표하고 버거는 병부 반자(半子)의 예(禮)를 다하라 하니, 병부 수명하고, 하공이 또 초후를 명하여 이리 이르니, 초후 승명하여 일시의 자하산으로 향하니, 장려한 위의 도로에 이었더라.

차설 호람후 소사(少師)로 더불어 윤태사 산수정에 이르러, 먼저 화상 앞에 나아가 배례하매, 공의 통상(痛傷)함이 새롭고, 소사 부안(父顔)을 알지 못하던 지통이 흉중에 맺혀, 유한이 각골하던 바로, 금일 화상에 배알하매, 그림 가운데 옥골 영풍이 양주 있을 때에 몽중에 뵈옵던 용화(容華)로 반호(半毫)[172] 다름이 없는지라. 재세(在世)한 사람으로 의논

---

172) 반호(半毫) : '가는 털'의 절반이라는 뜻으로, 아주 적은 정도나 분량을 이르는 말. =조금도.

할진대, 연기 오히려 오순이 차지 못하였으니, 장부의 재덕(才德)을 펼 때거늘, 속절없이 삼십 전 조사(早死)하여 충절이 세대에 희한(稀罕)하며, 영명(英名)이 부유사해(浮游四海)하여 충신녈사(忠臣烈士)의 뒤를 따를지라.

소사 화상에 배현하나 유명(幽冥)이 즈음쳐 한 소리 앎이 없으니, 효자의 각골지통이 무엇에 비하리오. 오래도록 혈읍 유체하니, 설움이 막힐 듯한지라.

공이 한삼(汗衫)을 들어 항루(行淚)를 제어하고, 이에 아자를 어루만져, 탄식 왈,

"여등이 선형의 면목을 모름이 궁천비한(窮天悲恨)이러니, 이제 화도사의 대은으로 화상의 배알함을 얻으니, 슬프고 아쉬운 정리를 일분이나 위로할지라. 비통하여 미칠 길이 없으니 모름지기 심사를 관억하라."

소사 양부의 비상(悲傷)하심을 돕지 않으려, 지통을 굳게 참고 광수(廣袖)를 들어 누흔(淚痕)을 제어하고, 부공을 모셔 제족(諸族)을 볼 새, 제인이 명천공 화상을 보매 완연이 생시 의용(儀容)으로 일호(一毫) 다름이 없으니, 새로이 창감 함을 마지않고, 병부와 초후 또한 화상에 배현하매, 초후는 명천공 안면이 의희(依俙)[173]하나, 병부는 악장 용화(容華)를 명명이 알던 바라, 그 화법의 기이함이 생기 유동하니, 비록 세상을 버린 지 오래나 화상인즉 완연하니, 인자현심(仁慈賢心)이 감회하여 느꺼이[174] 조사(早死)함을 새로이 추연하더라.

호람후 공의 화상을 채여(彩輿)의 모시고 허다 위의를 거느려 행하여 남문에 이르니, 정·진·하 제공이 문외에 맞아 옥누항에 다다르매, 창

---

173) 의희(依俙)하다 : 어렴풋하다. 기억이나 생각 따위가 뚜렷하지 않고 흐릿하다.
174) 느껍다 : 어떤 느낌이 마음에 북받쳐서 벅차다.

후 백화헌을 수리하고 향촉과 병장(屛帳)175)을 정제하며, 금수채석(錦
繡彩席)176)을 포설(鋪設)한 후, 문외에 맞으려 하니, 태부인이 명천공
기세 후 여러 일월에 조금도 비애(悲哀)하는 일이 없어, 거짓 남의 이목
을 가려 슬퍼하는 체하더니, 이때는 악악한 흉심이 적이 줄어져 마음을
아무리 잡을 줄 정치 못하여, 일일은 응휘각에 나아가 유씨를 보매, 유
씨 전전 악사를 뉘우치는 뜻이 자기 살을 너흘 듯하고, 자질 부부의 현
효함을 갖추 일컬어 혀가 닳을 듯하니, 태부인이 비로소 쾌히 어질기를
정하매, 창후 형제의 성효 진정임을 깨달아, 고식(姑媳)이 대하여,

"전자에 실성하여 그렇던가? 차마 사람의 행치 못할 악사를 그대도록
측량없이 하던고!"

애달프고 뉘우침을 형언(形言)치 못하여 일장을 통곡하니, 창후와 삼
소저 지극 관위하니, 이에 겨우 슬픔을 진정하고, 태부인이 침전에 돌아
와 명천공을 생각하고 참통함을 이기지 못하니, 창후 왕모의 슬퍼하심
을 보고 더욱 척감통상(慽感痛傷)하나, 좌하(座下)를 떠나지 못하여, 엄
정(嚴庭)의 화상을 나가 맞지 못함을 창연 비통한 중, 왕모 비회를 돕지
않으려 슬픈 사색을 못하더니, 문득 부문이 들레며 제공이 화상을 모셔
백화헌에 이르렀음을 보하니, 창후 연망(連忙)이 의대(衣帶)를 수렴하고
외헌에 나오려 하니, 태부인이 한가지로 나가 보고자 하거늘, 창후 민망
하여 밖에 여러 손이 있으니 조초177) 보심을 청하되, 태부인이 듣지 않
고 시녀를 명하여 외객을 다 치우라 하니, 창후 하릴없어 소교(小轎)에
왕모를 모셔, 시녀로 교자를 메여 백화헌으로 나오매, 공이 벌써 화상을

---

175) 병장(屛帳) : 병풍과 장막을 아울러 이르는 말.
176) 금수채석(錦繡彩席) : 수를 놓은 비단과 아름다운 색깔로 꾸민 자리를 아울러
    이르는 말.
177) 조초 : 좇아. 따라.

봉안하였는지라.

창후 배례하기를 마치매, 태부인이 바삐 들이달아 우레 같은 소리로 슬피 울며, 이르되,

"내 실로 너를 기출(己出)이 아님으로 자애하는 뜻이 없고, 그 성효를 감동할 마음이 없어, 매양 황부인 소생 골육을 없애고자 의사 무궁하더니, 네 금국에 가 몸을 마친 흉음(凶音)이 이르되, 설운 마음이 없고 주야에 그 세 낫 자녀를 죽이지 못하여 무수한 흉사를 행하였더니, 당차시하여 광·희 양손의 출천한 성효를 보매, 나의 마음이 석목(石木)이라도 요동하며, 생철(生鐵)이라도 녹을지라. 비로소 전과를 뉘우치매 너의 망(亡)함을 통상(痛傷)하여, 가슴에 일만 칼이 쑤시며 오장이 타는 듯하니, 이 설움을 어찌 견디리오. 의형은 완연하되 유명(幽明)이 길이 달라, 앎이 돈무(頓無)하니, 이 심사를 장차 무엇에 비하리오. 노모의 과악이 뫼가 낮고 바다가 옅으니 쌓을 곳이 없는지라. 명명지중(冥冥之中)[178]에 정령(精靈)[179]이 앎이 있거든, 노모를 쉬이 잡아가라."

이리 이르며 골이 터지고 집말[180]이 울리도록 웅장히 울기를 그치지 아니하니, 공과 창후 형제 오내분붕(五內分崩)[181]하되, 태부인의 과상하심을 절민하여 붙들어 내당에 들으심을 청하되, 부인이 전전 악사를 한없이 쑤어리며[182], 무궁히 통곡하여 들어갈 의사 없으니, 정·진·하 제공이 뒤 청사의 앉아 위태부인의 기괴지설(奇怪之說)을 들으매, 창후

---

178) 명명지중(冥冥之中) : 겉으로 나타남이 없이 아득하고 그윽한 가운데.
179) 정녕(精靈) : 죽은 사람의 영혼.
180) 집말 : 지붕마루. 지붕꼭대기.
181) 오내분붕(五內分崩) : 오내(五內)가 떨어져 흩어짐. *오내(五內); =오장(五臟). 간장, 심장, 비장, 폐장, 신장의 다섯 가지 내장을 통틀어 이르는 말.
182) 쑤어리다 : 씨부렁거리다. 쓸데없는 말을 자꾸 지껄이다.

곤계의 성효(誠孝)가 시랑(豺狼) 같은 조모를 감화하였음을 기특히 여기
더라.

이윽고 공의 숙질이 태부인을 천만 관회(寬懷)하여 내당으로 모시고,
하·정·진 제공이 비로소 화상을 볼 새, 완연이 명천공이 재생함 같아
서 생기 발월(發越)하니, 제인이 새로이 척비(慽悲)함을 마지않더니, 일
색이 서령(西嶺)에 지매 제공이 각산(各散) 귀가하고, 명일에 호람후 조
부인과 구파를 모셔 돌아올 새, 거장(車帳)과 교자(轎子)를 갖추어 자질
로 더불어 옥화산 조부로 향하니라.

시시에 조부인이 창후 곤계 상경함이 월여의 이르도록 자기를 옥누항
으로 데려감이 없으니, 의아하여 태부인과 유씨 성악이 갈수록 더한가,
구파로 더불어 탄식하더니, 문득 창후 소사로 더불어 들어와 슬전의 배
알하고, 계부대인(季父大人)이 이르러 계심을 고한대, 부인이 즉시 청하
여 서로 볼 새, 호람후 조부인과 구파로 예필에, 공이 추연(惆然)이 안
색을 고치고, 말씀을 펴, 가로되,

"소생이 무상 불명하여 허다 변난이 층출(層出) 상생(相生)하여 자질
에게 참혹한 누설(縷絏)을 끼치고, 존수께 망측한 화액이 미치되 소생이
가중에 있을 때도 간인의 작악을 망연부지(茫然不知)하여 존수와 자질
의 위란을 구하지 못하고, 국사로 한 번 교지로 향하매 그 사이 수삼 재
(載)에 이르되, 피차 음신(音信)이 격절(隔絶)하니, 가사 아무리 되었음
을 알지 못하고, 한갓 자질의 죄명이 차악하여 남·양 이처에 적객이 됨
을 슬퍼하더니, 질녀의 출천한 성효(誠孝) 열절(烈節)이 격고등문하여
정·진 양가의 참화를 진정하고, 광·희 양아의 죄를 신백(伸白)하여 부
자숙질이 사망지화(死亡之禍) 없이 모임도 영행하옵거늘, 광천의 입공
반사(立功班師)한 재략과 정질부의 신성(神性) 출인(出人)함이 들을수록

신이하고 기특하니, 수수(嫂嫂)의 면화(免禍) 안신(安身)하심과 광아의
손확의 칼을 벗어남이 다 정질부의 기묘비계(奇妙秘計)라. 어찌 아름답
고 영행치 않으리까마는, 생이 무상하여 간악한 요인의 간정이 적발한
후도 가내에 평상이 머무니, 이후의 화(禍)를 더욱 알 수 없는지라. 소
생이 자질 등을 해함이 아니로되, 간인의 악사를 금단치 못함이니, 소생
이 스스로 흉사를 행함과 일반이라. 선형을 저버림이 한두 일이 아니오
니 구천 타일에 하면목으로 선친과 선형을 뵈오며, 당시(當時)하여 존수
께 뵈옴이 참안황괴(慙顔惶愧)치 않으리까?"

인하여 구파를 향하여 삼년지내(三年之內)에 대단한 질양(疾恙)이 없
음을 행열(幸悅) 칭희(稱喜)하니, 구파의 가득히 반김과 조부인의 함척
비상(含慽悲傷)한 심사를 새로이 형언키 어려우니, 다만 성안(星眼)에
추수(秋水) 어리어, 처연 공경 왈,

"첩의 무지함이 석목 같아서 궁천 극통을 품은 바에, 또 기구한 화액
을 당하여 죽음이 가하고 삶이 불가하되, 일루잔천(一縷殘喘)을 쾌히 끊
지 못하고, 구구히 투생(偸生)하나 존고께 사생을 고치 못하고, 오래 이
측(離側)하오니 죄당만사(罪當萬死)오되, 시러금[183] 나아가 슬하에 시
측함을 얻지 못하고, 유유지지(儒儒遲遲)[184]하여 흐르는 세월이 삼년춘
추(三年春秋)를 지나친지라. 아자 형제 환가하고 숙숙이 환경하신 희보
를 들으매, 더욱 급히 존고께 배현하고 일택에 모임을 바야더니, 아자
등이 첩의 행도를 늦추고 종용이 옴을 이르오니, 굼거움[185]을 이기지
못하더니, 금일 존숙이 임하시어 죄첩(罪妾)을 부르시니 만행한지라. 아

___

183) 시러금 : 이에, 능히
184) 유유지지(儒儒遲遲) : 어떤 일에 딱 잘라 결정을 내리지 못하고 어물어물하며
    시간을 끎.
185) 굼겁다 : 궁금하다. 답답하다.

지못게이다!186) 존고 기체 강건하시어 침수지절(寢睡之節)187)이 여전하시니까?"

공이 염슬(斂膝)하여 공경문파(恭敬聞罷)188)에 모친의 여상(如常)하심을 고하고, 구파로 더불어 환가하심을 청하니, 부인이 숙숙의 성우(聖友)를 사례하니, 공이 불감사사(不堪謝辭)하고, 이에 거교 왔으니 바삐 환가(還家)하심을 청하고, 외당(外堂)에 나와 조승상 형제로 종용이 담화하며 배작(杯酌)을 날릴 새, 호람후 언언이 발부악인(潑婦惡人)이 허다 악사를 수창(首唱)하매 화란이 상생함을 절치(切齒) 통한하여, 새로이 강개(慷慨)함을 이기지 못하니, 조공 등이 전자엔 호람후의 불명함을 꾸짖더니, 금차지시(今此之時)하여는 그 현명효우(賢明孝友)함이 인인장부(仁人丈夫)요, 간처(姦妻)의 작악 흉사를 절통함이 발분망식(發憤忘食)189)하기의 이름을 보매, 부질없이 유부인의 불미지사(不美之事)를 거듭이 없고, 다만 남매 여러 일월을 동거(同居)하다가 금일 부인이 돌아가게 되니, 결연함을 이기지 못하여 자질을 거느려 내당에 이르러 매제를 이별할 새, 승상이 함척(含慽) 탄 왈,

"선친이 만래에 현매를 얻으시어 자애하심이 장중보벽(掌中寶璧) 같으시고, 합문이 추앙하여 귀히 여김이 금달공주(禁闥公主)와 일반이러니, 현매의 숙자인품(淑姿人品)과 현철한 성덕으로써, 명박(命薄)함이 붕성(崩城)의 통을 품고, 위가 노흉의 보채이는 비자 되어, 허다 흉변

---

186) 아지못게이다! : '모르겠소이다!' '모를 일이로소이다! '알지못하겠소이다!' 등
    의 감탄의 뜻을 갖는 독립어로 작품 속에서 관용적으로 쓰이고 있어, 이를 본
    래말 '아지못게이다'에 감탄부호 '!'를 붙여 독립어로 옮겼다.
187) 침수지절(寢睡之節) : 잠을 잘 자는지의 여부나 상태.
188) 공경문파(恭敬聞罷) : 공경하여 듣기를 마친 후.
189) 발분망식(發憤忘食) : 끼니까지도 잊을 정도로 어떤 일에 열중하여 노력함.

은 이르지 말고, 흉인이 현매 신상에 망측한 죄명을 미루던 일을 생각하면, 몽매(夢寐)에도 분완 절통하되, 금일 명강이 친히 이르러 현매를 청귀(請歸)하니, 인사에 마지못하여 돌아 보내나니, 현매는 보신지책(保身之策)을 생각하여 부모의 현매 귀중하시던 성의와 우형 등의 절려(切慮)를 생각함을 바라노라."

조부인이 탄식 대왈,

"소매 명완(命頑) 흉독(凶毒)함이 부모의 자애(慈愛)와 구고의 양춘혜택(陽春惠澤)을 끊고 다시 천붕지통(天崩之痛)을 당하여, 일누(一縷)를 끊지 못하여 허다 변난을 지내니, 도시 소매의 명이 박함이요, 천야(天也)요, 명야(命也)니, 누구를 한하며 무엇을 탓하리까. 거거의 명성(明聖)하심으로 소매의 명박함을 생각하시고 인친가(姻親家) 태부인을 거들지 마소서."

삼공이 탄식하고 창후와 소사더러 왈,

"네 모친을 다시 용담호구(龍潭虎口)에 보낼 의사 없으되, 명강이 거장(車帳)을 거느려 친히 왔으니, 차마 무류히 공거(空車)를 환송치 못하여, 매제를 다시 보내나니, 너의 대악의 조모 작악(作惡)이 다시 아매(我妹)의 신상에 미칠진대, 우숙이 결단코 명강을 일장을 대욕하고, 위가 노흉(老凶)에게 분을 풀리라."

창후 염슬 대왈,

"소질의 조모 소소 과실이 계시나 당차시 하여 회과자책 함이 계시니, 가변을 염려치 않을 것이요, 숙부 사숙을 일장 대욕하시며 조모께 분을 푸르실 일도 없으려니와, 소질의 조모 하천(下賤)이 아니시오, 숙부께 인친가(姻親家) 태부인 이시니 질욕하심이 체면에 크게 불가하시리니, 하고(何故)로 괴이한 말씀을 발하시나이까?"

소사 이어 정색 왈,

"숙부 위거(位居) 삼태(三台)[190]하시어 제자(弟子)의 사우(師友)로 수신(修身)하시며, 매양 부귀와 권세를 생각하시어 사람 욕하심을 저허[191] 아니하시나이까? 이런 말씀을 자모와 소질 형제 뿐 들으면 구태여 전설하리까마는, 무족언(無足言)[192]이 가기를 빨리 하나니, 혹자 가엄과 조모 청문(聽聞)하신즉 숙부로써 어떤 사람으로 아시리까? 청컨대 숙부는 여차지언(如此之言)을 불후재지(不後再之)[193]하여 양가의 화기를 상해 오지 마소서."

승상이 미소왈,

"여등이 위가 별흉(別凶)을 무서워하고 귀중하여 하나, 명강이 그 모친을 간치 못하고 유씨의 별악(別惡)을 금단치 못하여 그런 화란을 일으켜, 여등 부부를 하마 보전치 못할 번 하니, 불명혼약(不明昏弱)함이 무쌍한지라. 어찌 대욕을 면하리오. 좌우 다 웃고, 조부인이 미소 왈,

"거거 등이 매양 기승(氣勝)하시어 남을 질욕함을 유세하시니 뉘 감격하여 하리까?"

하더라.

조부인이 돌아갈 새 승상 형제와 제 부인네 결연함을 이기지 못하여, 차후나 무사함을 이르고, 일장 이별을 마치매 부인이 거교에 오르니, 구파 또한 교자의 들으매, 창후 곤계 숙부모께 배사하고, 모친 거교를 호행(護行)할 새, 호람후 한가지로 모셔 성내(城內)로 들어오니라.

---

190) 삼태(三台) : 삼공(三公). 고려 시대에, 태우(太尉)·사도(司徒)·사공(司空)의 세 벼슬을 통틀어 이르던 말. 삼사(三師)와 함께 임금의 고문 구실을 하는 국가 최고의 명예직으로 초기에 두었다가 공민왕 때에 없앴다.

191) 저허하다 : 두려워하다. 꺼리다. 염려하다.

192) 무족언(無足言) : 발 없는 말.

193) 불후재지(不後再之) : 이후로는 두 번 다시 하지 말라.

시시(是時)의 위태부인이 회과책선(悔過責善)하여 명천공의 기세한
십칠 년만에 비로소 참통애상(慘痛哀傷)하며, 조부인과 창후 삼남매와
정·진·하·장 등을 못 견디도록 보채던 일을 후회하여, 세세히 생각
하니 애달프고 자기 궁흉지사(窮凶之事) 일분 인정이 아니니, 개과지후
(改過之後)로 상(狀) 없는 곡성이 그칠 사이 없어, 난간을 두드리고 방
성대곡(放聲大哭)하니, 정·하·장 삼소저 붙들어 지극히 위로하더니,
문득 조부인과 구파의 거교(車轎) 내정(內庭)에 임하니, 정·하·장 삼
소저 우소저로 더불어 하당영지(下堂迎之)194)하니, 태부인이 마주 내달
아 붙들고 흉장(凶壯)한 소리로 기운이 엄색할 듯이 우는지라.

조부인이 처음은 대경하여 반드시 자기 돌아옴을 분한(憤恨)하여 통
곡함인가 하여, 새로이 근심이 교집(交集)하더니, 홀연 태부인의 천만
후회함을 들으매 차경차희(且驚且喜)195)하며, 장신장의(將信將疑)196)하
여 아무리 할 바를 모르나, 지극한 성효로 구모지여(久慕之餘)에 그 노
쇠하심을 보매, 척연감오(慽然感悟)하여 추파에 누수연락(淚水連落)하여
태부인을 붙들어 승당(昇堂)하심을 청할 새, 구파 정·장 양소저를 보매
반가오미 유명(幽明)을 격(隔)하여 그리던 사람 같고, 태부인 언어가 인
현(仁賢)하여 전일과 내도함을 영행하여, 이에 배알할 새, 창후 형제의
출천대효로 그 조모의 악심을 감화함을 암탄(暗歎)하더라.

호람후와 창후 곤계 태부인을 관위(款慰)하여 침전에 들으신 후, 조부
인이 자부를 거느려 승당하여, 격년(隔年) 이측(離側)하여 신혼성정지례

194) 하당영지(下堂迎之) : 마루에서 내려 맞이함.
195) 차경차희(且驚且喜) : 한편으로는 놀라며 다른 한편으로는 기뻐함.
196) 장신장의(將信將疑) : 믿음이 가기도 하고 의심이 가기도 함.

(晨昏省定之禮)를 폐하고, 자부지도(子婦之道)로써 자기 생사(生死)를 고치 못함을 청죄하고, 정・장 양식부의 손을 잡아 애지련지(愛之憐之)하여 반기는 정이 모녀에 감치 아니하니, 창후 형제 조모와 유부인이 회과자책(悔過自責)함을 보매, 가변을 다시 근심치 않되, 다만 그런 화란 중 일인도 사망지화(死亡之禍) 없이 모자부부숙질(母子夫婦叔姪)이 일택지상(一宅之上)에 영화로이 기봉(奇逢)하니 생세지락(生世之樂)이 쾌활하나, 다만 창후와 소사의 엄안을 알지 못하는 철천지한(徹天之恨)은 미사지전(未死之前)에 불멸지한(不滅之恨)이요, 조부인의 종천지통(終天之痛)은 효자현부(孝子賢婦)의 영화를 볼수록, 명천공이 조세(早世)하여 부부 한가지로 자부의 영효를 두긋기지 못함을 각골비절(刻骨悲絶)하니, 늉성한 부귀영화중(富貴榮華中)이나 차시를 당하여 도리어 비환(悲歡)이 상반(相伴)197)하더라.

태부인이 통곡을 그치고, 부인의 손을 잡아 전과를 후회함이 혀가 닳을 듯하고, 명천공 화상이 생시와 다름이 없으나 앎이 없고, 형영(形影)이 묘망(渺茫)하여 세월이 오래니 참상(慘傷)하여 아무리 부르짖어 설워하여도, 한 소리 답언이 없음을 일러 통상비도(痛傷悲悼)함을 마지않으니, 그 혈심진정(血心眞情)이 아니면 이렇지 못할지라. 조부인이 비회중(悲懷中)이나 존고의 회과하심이 여차하심을 만분 희행하여, 슬픔을 참고 태부인을 위로하며, 좌간의 유부인이 없음을 보고, 묻자와 가로되,

"첩이 격세(隔歲) 후 돌아왔사오되 유제를 보지 못하오니, 아지 못게이다! 어느 곳에 있으니까?"

부인이 탄 왈,

"석년에 유씨 실성하여 노모와 행계(行計)하던 변괴 흉참극악(凶慘極

惡)하더니, 당시(當時)하여 깊이 수졸(守拙)하여 중인공회(衆人公會)의 나기를 참괴하여 할 뿐 아니라, 오아(吾兒)가 죽이지 못함을 한하니, 침소에 두문불출(杜門不出)하여 자처죄인(自處罪人)하니, 노모 더욱 불평하도다."

이 때 호람후 태부인을 모셔 만면 춘풍이 온자(溫慈)하더니, 모친과 수수 말씀이 유씨에 미치매 문득 불열(不悅)하여 조부인을 향하여, 가로되, "소생의 가제(家齊) 무상불엄(無狀不嚴)하여, 유가 별물 대악을 일택 지상에 평상이 머무르나, 제 만일 염치 있으면 스스로 자진(自盡)하여 그 죄(罪)를 속(贖)함이 당연하되, 희천이 형장과 존수의 생휵지신(生慉之身)이 중함을 잊고, 요인발부(妖人潑婦)를 위하여 동동촉촉(洞洞屬屬)한 성효가 봉영집옥(奉盈執玉)[198] 같고, 경순지례(敬順之禮)가 혈심지효(血心之孝)로 비롯한지라. 염치상진(廉恥喪盡)한 간인은 자중자오(自重自傲)[199]하여 고당채루(高堂彩樓)에 칭병와상(稱病臥床)하여 팔진경찬(八珍瓊饌)을 염어(厭飫)하고 금수나릉(錦繡羅綾)을 무겁게 여기거늘, 주사야탁(晝思夜度)하는 바 공교요악(工巧妖惡)한 의사 백출(百出)하리니, 다시 중인공좌(衆人公座)에 안연이 나다닌 즉, 또 요승악도(妖僧惡道)를 처결하여 가변이 어떠하며, 자위께 다시 참덕을 끼쳐 간참요언(姦讒妖言)으로 자의(慈意)를 변하게 할지라. 존수(尊嫂)는 악인의 유무를 묻지 마시고 아예 상대치 마소서."

설파의 분기 돌관(突貫)하니 조부인이 숙숙의 심지정대(心志正大)하

---

198) 봉영집옥(奉盈執玉) : 효자가 어버이를 섬기는 예절. 즉 효자가 어버이를 섬길 때는 가득찬 물그릇을 받들어 드는 것처럼, 또 보배로운 옥을 집는 것처럼 조심하고 삼가며 부모를 섬겨야 한다는 뜻. 『예기(禮記)』〈제의(祭儀)〉편의 "효자여집옥여봉영(孝子如執玉如奉盈)…"에서 나온 말.
199) 자중자오(自重自傲) : 스스로를 중히 여겨 스스로 오만하게 행동함.

여 경(輕)히 돌이키지 못할 줄 알되, 자기 소회를 은휘치 않으려, 이에 추연 탄식 대왈,

"첩이 감히 숙숙의 행사를 시비하며, 유제의 허물을 논란하리까마는, 첩의 우심(愚心)이 평생 가도(家道)의 화평함을 주(主)하고, 사정(私情) 으로 이를진대, 희천은 숙숙의 계후하신 바나, 자모(慈母)의 연연한 정 으로써, 저의 심사 괴롭지 않음을 원할지라. 유부인의 소소 과실이 없지 아니하나, 숙숙이 인후지덕(仁厚之德)을 드리오사, 여자의 세쇄지사(細 瑣之事)를 물시(勿視)하시어 자녀의 황민(惶憫)함을 살피시며, 유제 속 현존문(續絃尊門)하여 구고(舅姑)의 상(喪)에 여경초토(廬經草土)200)하 매 애훼(哀毁)하여 대죄(大罪)를 범치 않았으니, 숙숙이 삼십년 결발지 의(結髮之義)201)를 절(絶)하심이 불가하시니, 원컨대 석사(昔事)를 생각 하시고, 중도(中道)에 일시 실체(失體)함을 과도히 책망치 마소서."

공이 흠신 사사 왈,

"존수의 성교 (聖教) 마땅하시어 관인대도(寬仁大度)로써 이르시니, 소생이 어찌 공경하여 받들지 않으리까마는, 소생이 천성이 질악(嫉惡) 을 여수(如讐)함을 수수의 밝히 아시는 바라. 석년(昔年) 요인의 간정 (奸情)을 모르고 교언영색(巧言令色)에 침닉(沈溺)함이 되었사옵거니와, 금차지시(今此之時)하여 그 여러가지 죄악이 천지에 관영(貫盈)하오니, 자정의 이르심이 아닌즉 어찌 일택지상(一宅之上)의 머무르며, 희천으 로 일러도, 간인이 금누화당(金樓華堂)의 고와(高臥)하였으니 무슨 불안 함이 있으리까?"

---

200) 여경초토(廬經草土) : 여막(廬幕)에서 상(喪)을 치름. *초토(草土); 거적자리
    와 흙 베개라는 뜻으로, 상중에 있음을 이르는 말.
201) 결발지의(結髮之義) : 혼인의 의리.

　조부인이 청차(聽此)에, 자기의 말이 도리어 무익할 줄 알고, 다시 일컫지 않고, 이에 창린 세린 양 손아를 어루만져 두굿기고, 자부의 영화로이 모임을 행열하나, 유씨 좌에 없으니 소사의 심사 불평함을 그윽이 연석(憐惜)하더라.

　창후 비로소 우소저를 모부인께 뵈올 새, 자기 결약남매(結約男妹)한 소유를 고하고, 슬하에 두심을 청하니, 부인이 우씨의 빙자아질(氷姿雅質)과 천향교용(天香嬌容)을 과애하며, 아자의 의기를 기특이 여겨, 사랑함이 친녀에 감치 아니하더라.

　차석(此席)에 조부인이 구파로 더불어 응휘각에 이르러 유부인을 보더라.

명주보월빙 권지칠십사

차설 조부인이 구파로 더불어 응휘각에 이르니, 유부인이 조부인과 구파를 보매 참괴한 낯이 달아오르고 슬픈 심사 교집(交集)하니, 바삐 조부인의 손을 잡고 구파를 붙들어 실성비읍(失性悲泣)하니, 부인과 구파 역시 타루(墮淚)함을 면치 못하여, 조부인이 집수 탄 왈,

"왕사는 이의(已矣)라. 이제 슬퍼하며 애달아하나 미치지 못하리니, 어찌 과도히 상회(傷懷)하느뇨? 연이나 불행 중 존고 체후 안강하시고, 그런 변난 중 일인도 사망지화 없으니 윤문의 대경(大慶)이라. 부인은 척비(慽悲)치 말지로다."

유부인이 실성 오열 왈,

"소제의 궁흉극악지죄(窮凶極惡之罪)는 남산죽(南山竹)[202]을 베어도 궁진(窮盡)하리니[203], 관영(貫盈)한 죄악이 천지에 사무치고, 희아 형제의 기특한 성효로 괴이한 악질을 소성(蘇醒)하여 고당 채루에 안거하나, 전전악사를 생각하니 낯을 깎고 싶은지라. 금일 서모와 저저를 대하

---

202) 남산죽(南山竹) : '남산에 있는 대나무'라는 뜻으로, 남산에 있는 대나무를 다 베어 죽간(竹簡)을 만들어 써도 다 기록할 수 없을 만큼 죄가 많다는 말. '경죽난서(罄竹難書)'에서 온말.

203) 궁진(窮盡) : 다하다. 다하여 없어지다.

매 참괴함이 욕사무지(欲死無地)로소이다.”

조부인이 유씨의 대간 흉독으로 개심수덕(改心修德)함이 여차함을 역경(亦驚) 대열(大悅)하여, 흔연이 너른 덕화로 교유하여 유씨의 협견(狹見)이 상활(爽闊)케 하여, 그 전과를 유심(留心) 치부(置簿)함이 없으니, 활연한 현심과 빈빈한 덕화가 진정 윤청문과 효문의 자모(慈母)임을 묻지 않아 알 바이니, 석(昔)에 태임(太姙)204)의 태교(胎敎) 있어 문왕(文王)을 생하시고, 금(今)에 조부인의 태교한 바, 창후와 소사 같은 성자영준지재(聖者英俊之材)요, 의열 같은 성녀명염(聖女名艶)을 생함을 알리러라.

호람후 형장의 화상을 백화헌에 봉안하였음을 수수(嫂嫂)께 고하고, 현알하심을 청하니, 조부인이 구파로 더불어 자부를 거느려 백화헌의 이르니, 고택(古宅)이 빈 터가 되었으니, 내외(內外) 당사(堂舍)가 기둥조차 남지 않았고, 다만 백화헌과 유부인 침소 해춘각만 남았으니, 심리에 대경 차악함을 마지않더라.

이에 당에 올라 명천공 화상을 보매 생기 유동(流動)하여 옥면선풍(玉面仙風)과 잠미봉안(蠶眉鳳眼)에 화협주순(華頰朱脣)이며, 미려한 풍용(風容)과 척탕(滌蕩)한 기상(氣像)이 완연이 윤이부 명천공이 재세(再世)하였는지라. 구파의 통읍비절(慟泣悲絶)함과 조부인의 궁천극통(窮天極痛)이 여할여삭(如割如削)하여 화상(畵像)을 차마 오래 대치 못하니, 창후 곤계의 남다른 지통으로써 어찌 오내(五內)가 촌단(寸斷)치 않으리오마는, 모부인의 과상하심을 민박하여 이에 비색(悲色)을 금억(禁抑)하고, 모친을 붙들어 위로하여 내당으로 들어올 새, 하·장 이소저 또한

---

204) 태임(太姙) : 중국 주(周)나라 문왕(文王)의 어머니. 부덕(婦德)이 높아 며느리 태사(太姒: 문왕의 비)와 함께 성녀(聖女)로 추앙된다.

엄구의 화상을 처음으로 배알하는 바라. 존고와 창후 곤계의 각골·비상함을 보매, 인심에 추연하여 낯빛을 고치고, 정숙렬이 또한 상연(傷然) 타루(墮淚)하더라.

조부인이 옥누항에 들어온 후 태부인께 시침(侍寢)하고 침소를 정치 않았더니, 소사 벽월누란 당사를 정하여 쇄소하고 모부인 처하심을 청하니, 태부인이 역권하매 조부인이 마지 못하여 벽월누의 옮으니, 우소저 각 침소를 사양하고 벽월누 협실의 있음을 청하니, 부인이 그 정사를 추연하여 협실에 두고, 무휼(撫恤)하여 사랑함이 친생 소교아(小嬌兒) 같은지라. 우소저 감은각골하여 은덕을 뼈의 새기더라.

화설, 만세 황야 정숙렬을 정문포장(旌門襃獎)하시어 금자어필(金字御筆)을 내리시고, 옥비찬서(玉碑讚書)를 재촉하시니, 벌써 숙렬문을 높일 것이로되, 예부 정인흥이 윤부 우환이 그칠 사이 없어 흥황(興況)이 사연(捨然)하니, 숙렬문을 세올 때 분요(紛擾)할지라. 차고로 중지하더니 시금(時今)은 태부인과 유부인의 질양이 쾌소함을 듣고, 비로소 숙렬문과 옥비(玉碑) 찬서(讚書)를 높이니, 만조거경(滿朝巨卿)이 금자어필(金字御筆)을 공경하여 저마다 하마(下馬)하니, 영광이 혁혁하고 향명(香名)이 사린(四隣)에 경동하니, 여자의 얻기 어려운 영총부귀(榮寵富貴)라. 견자 칭선 열복하니 숙렬이 진실로 불안 황공함을 마지않으니, 남창후 역시 불열(不悅)하더라.

조부인이 다시 가사를 정치 않고, 정숙렬로 봉사접빈지절(奉祀接賓之節)을 맡겨 내사를 찰임하게 하고, 외사는 호람후가 자질로 상의하여 가중 대소사를 총제(總制)할 새, 창후 형제 공의 한가하실 바를 위하여 외사(外事)를 스스로 총찰(總察)하니, 시녀와 노자 등이 창후 곤계의 찬출(竄黜)한 후 도주하였더니, 환쇄하는 소문을 듣고 들어와, 창후 위태부

인과 유부인께 불공하게 굴던 유를 통해(痛駭)하여 엄치코자 하니, 호람
후 말려 왈,

"자정께 불공한 비복을 다스리고자 하지 않으리오마는, 위가 바르지
않으매 아래 또한 기우는 것이 예사요, 주인이 실덕하니 비복이 무슨 충
성으로 섬기는 예모를 차리리오. 유씨 무상하매 자정께 패도(悖道) 악명
(惡名)을 끼치고 비복에게 실인심(失人心)하니, 만승천자라도 치정(治政)
이 불명(不明)한즉 실기천하(失其天下)하나니, 하물며 지우하천(至愚下
賤)의 무지불식(無知不識)함으로써 유씨를 원망하여 일시 속이고자 함이
니, 구태여 대죄 아니라. 후일을 엄칙(嚴飭)205)하고 요란이 치죄 말라."

창후 수명하고 노자와 시비를 엄칙하여, 후일 방자함이 있은즉 중죄
를 내리리라 하니, 엄숙한 분부 일백 장책에 지남이 있으니, 비복이 송
구하여 조심함이 여림춘빙(如臨春氷)206)이요, 앙망하는 정성이 적재(赤
子)207) 자모(慈母) 바람 같고, 완비(頑婢) 간노(奸奴)라도 그 덕화를 감
열(感悅)하여, 명령을 준봉하며, 소심익익(小心翊翊)208)하더라.

차시 정숙렬이 내사를 찰임(察任)하매, 존당 숙당과 존고를 효봉함이
봉영집옥(奉盈執玉)의 경순지례(敬順之禮) 가즉하니 온냉감지(溫冷甘
旨)209)와 한서의복(寒暑衣服)210)이며 누대봉사(累代奉祀)의 향선지성
(享饍之誠)211)과 승안열친지효(承顔悅親之孝)며 화우금장(和友襟丈)하

---

205) 엄칙(嚴飭) : 엄하게 타일러 경계함. 또는 그런 신칙(申飭).
206) 여림춘빙(如臨春氷) : 봄철의 얼음을 밟듯 매우 조심함을 비유적으로 이르는
　　　말. =여림박빙(如臨薄氷)
207) 적자(赤子) : 갓난 아이.
208) 소심익익(小心翊翊) : 삼가고 조심함.
209) 온냉감지(溫冷甘旨) : 음식이 따뜻한 가 차가운 가를 살피는 일.
210) 한서의복(寒暑衣服) : 춥고 더운 계절에 맞게 옷을 준비하는 일.

고 돈목친척(敦睦親戚)하여 대인접물(對人接物)212)의 춘양(春陽) 같은
화기 만물을 부생(復生)함 같고, 겸하여 겉이 화하나 자연한 위의 빈빈
(彬彬)하여, 정색 단좌(端坐)한즉 추천(秋天)이 높고 열일(烈日)이 상빙
(霜氷)에 비침 같으나, 언소(言笑)를 발한즉 혜풍화기(蕙風和氣)로 예모
숙연하니, 창후의 풍류기상으로도 숙렬을 대한즉 수정안색(修正顔色)하
여 경박한 언어와 전도(顚倒)한 노기(怒氣)를 발치 못하니, 관저(關
雎)213)는 낙(樂)하되 음(淫)치 않고 애(愛)하되 난(亂)치 아니함이 이를
이름이라.

부부 상경여빈(相敬如賓)하여 필경필찰(必敬必察)하니 호람후의 과도
히 중대함과 조부인의 두굿기미 비할 데 없고, 일가 친척의 칭예함이 그
행신 처사 숙렬문이 헛되지 않고, 옥비(玉碑) 찬서(讚書)에 마땅하다 하
니, 조부인의 백행사덕(百行四德)이 출인(出人)하고 강약(强弱)이 득중
(得中)하여 치가(治家)하매 상봉어하(上奉御下)214)에 위덕(威德)이 병행
(竝行)함이나, 당금(當今) 숙렬을 불급함은 그 특달신명(特達神明)함과
천지기량(天地器量)이며 일월총명(日月聰明)이라. 비록 요악간비(妖惡姦
婢)라도 소소지사(小小之事)에도 은닉지 못하니, 정숙렬이 세쇄(細瑣)히
아는 체 함이 없으나 추파(秋波)를 흘리는 바에 현우선악(賢愚善惡)을
거울 비추 듯하되, 홍순(紅脣이 굳게 함묵(含黙)하였으니, 이 진정 남창
후의 일쌍 가우(佳偶)요, 윤문 대경(大慶)이라 하더라.

창후와 소사가 노복을 흩어 군석을 찾아, 머리를 베고 수족을 이처(離
處)하여 중복(衆僕)에 효시(梟示)하니, 비복이 낙담상혼(落膽喪魂)하여

---

211) 향선지성(饗膳之誠) : 제사에 올리는 음식을 만드는 정성.
212) 대인접물(對人接物) : 남과 접촉하여 사귐.
213) 관저(關雎) : 『시경』〈주남(周南)〉'관저(關雎)'장의 군자숙녀(君子淑女)를 말함.
214) 상봉어하(上奉御下) : 위[윗사람]을 받들고 아래[아랫사람]을 다스림.

태부인 유부인께 불공하던 일을 후회하더라.

　남창후 곤계 존당 숙모의 환후로 우황(憂惶)하다가 소환(所患)이 여상 (如上)한 후로도, 연하여 사고 많아, 환경한 후 취운산에 나아가지 못하 였더니, 일일은 호람후 자질을 불러 이르되,

　"환가(還家) 이후에 질녀와 여아를 보지 못하였더니, 금일은 운산의 행코자 하나니 여등이 한가지로 감이 어떠하뇨?"

　창후는 흔연 수명하되 소사 운산을 가는 날은 하부의 아니 가지 못할 것이요, 간즉 조부인께 배알을 폐치 못할지라. 초후를 깊이 노하여 아직 하공 부부께 반자지도(半子之道)215)를 차리지 않으려 하는 고로, 복수 (伏首) 대왈,

　"소자 또한 양 저저께 뵈올 마음이 급하오나, 일시에 외당을 비움이 괴이하오니, 야야 형을 다리시고 행하시어 환가하신 후 소자는 조초 나 아가고자 하나이다."

　공이 그 뜻을 스치고, 정색 왈,

　"노부 교지로 돌아온 후 하·정·진 제형이 몇 번을 왔으며, 하자는 날마다 이르러 노부를 보거늘 해아(孩兒)는 빙악을 찾는 날이 없고, 정· 진 제공을 또한 회사(回謝)치 아니하니 어찌된 도리며, 하형은 한갓 인 친(姻親) 빙악(聘岳)으로 이르지 말고, 선형의 지기지우(知己之友)니 여 등이 경만치 못할 것이거늘, 네 자의의 옳은 말을 함노(含怒) 분원(忿怨) 하니, 실로 남아의 관대지량(寬大之量)이 아니요, 아녀자의 협견(狹見) 이라. 고체(固滯)한 마음을 먹지 말고, 한가지로 가게 하라."

　소사 친명을 역지 못하고 양 저저와 진부의 가 질아를 반기고자 하여,

---

215) 반자지도(半子之道) : 사위의 도리. *반자(半子); 아들이나 다름없다는 뜻으 로, '사위'를 이르는 말.

사죄하고 모셔 감을 고한대, 공이 깃거 자질을 거느리고 취운산 정부에 이르니, 차일 정공이 하공 부자와 낙양후 곤계 부자로 더불어 청죽헌에서 종용이 담화하더니, 문득 시자(侍者)가 호람후 창후 노야로 더불어 내림(來臨)하심을 고하니, 정공이 반겨 북공 형제와 초후를 명하여, 문외에 영접하여 당상에 좌정한 후, 창후와 소사 하·정·진 제공께 배례한 후, 북공의 항렬로 좌석에 나아가니, 금평후 호람후를 향하여 소왈,

"금일 명강이 한 번 움직이매 사원 사빈이 누실의 임하니, 금난(金蘭)의 경사 금일 같은 날이 없으니, 금석(今昔)이 하석(何夕)고? 연이나 하형과 소제는 사원 사빈으로 구생(舅甥)의 정뿐 아니라, 명천형과 지음(知音)을 허하여, 관포(管鮑)216)의 지극함이 골육이 아님을 깨닫지 못하니, 통가(通家)217) 숙질지정(叔姪之情)과 부형의 친붕으로 의논하여도 아등이 다섯 번 가 보매 한 번 회사(回謝)는 있음직하거늘, 환경(還京) 사십여 일에 금일에야 형을 따라와 색책(塞責)218)하니 어찌 박정치 않으리오."

호람후 청필의 답소 왈,

"형이 광·희 양아로써 박정타 함이 가하거니와, 희천은 괴로운 우환(憂患)에 골몰하여 잠시 여가(餘暇)치 못하고, 광천은 산란(散亂)한 가사를 정치 못하였으므로, 자연 왕래(往來)치 못함이나, 저희 비록 무상하나 형 등은 이르지 말고, 저의 누이들을 보고자 아니하랴?"

평후 소왈,

"차고로 소제 대단이 책치 아니하나, 원간 비인정인가 하노라."

---

216) 관포(管鮑) : 중국 춘추시대 사람인 관중(管仲)과 포숙(鮑叔)을 함께 이르는 말. 우정이 아주 돈독한 친구사이였다.
217) 통가(通家) : 대대로 서로 친하게 사귀어 오는 집안.
218) 색책(塞責) : 책임을 면하기 위하여 겉으로만 둘러대어 꾸밈.

드디어 소사 형제를 향하여 가로되,

"금일은 하풍(何風)이 촉신(觸身)하여 이에 이르렀느뇨? 노부 불명하나 그대 등의 마음을 거의 예탁(豫度)하나니, 사빈은 자의를 심로(心怒)하여 차처 왕래를 염(厭)하고, 사원은 가사를 정하기에 타사를 여가(餘暇)치 못함이나, 사빈 일체로 주변219)을 부리면 진형이 두려 여아를 급히 보낼까 함이니, 나의 헤아림이 그르지 않은가 하노라."

창후 그 악공의 말을 듣고 옥면(玉面) 성모(星眸)220)의 웃음을 띠어 흠신 칭사 왈,

"악장이 소생의 단처를 찰찰(察察)이221) 이르시고 우회(愚懷)를 밝히 아시니, 소생이 다시 아뢸 말씀이 없거니와, 사제 비록 자의 말을 노함이 있으나 친환(親患)에 분주함이 아닌즉, 어찌 나아와 배현(拜見)치 않으며 매저를 보고자 아니하리까마는, 사고 있음이요, 소생인들 진씨의 경도(傾倒)한 위인을 책망하여 이곳의 오지 아니하리까?" 진악장이 그 여아를 급히 보내고자 뜻이 없으니, 소생이 천성이 우직(愚直)하여 여자의 교중(驕重)222)함을 본즉, 통해함이 죽이고자 하는지라. 진씨 아무리 천하에 무쌍하다 이를지라도, 생의 조모 위독한 질환을 지내시나 한 번 문후함이 없고, 소생이 환가한 지 오래되 유자도 보냄이 없어 완연이 남 같으니, 제 그리 할 제 소생이 어찌 구구히 보내심을 바라리까?"

언파에 의연정좌(毅然正坐)하니 밖으로 경운(慶雲)의 화기를 띠었으나, 내심은 진씨를 많이 미흡해 하는지라. 딸 둔 자가 구구(區區)키를 면치 못하여, 진후의 쾌활한 기상으로도 창후의 기색을 보고 민망하여

219) 주변 : 주변. 일을 주선하거나 변통함. 또는 그런 재주.
220) 성모(星眸) : 별 같은 눈동자.
221) 찰찰(察察)이 : 지나칠 정도로 꼼꼼하고 자세하게.
222) 교중(驕重) : 교만하여 자신만을 중히 여김.

웃고 이르되,

"여아 군의 찬출 이후로 내 집에 왕래함이 없고, 옥화산에 가 영당 태부인을 모셨더니, 약질이 성열(盛熱)에 상하고 신기 불안함으로, 돌아와 차병(差病)하기를 기다려 바로 옥누항으로 가고자 하거늘, 보내려 하되 서증(暑症)이 지리하여 졸연이 차성(差成)치 못하고 이곳에 유(留)한 지 수월은 되거늘, 현세(賢壻) 아녀자 책망함이 여차하뇨?"

창후 미급답에 호람후 소왈,

"형이 질부의 그렇지 않음을 누누이 신백하나, 소제 어찌 짐작지 못하리오. 연이나 그런 화란 중 약질이 무사하니 이만 경사 없는지라. 형은 세쇄지언(細瑣之言)을 그만 하고 유자(幼子)나 데려오라."

하니, 이윽고 유애 이르매 공이 친히 안아 좌상(座上)에 놓으니, 호람후 봉안을 들어 보매, 비록 삼세 유아나 신장이 나이로 좇아 내도하여 범아(凡兒)의 육칠세를 당할지라. 풍광 신채 수려 쇄락하여 옥면(玉面) 연험(蓮臉)[223]과 잠미봉안(蠶眉鳳眼)[224]의 연함호두(燕頷虎頭[225])요 원비일요(猿臂逸腰)[226]니, 앙앙(昂昂)한 격조와 늠연한 기상이 완연이 창후의 아시 적 모양이라. 윤공이 일안(一眼)[227]에 대열하여 연망이 나오게 하여 안으려 하니, 그 아이 부친의 왔음을 듣고 좌중에 가르침을 좇아 차례로 배알한 후, 그 부친 창후의 슬전(膝前)에 꿇어앉는지라. 호람 후 차경(此景)을 보매 두굿거움을 이기지 못하여, 창후로 하여금 유

---

223) 연험(蓮臉) : 연꽃처럼 청순한 뺨. *臉의 음은 '검'이다.
224) 잠미봉안(蠶眉鳳眼) : 누에 같은 눈썹과 봉황의 눈.
225) 연함호두(燕頷虎頭) : 제비 비슷한 턱과 범 비슷한 머리라는 뜻으로, 먼 나라에서 봉후(封侯)가 될 상(相)을 이르는 말.
226) 원비일요(猿臂逸腰) : 긴 팔과 늘씬한 허리.
227) 일안(一眼) : 한눈. 한 번 봄. 또는 잠깐 봄.

자를 안아 오라 하여, 슬상(膝上)에 앉히고 문 왈,

"차애 명자(名字)가 무엇이뇨?"

창후 공수 대왈,

"소자 차아의 생세 칠팔삭에 남주로 행하였사오니, 흥황(興況)이 없사옵고, 생사를 알지 못하는 유아의 호명(號名)이 부질없사와 명을 주지 않았사오니, 계부 지어 주심을 바라나이다."

공이 정・하・진 제공을 돌아보아 소왈,

"광천이 제 아들의 이름을 날더러 지으라 하니, 소제 이미 희천의 아들의 이름을 다 지었는지라, 차아의 명을 웅닌이라 하나니, 골격 기상이 광천을 닮았는지라, 타일 웅호영준(熊虎英俊) 기상이 범아에 비기지 않으리라."

금평후와 하・진 이공이 일시에 칭하 왈,

"사원이 그 아들의 호명(呼名)을 형에게 청함은 사빈의 아들과 일체로 함이오. 형이 또 창린 등과 같이 즉시 명을 지어 주니, 실로 숙질의 뜻이 다 아름답다 하리로다. 웅닌의 기질이 그 이름과 상칭하니 타일 윤문이 더욱 창대하리로다."

윤공이 하공을 향하여 자의의 양아를 내어 오라 하고, 또 금후를 대하여 현기 등 봄을 구하니, 정공이 이에 북공의 아자와 예부의 유자를 다 내어 오고, 하공이 또한 몽성 몽린을 데려 오니, 차시 정공자 현기의 연이 오세라. 신이출범(神異出凡)한 기상이 완연이 윤소사 희천으로 분호(分毫)228)다름이 없으니, 옥골선풍(玉骨仙風)과 용봉미목(龍鳳眉目)229)

---

228) 분호(分毫) : '털을 쪼갠 것'이란 뜻으로, 매우 적거나 조금인 것을 비유적으로 이르는 말. =추호(秋毫)

229) 용봉미목(龍鳳眉目) : 용의 눈썹과 봉황의 눈을 함께 이르는 말.

이며 일월 같은 천정(天庭)230)의 화풍경운(和風慶雲) 같은 기상이 현요 휘황(眩耀輝煌)하여 그 부공의 늠연한 풍신과 모친 의열비의 성자광휘 (聖姿光輝)를 습하였으며, 안국공 윤명천의 청고 숙연한 기질로 많이 흡 사하니, 어찌 일개 소소한 옥면유풍(玉面柳風)의 속자에 비기리오. 그 빈빈한 예절이 성현 유풍과 군자 기상이 승어기부(勝於其父)라. 동용(動 容) 주선(周旋)이 장자(長者)라도 미치지 못할러라. 그 아우 운기 등 제 아(諸兒)의 옥설기부(玉雪肌膚)가 개개히 출류(出類)하고 용호기습(龍虎 氣習)이 북공 여풍이요, 수려한 용화 부풍모습(父風母襲)하여 특이 발월 한 정채 이목이 현황(炫煌)하니, 호람후 이를 칭찬하고 저를 사랑하여, 친손과 종손이며 남임을 간격치 않아, 금후를 향하여 칭하 왈,

"형의 유복함이 곽분양(郭汾陽)231)으로 흡사하고, 창백이 처궁이 하 등이 아니라, 제아(諸兒) 그 부풍이 여차한 중, 현기는 금세의 성현 군 자라. 형의 종장(宗長)232)이 여차 기린이니 이 다 형의 적덕여음(積德餘 蔭)이요, 창백의 활인구생(活人求生)하는 성심을 상천이 묵우(黙祐)하심 이 아니리오. 다시 하형께 하례하나니, 양가 기린이 송조를 보좌하며 하 문을 창성함이 기부(其父)에 승하리니 소제 위하여 탄복하노라."

하·정 양공이 윤공의 과장(誇張)함을 불감사사(不堪謝辭)하나, 각각 손아를 가차하여 두굿기며 애련(愛戀)하여, 서로 자랑하며 일인도 용속 치 않음을 기행(奇幸)하여 하는 중, 금후의 취중기애(就中奇愛)233)함은

---

230) 천정(天庭) : 관상(觀相)에서 양 눈썹의 사이, 또는 이마의 복판을 이른다.
231) 곽분양(郭汾陽) : 곽자의(郭子儀). 697~781. 중국 당(唐)나라 중기의 무장(武 將). 안녹산 사사명의 반란을 평정하고 토번을 쳐 큰 공을 세워 분양왕(汾陽 王)에 올랐다.
232) 종장(宗長) : 장손(長孫). 한 집안에서 맏이가 되는 후손.
233) 취중기애(就中奇愛) : 그 가운데서도 특히 사랑함.

현기라. 이에 위자(慰藉)234) 왈,

"승어기부(勝於其父)요, 오가(吾家)의 천리기린(千里騏驎)235)이니, 제아(諸兒)가 부숙여풍(父叔餘風)이나 현아는 식부(息婦)의 태교로 명성군자(明聖君子) 되리라."

하더라.

창후 형제 여러 아해 기특함을 깃거 하나 현기 형제와 몽성 등의 기이함을 행희하고, 양 저저의 복록이 융성함을 대열하여 질아 등을 슬상의 가차(假借)하여 희기(喜氣) 현출하니, 그 화한 용화 풍신이 또한 보암직하더라.

윤공이 질녀 봄을 청하니, 정공이 북공을 명하여 선월정으로 호람후를 인도하라 하니, 북공이 수명하여 윤공을 모셔 들어갈 새, 창후 형제 일시의 종후하니, 금평후 가로되,

"사원 등은 나올 제 우리 자당께 현알하여 생각하신 정을 위로하라."

창후 곤계 연성 대왈,

"비록 이르지 않으시나 소생 등이 존당과 악모께 어찌 배알치 않으리까?"

언필에 공을 모셔 선월정의 이르러, 숙질 남매 구년(久年) 상모지회(相慕之懷)를 펼 새, 차시 윤의열이 두 제남(弟男)과 계부(季父) 영화로이 돌아왔으나, 북공이 귀녕(歸寧)236)을 허치 않고, 존고 진부인의 기색을 그윽이 살피건대, 말씀이 위・유에게 미치면 통완 절치하여 머리를 흔들고 천만의 무쌍한 악인이라 하니, 감히 귀녕을 청치 못하고 사정이 결울(結鬱)하더니, 문득 계부와 양제를 보매 반가운 정이 황홀하여

---

234) 위자(慰藉) : 칭찬함. 위로하고 도와줌.
235) 천리기린(千里騏驎) : 하루에 천리를 간다는 말[馬]로, 뛰어나게 잘난 자손을 칭찬하여 이르는 말. =천리마(千里馬)
236) 귀녕(歸寧) : 늑근친(覲親). 시집간 딸이 친정에 가서 부모를 뵘.

연망(連忙)이 배례 후, 계부 슬하에 시좌하여 존후를 묻잡고, 가란(家亂)이 진정하며 조모와 숙모의 환후 쾌복하심을 치하할 새, 옥성봉음(玉聲鳳吟)은 만물을 부휵(扶慉)할 듯하거늘, 천연한 장복(章服)237)은 일신에 엄연하고, 체체238)한 위의와 숙숙(肅肅)한 예모 정제(整齊)한 가운데, 연기(年紀) 노성(老成)하고, 화액을 진정하여 심회 안정하매, 외모 더욱 화열하니, 흡연(翕然)이 높고 상연(爽然)이 맑아 천택(川澤)의 청빙(淸氷)이요, 화벽(和璧239))을 삭인 기질이라. 성효녈절(誠孝烈節)은 성천자 어필(御筆)로 의열 찬문(讚文)을 지으시매 사서 인민의 경앙하는 바니, 호람후 편애하던 정으로써 활별지여(闊別之餘)240)에 사생간(死生間) 액(厄)을 갖추241) 경력한 바, 질녀 무쌍한 지혜로 친구가(親舅家) 화망(禍亡)을 건지고 위의(威儀) 정숙함을 대하매 반갑고 애중하며 아름답고 기특함이 미칠 듯하여, 바삐 집수 연애(憐愛) 왈,

"전후 화란과 악사가 모두 다 유씨의 간악이라. 생각할수록 심한골경(心寒骨驚)하니 다시 치아(齒牙)에 올림이 놀라오나, 질아의 절효열행으로 정·진 양문 참화(慘禍)를 구하고, 오문(吾門)의 엎더진242) 바를 붙

---

237) 장복(章服) : 옛날 벼슬아치들의 공복(公服). 지금은 전통 혼례 때에 신랑이 입는다. 여기서는 사대부가의 여성들이 입는 정복(正服)을 말함인 듯.
238) 체체 : 체체. 행동이나 몸가짐이 너절하지 않고 깨끗하며 트인 맛이 있음.
239) 화벽(和璧) : 명옥(名玉)의 일종. 전국시대 초(楚)나라 변화씨(卞和氏)의 옥(玉)으로, '완벽(完璧)', '화씨지벽(和氏之璧)' 등으로 불리기도 한다. 그 후 이 '화벽'은 조(趙)나라 혜문왕(惠文王)의 손에 들어갔으나, 이를 탐내는 진(秦)나라 소양왕(昭襄王)이 진나라 15개의 성(城)과 이 옥을 교환하자고 한 까닭에 '연성지벽(連城之璧)'이라는 이름이 붙기도 하였다.
240) 활별지여(闊別之餘) : 오랜 이별을 겪고 나서. *활별(闊別); 오랫동안 헤어져 만나지 못함.
241) 갖추 : 고루 있는 대로.
242) 엎더지다 : 잘못하여 앞으로 넘어지다. 여기서는 '넘어지다'의 뜻.

들어, 광·희 양아로 천일을 보게 함이 질아의 공이요, 또한 숙렬 질부의 신출귀몰 한 재덕이 가부를 사지(死地)에 구하여, 입공반사(立功班師)하고 위거공후(位居公侯)하여 망한 집을 흥기케 하며, 장식부의 명철숙녀의 풍이 희천의 사병을 구하여 완소(完蘇)케 하니, 차는 조선여경(祖先餘慶)이요, 선형(先兄)과 현수(賢嫂)의 심인후덕(深仁厚德)으로 이룸이나, 연이나 우숙이 요인의 대간 대악을 모를 적은 하릴없거니와, 당시하여 요녀를 일시나 요대(饒貸)하리요마는, 희천이 혈성으로 사생을 그음하고, 자정이 권년(眷戀)하시며, 현수(賢嫂)가 지성으로 화평함을 권유하시니, 차고로 분한을 참고 일택지상(一宅之上)에 머무르나, 주주야야(晝晝夜夜)에 나의 근심하는 바, 악인의 작악이 또 어느 지경(地境)의 미칠 줄 알지 못하여, 숙식이 편치 않도다."

의열이 계부(季父)의 숙모를 분노하심이 괴이치 아니하나, 다만 화열이 위로하여 가내 화평토록 하심을 간청하여, 말씀이 길고 때 늦으니 공이 또 오기를 이르고 출외하매, 창후 곤계는 존당에 다니려 이에 머물러, 다시 좌정 후 의열이 소사 곤계를 무정타 책하여, 입성(入城) 월여에 금일 와 봄을 인정 밖이라 하니, 창후 잠소 대왈,

"소제 등이 저저를 앙모함이 저저만 못함이 아니라, 산란(散亂)한 가사를 안둔(安屯)함으로 저저의 무정타 하심을 받잡거니와, 저저는 평안한 터에 소제를 와 보지 않으셔, 야야 화상과 자위 돌아오시나 배알치 않으시니, 비컨대 뉘 더 무정하니까?"

의열이 탄 왈,

"아심(我心) 같을진대 한 번만 갔으리오마는, 오가(吾家) 변난이 상생하여 나아간즉 반드시 위태롭게 여기는 이 많으니, 귀녕을 청함도 실로 낮이 없는지라. 사사에 여자 됨이 구차할지언정 어찌 남을 그르다 하리오."

창후 대왈,

"왕사는 이의(已矣)어니와 정문이 저저의 귀녕을 막으실진대, 소제 정씨를 또한 이곳에 보내지 아니하리로소이다."

의열이 미소왈,

"양가 형세 겨루려 하면 현제는 낯을 싸고 피하리니, 정군이 우형을 귀근치 못하게 하나, 정제는 벌써 귀녕을 시킴직 하니 괴이한 말을 내지 말라."

창후 미소 부답이요, 형제 내당에 청알하니, 순태부인과 진부인이 반겨 즉시 청내(請內)하니, 창후 곤계 들어와 태부인과 진부인께 현알하고, 좌정하여 존후를 묻잡고 말씀을 펴, 삼년 사이에 존후(尊候) 안강하시고, 경참한 화란을 진정하시어 복록이 융융하심을 하례하니, 태부인과 진부인이 애경하여 흔연이 담화할 새, 창후의 입공반사함과 소사의 무사히 환쇄함을 칭하고, 양인의 위고금다(位高金多)함을 환희하니, 창후 형제 불감사사(不堪謝辭)하고, 이윽히 뫼셨다가 후일 다시 와 뵈옴을 고하고 하직하니, 두 부인이 심리에 결연하여 숙렬을 잠간 귀녕케 함을 청하니, 창후 흠신 공경 대왈,

"실인의 정리 벌써 나아와 현알하옴이 마땅하오대, 존당 환후 중 여가를 얻지 못하였삽더니, 지금 조모 차경에 계시니 명대로 쉬이 보내려와, 소생의 형제 다 산란(散亂)한 가운데, 일매(一妹)로 더불어 분수(分手) 삼재(三載)에 천애지각(天涯地角)243)에서 피차 상모지정(相慕之情)이 간절하고, 편친이 매양 매저(妹姐)를 그리심이 간절하시니 존당과 악모는 죽청형더러 이르시고, 매저(妹姐)를 먼저 보내신 즉, 저저 환가시(還家時)에 영녀를 함께 보내리이다."

---

243) 천애지각(天涯地角) : '하늘 끝 땅 끝'이란 뜻으로, 까마득하게 멀리 떨어져 있는 곳을 비유적으로 이르는 말.

진부인이 위·유의 행사를 절통(切痛)하여 의열을 본부의 보내고자
않더니, 창후의 청이 여차하니 마지못하여 허락하더라. 창후 곤계 저저
와 두 부인께 다시금 하직고 외당의 나와 공을 모셔 하부로 향할 새, 호
람후 소사를 보아 왈,

"나는 여형으로 더불어 네 누의를 들어가 보리니 너는 조수께 배알하라."

소사 악부모께 정성이 범연치 않으나, 초후를 증노(憎怒)하여 구구히
처가에 배알치 않으려 하였으나, 존명을 거역치 못하여 배이수명(拜而
受命)하니, 호람후 하공을 돌아보아 왈,

"형은 돈아를 데리고 내당으로 들어가라. 소제는 자의로 더불어 여아
를 보리라."

하공이 초후를 명하여 채원각으로 호람후 숙질을 인도하라 하고, 자
기는 소사로 내각에 이르니, 조부인이 서랑을 대하여 황홀 탐혹한 사랑
이 아무 곳으로 나는 줄을 알지 못하고, 삼년 내에 그 풍신용화가 수려
찬연하여, 월액(月額)244)에 금관(金冠)이 정제하고, 옥산(玉山)245)에
금포(錦袍)가 엄연하여 위의(威儀) 체체하니246), 부인이 더욱 귀중함을
이기지 못하여 환경 후 즉시 못 봄을 애달라 하고, 위·유 두 부인의 질
환이 쾌소하심을 치하하니, 소사 흠신 사사하여 그 사이 존후 안강하심
을 칭희(稱喜)하나, 사기 단엄하고 언어 씩씩하여 기위 숙묵(肅默)하니,
부인의 사랑하는 마음으로 빈주의 예를 다 행하더니, 소사 즉시 하직고
채원각에 이르니, 차시 초후 부인이 조모의 과악과 모친의 무쌍한 누덕
을 참안(慙顔)하여 중인(衆人) 공회(公會)의 나지 않고, 초후의 허다 욕

---

244) 월액(月額) : 달처럼 둥근 이마.
245) 옥산(玉山) : 외모와 풍채가 뛰어난 사람을 비유적으로 이르는 말.
246) 체체하다 : 행동이나 몸가짐이 너절하지 아니하고 깨끗하며 트인 맛이 있다.

설이 분원하여 일월이 오랠수록 저를 대하면 분기 충격(衝擊)하고, 은한
(殷恨)이 중첩하여, 식불감미(食不甘味)하고 침불안석(寢不安席)하여 일
병(一病)이 침면(侵面)하니, 옥골(玉骨)이 표표(飄飄)하고247) 표연(飄
然)이 우화(羽化)248)할 듯하니, 구고 우려하고 초후 그 심사를 알되, 유
씨를 절절이 미워하여 중정을 주리잡고, 외모 씩씩하여 소향 벽난 등을
엄칙하여 윤부 왕래를 못하게 하니, 윤씨 더욱 분원하나, 아주 친정을
절신(絶信)한 지 삼재(三載)러니, 금일 야야와 종남(從男)249)을 대하매
격년(隔年) 이정(離情)과 슬픈 심회 교집(交集)하여, 옥면화험(玉面花
臉)250)에 천항누수(千行淚水) 연락(連落)하고, 실성(失性) 애읍(哀泣)하
여 능히 말을 못하니, 공의 쾌활함이나 일별(一別) 삼재(三載)에 여아의
환형수패(幻形瘦敗)함이 완연이 딴 모양이 되었으니, 천륜의 자별한 정
리로 추연 애석하여 집수 탄 왈,

"여부 돌아온 일삭에 너를 와 보지 못함은, 대하매 너희 슬퍼 하는 거
동을 보기 싫음이요, 여부 명운이 기구하여 여모 같은 대악 흉인으로 배
항(配行)이 되매, 너희 형제를 생한 바로되, 경아 일편도이 어미를 전습
(專襲)하여 간험 흉독이 석문을 어지럽히니, 내 하면목으로 석추밀 부자
를 보리오. 아직 석자한이 광동서 돌아오지 않아 처치를 않았거니와, 절
절이 분한 바는 여모의 궁흉대죄(窮凶大罪)251)를 내 뜻대로 다스리지
못하고, 화당옥루(華堂玉樓)의 안연고와(晏然高臥)하게 하니, 주야 칼을

---

247) 표표(飄飄)하다 : 팔랑팔랑 가볍게 나부끼거나 날아오르다.
248) 우화(羽化) : 사람의 몸에 날개가 돋아 하늘로 올라가 신선이 됨. =우화등선
(羽化登仙).
249) 종남(從男) : 사촌 남자형제.
250) 옥면화험(玉面花臉) : 옥처럼 흰 얼굴의 꽃처럼 아름다운 뺨.
251) 궁흉대죄(窮凶大罪) : 매우 흉악한 죄.

어루만져 분을 풀고자 함과 살을 겨눠 죽이고자 하나, 여모의 염치 상진
(喪盡)함이 희천의 성효를 의지하여 감은한 줄을 모르고 과악이 날로 층
가하니, 어찌 죽이고 싶지 않으리오. 여아는 그 것을 어미라 하여 본부
왕래할 의사를 말고, 효봉구고(孝奉舅姑)와 승순군자(承順君子)하여 요
악한 어미를 행여도 염려에 두지 말라.”

소제 비읍 오열 왈,

“불초 소녀 일명이 이었으나, 촉처(觸處)에 참악(慘愕)한 지통(至痛)이
유사지심(有死之心)하고, 존당 자당이 위독한 질환을 얻어 지금 쾌소하
시기에 이르나, 한 자(字) 서사(書辭)로도 고문(告文)함을 얻지 못하니,
속절없이 생휵지은(生慉之恩)252)과 구로지혜(劬勞之惠)253)를 저버려
천대(千代)에 둘도 없는 불효녀(不孝女)로소이다.”

공이 그 운환(雲鬟)을 어루만져 교무(交撫) 왈,

“이의(已矣)라254). 너 같은 숙자현풍(淑姿賢風)이 유씨의 배를 빌어
난 탓으로, 긴 세월에 은한(殷恨)이 중중첩첩(重重疊疊)하여 근심이 여
해(如海)하니, 어찌 애달지 않으리오. 연이나 네 안향지복(安享之福)255)
으로 십삭 태교를 닮지 않았다 하려니와, 또한 자의 같은 군자를 배(配)
한 덕으로 여모의 연좌(連坐)를 쓰지 않아, 이곳에 평안이 두어 관대하
니, 차는 구고와 군자의 관홍대덕(寬弘大德)이니, 여아는 찰심(察心) 공
근(恭謹)하여 군자의 덕을 감축(感祝)하라.”

소제 부공이 초후의 덕을 재삼 일컬으심을 당하여는 분함이 가득하
나, 묵연 부대(不對)하니, 소사 저저의 초고(楚苦)한 의형을 보매, 초후

---

252) 생휵지은(生慉之恩) : 낳아서 길러주신 은혜.
253) 구로지혜(劬勞之惠) : 낳아서 기르느라 힘들이고 애쓰신 어버이의 은혜.
254) 이의(已矣)라 : 지난 일이다.
255) 안향지복(安享之福) : 하늘이 내려준 복(福).

자당의 연좌를 저저에게 씀으로 알아 애다는 분루(憤淚)가 상연(傷然)이 떨어져 왈,

"세상의 중함은 부모 밖에 없으니, 부월지위(斧鉞之危)와 유확지중(油 鑊之中)에도 소제는 부자모녀지륜(父子母女之倫)은 베지 못할까 하나니, 저저는 하문 위엄이 어떠하관데 생흉지은과 구로지혜를 잊으시고, 또 신상에 무슨 질환이 계시관대, 수약(瘦弱) 환탈(換奪)하시어 저저의 안 색이 의형(儀形)만 남아 계시니까? 남의 집 며느리 대접도 순편타 못하 리로소이다. 소제 불행하여 하문 동상(東床)이 된 탓으로 허다 욕설이 자정께 믿잡고, 저저로 일시 심사 편치 못하시게 하오니, 도시 소제의 죄라. 저저는 옥누항으로 돌아가사 부모 슬하의 남매 상의(相依)하여 지 내게 하소서."

언파의 상연이 누수 떨어지니, 그 저저의 수패(瘦敗) 초고(焦苦)함을 대하여 깊이 우려하고, 초후 불평이 구는 일이 많음을 통한 분해하니, 윤공이 여아의 환형(幻形)함을 염려하나, 소사가 하가를 한하는 일이 업 게 하고저 함으로, 정색 책 왈,

"여아 불인(不仁)한 어미를 위하여 초전(焦煎)하기로 환형하였거늘, 희천이 타문 자부 거느림을 시비하리오. 하문이 자부를 부자(不慈)히 거 느리나, 유씨의 자부를 죽여 강수의 넣으려 하는 심술에 비기리오. 여등 남매 염치(廉恥) 여차 상진(喪盡)하뇨? 여아의 사생 거취는 자의에게 있 으니 네 어찌 처단하며, 내 비록 불사(不似)하나 부녀지정이 너의 우애 지정만 못하리요마는, 유씨의 요악이 인인(人人)을 그릇 만드니, 내 교 지 향하기 전의 실성(失性) 오입(誤入)[256]하였던 것이니, 여매를 데려 다가 어느 지경까지 만들 줄 알리오. 자의는 모름지기 내 청치 않은 전

---

256) 오입(誤入) : 잘못된 데에 빠져 듦.

은 여아의 귀녕을 허치 말라."

초후 그 악장 말씀을 쟁그라이 여겨 미미히 웃고 대왈,

"사빈이 실인의 환탈함을 염려하여 데려가고자 함이 동기지정의 당연하오나, 소생이 그윽이 생각건대, 실인(室人)의 근친(覲親)이 그 몸에 유해무익(有害無益)하오니, 두골을 때리며 팔을 상하여 사문명부(士門命婦)에게 당치 않은 형벌을 존문은 다 행하오나, 생이 궁상(窮狀)맞게 남이 내놓은 상처나 구병(救病)함이 괴로우며, 영녀의 무지(無知)함이 두골과 팔이 중상(重傷)하였으되, 의약으로 치료함은 새로이, 완연이 나다녀 파상풍(破傷風)[257]하여 죽게 된 것을, 소생이 처음으로 보고 성농(成膿)한 것을 침으로 쑤시고 약을 힘써 위경(危境)을 면하고, 또 소매는 정죽청의 두 번 재생지은(再生之恩)으로 만사여생(萬死餘生)이거늘, 저의 망녕됨이 다시 용담호구(龍潭虎口)에 임하여, 모진 칼날에 그 비상(臂上)이 중상하여 약질이 위태하며, 구병(救病)이 괴로운 중, 그 경참한 경상이 동기(同氣)된 사람의 정으로 참달(慘怛)함을 이기지 못하되, 제 다시 위지(危地)를 개연이 영화로이 여기고 나아가니 이처럼 놀라운 일이 어데 있나이까? 소생은 실인(室人)과 결발대의(結髮大義)로, 그 신상을 염려하여 다시 무슨 독형을 당할까 하여 본부 왕래를 막음이거늘, 실인이 원입골수(怨入骨髓) 하니, 소생이 의혹하는 바는, 여자의 협견(狹見)이나, 아매(我妹)의 참화를 보고도 부모와 생이 평소와 조금도 다름이 없이, 자부와 부부의 윤의(倫義)를 전과 다름이 없이 다하거늘, 금자(今者) 사빈과 영녀의 언사 우습지 않으며, 사빈이 실인으로써 고당채

---

257) 파상풍(破傷風) : 파상풍균이 일으키는 급성 전염병. 상처를 통하여 감염하며, 몸속에서 증식한 파상풍균의 독소가 중추 신경, 특히 척수를 침범함으로써 일어난다. 입이 굳어져서 벌리기 어렵게 되고, 이어서 온몸에 경직성 경련을 일으킨다. 사망률이 높으며, 예방 접종이 유효하다.

루(高堂彩樓)에 금수나릉(錦繡羅綾)과 팔진경장(八珍瓊漿)을 염어(厭飫)하며, 수패(瘦敗) 환탈(換奪)함을 일컬어 오가(吾家)를 면박하니, 영녀가 아매의 경계를 당한 즉, 사빈의 성덕대현(聖德大賢)이라도 그 벌이 경치 않으리니, 요행 필부 원광이기로, 여차 화평한가 하나이다."

공이 언언이 유씨 악사(惡事)로 자기 몰랐던 일을 다 들으매, 한심 통해하여, 가로되,

"희천의 말은 근래에 유씨에게 악악(惡惡)히 보채임으로 심사(心思) 상하여 전일과 내도하였으니, 현서는 희천을 실성지인(失性之人)으로 치워 족수(足數)²⁵⁸⁾치 말고, 여아의 초강(超强)함을 준절이 막잘라 부녀의 방종함이 없게 하라."

초후 함소(含笑) 수명하니, 소사와 윤씨 분앙하나 불감사색(不敢辭色)하니, 창후 날호여 고 왈,

"숙모 전자의 실덕하심이 계시나, 당차시 하여는 절절이 뉘우치시니, 개과천선은 성인도 허하신 바거늘, 계부 어찌 용납지 않으시며, 또 하형이 신청치 아니하느뇨? 유재(猶子) 순태부인 고식(姑媳)께 저저의 근친(覲親)을 청하여 저저를 보내거든 그 여아를 보내마 하였으니, 수일 후 정저저(鄭姐姐)의 근친시에 차저저(次姐姐)도 한가지로 데려 감이 마땅하이다."

언미(言未)에 하공이 들어와 문답 사어를 물어 듣고, 이에 창후의 말로 좇아 소저의 귀녕을 쾌허하니, 소사 자정의 위로 관심(寬心)하실 바를 영행하되 사색치 않고, 날이 늦으매 부공을 모셔 돌아갈 새, 소제 엄구의 허하심을 얻으매, 나직이 고 왈,

"왕모와 자모 위독한 환후지시의도 배현(拜見)치 못하였삽더니, 엄명

---

258) 족수(足數) : 꾸짖거나 참견하여 말함.

이 허하시니 의열 형이 근친(覲親)할 때에 한가지로 나아가리이다."

공이 여아의 정을 박절이 막지 못하여 잠소 왈,

"내 청치 않되 너의 존구(尊舅)가 허(許)하시니, 오는 것이 기쁘지 않으나 현마259) 어찌 하리오. 하형의 감지(甘旨)를 받듦이 너의 중임이니 잠깐 와 다녀 가라."

소제 수명 배사하고 공이 하공 부자를 이별한 후 진부로 나아가, 창후는 주부인께 청알하고, 자기는 질부를 보려 할새, 진부 주부인이 활별(闊別)하였던 서랑을 보니 반가움을 이기지 못하나, 날이 저묾을 인하여 총총이 돌아가니 훌연하더라.

호람후 자질을 거느려 환가하니, 태부인이 양 손녀의 안부를 물어보고자 뜻이 간절하니, 공이 그 각각 쉬이 귀녕할 바를 고하니, 태부인이 반기는 가운데 진씨의 오지 않음을 결연하더라.

수일이 지나매 창후 정·하 양부에 금거옥륜(金車玉輪)260)을 보내어 소저의 귀녕을 청하니, 금평후와 정국공이 마지못하여 식부를 보내나 쉬이 돌아옴을 이르고, 정부 순태부인이 의열을 당부하여 돌아올 적 부디 손녀를 데려 오라 하더라.

차시 초후부인 윤씨 초후에게 귀근(歸覲)함을 고하니, 초후 냉소왈,

"나의 천금 같은 누이를 호혈(虎穴)에 보내고도 견디거늘, 기외(其外)를 이르리오. 엄명이 내리신 후, 무슨 말이 있으리오."

시녀 돌아와 이대로 고하니, 윤씨의 심리에 불안하나 마지못하여 금교(錦轎)의 올라 부문을 나매, 종형제(從兄弟)의 화교 일시의 성내로 향할

---

259) 현마 : 설마, 차마.
260) 금거옥륜(金車玉輪) : 화려하게 치장한 수레.

새, 공후(公侯)의 원비(元妃) 움직이는 바에, 행거에 자연한 영광이 조요
(照耀)하니, 의열비의 전후 화변과 성행(性行) 열절(烈節)이며 윤부인 현
아의 촉지 오년 단장박명(斷腸薄命)과 금자(今者) 영광이 내도하더라.

어느덧 본부에 이르니 가중이 진경(盡慶)하고, 태부인과 구파는 의열
종형제(從兄弟)를 붙들고 실성 통읍하니, 조부인의 단엄(端嚴) 침중(沈
重)함이나, 금일 천금 소교(小嬌)와 사랑하던 질녀를 대하니, 반가오미
극하여 집수(執手) 타루(墮淚)하고, 두 부인이 두루 면면이 반갑고 기쁨
이 교집하여, 조모와 모친을 붙들고 실성 오읍(嗚泣)하는지라. 공과 창
후 호언으로 사좌(四座)261) 비색(悲色)을 위로하고, 의열이 청죄하여 자
기 격고등문 한 사고로 조모와 숙모께 누덕(陋德)을 나타나게 함을 일컬
으니, 태부인이 의열의 등을 어루만져 왈,

"왕사를 제기치 말라. 네 만일 요도를 잡아 바치지 않았으면, 광천 등
이 불측한 누얼을 신백하며, 이제 영화로 상봉하리오. 문운이 불행하고,
노모의 실덕 대악이 조현부로부터 여등 삼남매를 참혹히 해하며 보채,
일호 인심이 아니니, 이때에 당하여 뉘우치고 슬픈 한이 살을 헐고 골절
을 마아262) 속죄코자 하나, 하면목으로 구천 타일에 선군과 여부(汝父)
를 보리오."

설파에 호읍하니, 의열과 하부인이 이성낙색(怡聲樂色)으로 관위(款
慰)하고, 정 · 하 · 장 삼소저로 반기고, 우씨로 더불어 형제지의로 예견
(禮見)할 새, 우씨 양 윤부인의 천향국색(天香國色)과 숙자혜질(淑姿惠
質)을 경앙(景仰)하고, 양부인의 안고함으로도 우소저의 교용 아질을 애
모하여 동기로 다름이 없더라.

---

261) 사좌(四座) : 네 좌석, 곧 위태부인, 조부인, 윤추밀, 유부인.
262) 마으다 : 부수다. 단단한 물체를 여러 조각이 나게 두드려 깨뜨리다.

의열과 하부인이 유부인께 뵐 새, 유씨 질녀와 여아를 보매 공후(公侯) 원비로 복색이 휘황하고, 위의 정엄함이 전자에 배승하니, 칠보화관(七寶花冠)263)과 홍금적의(紅衿赤衣)264)에 팔복수라상(八幅繡羅裳)265)이 찬란하고, 의열의 풍완 윤택한 기질과 하부인의 초고(超高)한 의용이 청빙(淸氷)을 백깁(白-)266)에 싼 듯하니, 유씨 참인(慙忍)하여267) 좌수로 의열의 손을 잡고 우수로 여아의 손을 잡아 유체양구(流涕良久)에 말을 못하더니, 의열을 향하여 전전악사를 후회하고, 여아를 어루만져 유유(悠悠)한 정회(情懷) 수어만(數於萬)268)이러라. 두 부인이 다만 그 개과함을 환희하여 위로하며, 우러러 반가움을 형상치 못하니, 유씨 오열 왈,

"내 두 낱 여식을 두어 경아는 내 스스로 일생 신세를 마쳐 석가 옥중 죄인(獄中罪人)을 만들고, 너로 하여금 남에게 치소(嗤笑)를 밧게 하며, 자질부 등을 모살(謀殺)코자 하던바 생각할수록 내 죄악이 만사유경(萬死猶輕)라."

하여, 뉘우치는 말이 가히 없으니, 소사와 제 소저 그윽이 그 회과함을 환행하더라.

차야에 의열과 숙렬은 모친 조부인 침소에서 하소저로 시침(侍寢)할 새, 부인이 제부를 어루만져 사랑이 무궁하고, 의열을 회리(懷裏)에 넣어 체체(逮逮)269)한 정이 유자(幼子)를 사랑함 같더라.

---

263) 칠보화관(七寶花冠) : 일곱가지 보배로 꾸민 아름다운 관(冠). *칠보; 일곱 가지 주요 보배. 법화경에서는 금·은·마노·유리·거거·진주·매괴를 이른다.
264) 홍금적의(紅衿赤衣) : 붉은 옷깃을 단 붉은색 저고리.
265) 팔복수라상(八幅繡羅裳) : 비단에 수를 놓아 지은 여덟 폭으로 된 치마.
266) 백깁(白-) : 흰 비단.
267) 참인(慙忍)하다 : 부끄러움을 무릅쓰다.
268) 수어만(數於萬) : 수없이 많음.
269) 체체(逮逮) : 마음에 잊지 못하여 연연해 함.

이 때 초후 부인이 모친 유부인을 모셔 잘새, 모녀의 유유한 천륜지정이 새로이 유출하고, 소제 모부인의 회과자책함을 환열하여 석사(夕死)나 무한이러라.

위태부인이 의열의 양자와 윤씨의 쌍자를 보고자 하니, 공이 금평후와 하공께 청하여 현기 몽기와 몽린 성린을 데려오고, 창후 진부인을 분완하여 웅린을 유모 껴 데려와 모친 침루에 두니, 태부인이 진외증손(陳外曾孫)270)의 기특함을 두굿기고, 조부인이 삼 손아를 혹애(惑愛)함이 측량없고, 유부인이 몽성 형제를 보니 사랑하는 정이 골절이 녹는 듯하되, 또한 창린 형제와 현기 등을 일체로 하니 도리어 공정(公正)함이 시속에 뛰어나더라. 더욱 위태부인은 회과책선 후는 인현(仁賢)함이 너무 맹렬한 습(習)이 없어, 용렬하고 풀어지니 전일 악사를 새로이 추회(追悔)하더라.

윤의열과 초국부인이 백화헌에 나아가 부친 화상에 배현(拜見)할새, 선상서 금국으로 향할 때에 의열은 사세요, 초후 부인은 삼세로되, 그 때 일이 역력하여 희미치 않으니 능라(綾羅) 중 화상이 생기(生氣) 유동(流動)하여, 능히 말씀을 발할 듯, 선풍도골(仙風道骨)이며 옥모유풍(玉貌柳風)과 백일기상(百日氣像)이 명천공 용화와 호분(毫分)271) 차착(差錯)지 않으니, 의열이 부안을 대한 듯 반갑고 통도(痛悼)하여 일성오읍(一聲嗚泣)에 천항 누수가 배석(拜席)에 고이니, 초후 부인이 슬픔을 진정하고 의열과 창후 형제를 위로하니, 창후 형제 부친 화상을 봉안하고, 아쉬운 정리(情理)에 부공을 모심같이 아침마다 배알하나, 한 폭(幅) 깁을 의지하여 효자현부와 일생 만금소교(萬金小嬌)의 마음을 위로치 못

---

270) 진외증손(陳外曾孫) : 손녀의 아들과 딸.
271) 호분(毫分) : =분호(分毫). 매우 적거나 조금인 것을 비유적으로 이르는 말.

하니, 창후 형제와 의열의 미어지며 꺾어지는 듯한 지한(至恨)이 미사지
전(未死之前)에 잊기 어려우니, 금일 남매 삼인이 무익히 우러르는 담
(膽)이 녹을 뿐이라, 초후 부인이 위로 왈,

"현제 등이 백부 화상을 못 뵈올 적도 견뎠거늘, 이제 화도사의 신기
한 화법으로 삼척 능라 위에 백부 의연하시니, 차후는 현제 등 지통을
위로할 바라. 어찌 이다지도 통읍 비도하여 귀체를 손상하느뇨?"

창후 형제 체루 대왈,

"소제 등의 유한지통(遺恨之痛)은 별유타인(別有他人)272)이라. 비록 조
석으로 화상을 앙첨(仰瞻)하오나, 묵묵유유(黙黙悠悠)하시어 앎이 없으시
니, 심붕담녈(心崩膽裂)하여 강인코자 하나 억제치 못하리로소이다."

의열이 혈읍 유체 왈,

"대인이 석년에 금국으로 향하실 때, 우형이 차마 떠나지 못하여 하
니, 대인이 접면교시(接面交腮)273)하시어 여차여차 이르시던바 오히려
금일 같거늘, 임염(荏苒)한274) 세월이 하마 십칠년이라 남 다른 지원극
통을 품고 만상 역경하나 일명이 여구하니 사람의 무지함이 금수와 다
르리오."

언파의 실성 유체하니, 초후 부인이 재삼 관위하여 내당의 들어오니,
조부인이 상연수루(傷然垂淚) 왈,

"여등이 말 없는 화상을 보니 무슨 앎이 있으리오."

의열이 슬픔을 억제하고 화성유어(和聲柔語)로 모부인을 위로하더라.

---

272) 별유타인(別有他人) : 다른 사람과 다름이 있다.
273) 접면교시(接面交腮) : 얼굴을 마주대고 뺨을 비빔.
274) 임염(荏苒) : 차츰차츰 세월이 지나거나 일이 되어 감.

일일은 윤공이 제친(諸親) 제붕(諸朋)을 청하여 배작(杯酌)을 날려, 만리애각(萬里涯角)에 상모지정(相慕之情)을 펼새, 장사마 또한 이르렀더니, 호람후 쌍섬을 불러 장씨가 소사의 위질을 구하여 목욕치재(沐浴致齋)275)하고, 심산벽처(深山僻處)에 약을 구하여 소사를 재생케 하던 일을 물어, 제공이 한가지로 듣게 하고, 호람후 옥배의 향온을 친히 부어 금후와 장사마께 사례하니, 정·장 이공이 사양 왈,

"소제 등이 형으로 연기 상칭(相稱)하고, 피차 자녀를 바꾸어 인친후의(姻親厚誼)와 금난교도(金蘭交道)가 '진번(陳蕃)의 탑(榻) 내림'276)을 웃던 바라. 금일 형이 친히 잔을 들어 앞에 와 주니 불감불식(不敢不食)하리로다."

윤공이 칭사 왈,

"정형은 숙렬 질부를 기특히 낳아 만고의 무쌍하거늘, 내 상심실성(喪心失性)하여 유가 요물과 신묘랑 요괴의 작악을 부지(不知)하여, 질부를 사지(死地)의 함닉하여, 빙옥신상(氷玉身上)에 장사 찬적(竄謫)의 누덕과, 장사 만리(萬里)에 천만 고상(苦狀)이 왕사(往事)이나, 아심(我心)이 경한하거늘, 질부의 명성(明聖)함이 광천의 검하경혼(劍下驚魂) 되기를 구하고, 광천이 장사를 탕멸하고 입공반사(立功班師)하여 위거공후(位居公侯)하고 오가(吾家)를 흥기함이 다 질부의 공덕이니, 어찌 정형에게 하배(賀杯)가 없으며, 장형은 세린 모(母) 같은 숙녀 철부로써 희천의 처실을 삼음도 감격하거늘, 오가에 들어와 참혹히 곡경을 지내어 참화

275) 목욕치재(沐浴致齋) : 몸을 깨끗이 하고 삼가 마음을 경건히 가짐.
276) 진번(陳蕃)의 탑(榻) 내림 : =진번하탑(陳蕃下榻). 중국 후한 사람 진번(陳蕃)이 탑(榻; 걸상) 하나를 만들어 두고 서치(徐穉)라는 선비가 오면 이것을 내려 놓고 앉게 하고는 돌아가면 즉시 다시 올려 다른 사람에게는 쓰지 않았다는 고사를 이르는 말로, 손님을 맞아 극진히 예우함을 뜻한다.

여생(慘禍餘生)이거늘, 아부의 신명 기이함이 함분(含憤)함이 없어, 희천의 위질을 구하고 천문의 은사를 만나며 또한 편친의 위질(危疾)을 구병함이 정질부로 일체니, 양형을 공경하는 것이 아니라 생녀 잘 함을 흠탄(欽歎)하여 일배(一杯)를 진헌(進獻)하노라."

금후와 장사마가 재삼 불감함을 사양하다가 잔을 받고, 일배를 만작(滿酌)하여 윤공께 권 왈,

"소제 벌써 식부의 성행 열절을 일컫고 하배를 마시고자 하되, 소제 언둔(言鈍)하여 미처 못 하였더니, 여아의 미(微)한 행사를 찬양하니, 소제는 성인 같은 식부 백행 사덕이 출세하고, 금번 화란을 건지매 어찌 식부로 대접하리요, 나의 은인이라. 이 잔을 형이 마시라."

호람후 흔연 사사 왈,

"질녀를 과장(誇張)하나, 소제는 평생 내외를 같이 함으로 사양치 아니하나이다."

금후 미처 답지 못하여서, 낙양후 삼곤계 일시의 잔을 들어, 의열의 성효 열절로 자기 곤계 부자가 재생하고 피화함을 칭사하여, 새로이 의열 질부의 대은임을 찬양하니, 윤공의 쾌활함이 비길 데 없어, 순순(順順) 사양하고 빈주(賓主) 담화하여 화기 만실(滿室)하였더니, 홀연 시자(侍者) 보 왈,

"담양인 설억이 노야께 청알하나이다."

남후, '설억' 두 자에 경악하니, 세월 비영의 초사로써, '장씨를 설억에게 팔다,' 한 말을 생각하고, 공에게 고 왈,

"유자(猶子)가 희제로 더불어 소서헌의 가 그 자를 보리이다."

공이 미급답에, 초후 분명이 장소저 사랴 하던 설억임을 짐작하고, 유부인 악사를 새로이 중인(衆人) 만좌(滿座) 중 들추고자 하여 윤공께 고 왈,

"제 부디 합하게 청알하니 차처(此處)로 불러 보소서."

윤공이 본디 소활(疏豁)함이 심한지라. 세월 비영 등의 초사(招辭)를 보았으나 어찌 식부(息婦)를 사려 하던 설억임을 생각하리오. 초후의 말을 신지(信之)하여 하리로 설억 자(者)를 부르라 하니, 창후 곤계 착급하나 미처 말을 못하여서, 설억이 빨리 들어와 안연이 승당(昇堂)하려 하더니, 청사(廳舍)에 명공후백(名公侯伯)이 열좌하여 자포금관(紫袍金冠)과 금옥관면(金玉冠冕)이 휘황하고, 소년 명류의 홍포오사(紅袍烏紗)가 만좌하였으니, 윤청문 효문과 정죽청 하사마 등의 호호탈속(晧晧脫俗)한 풍광이 사좌(四座)의 현요(眩耀)하고, 좌상 제빈이 엄숙 씩씩하니, 설억 자(者)가 재물이 누거만(累巨萬)인 고로, 담양에 있어 제 근본이 좀체 사유(士類)던 고로 가장 어진 체 하더니, 이의 다다라는 율율(慄慄)히 송황(悚惶)하여 연망히 중계에서 현알하니, 윤공이 문 왈,

"내 너를 앎이 없고 이름도 모르거늘 하고(何故)로 청견(請見)하느뇨?"

설억이 복수 대왈,

"소생은 담양 사유(士儒) 설억이러니, 모월 모일에 존부인이 비자로 인하여 자부 장부인을 팔아 금은을 취하시니, 어린 의사 절색 가인을 구하던 고로, 개연이 삼백 금을 드리고 '장소저를 내어 주소서' 하니, 수일 후 장소저 절명(絶命)타 하고 일백 금을 도로 주시고, 이백 금은 쓴 것이니 삼년 내에 절색 숙녀를 얻어주거나, 미말하관(微末下官)을 시켜주마 하시고 문서를 만들어 주시니, 금년이 삼년 기한이라, 문서를 드리고 금을 찾고자 하나이다."

공이 청흘(請訖)[277]에 대경 분노하여 유씨를 새로이 죽이고자 싶은 가운데, 설억이 재상가 명부를 안연이 사려 하던 바를 절통하여 괘씸히 여기나, 모친의 과실이 없지 않은 고로, 묵연 양구에 군관 송잠을 불러

---

277) 청흘(請訖) : =청필(聽畢). 듣기를 마침. 또는 그런 때.

사백금을 주라 하고, 설억을 엄책 왈,

"네 스스로 사유(士類)로라 칭하며, 재상가 명부를 감히 사려 하던 인사가 망측 통해하나, 내 십분 관서(寬恕)하여 우람방자(愚濫放恣)한 죄를 물시(勿視)하고, 이백 금을 갑절하여 주나니, 다시는 행실을 삼가 여차 의사를 두지 말라."

언필에 노기 대발하니, 북공과 초후 등이 투목(偸目) 함소하고, 제인은 새로이 위·유 이부인을 흉측히 여기나, 윤공의 부자 숙질의 안면을 구애하여 함구불언 하더라.

창후 계부 면전에 나아와 고 왈,

"석(昔)에 비영 요비가 장수(嫂)를 팔려 하나, 저 설억이란 자가 인심(人心)이면, 경상사대부가(卿相士大夫家)의 명사가실(命士家室)278)을 사고자 하리까? 기심(其心)이 분해하오니 잠깐 다스려지이다."

공이 미급 답에 장사마 분연 왈,

"내 차인을 다스리고자 하나, 명공이 순히 보내는 바의 말을 않았더니, 그대 말을 들으매 옳은지라 이 곳에서 다스리라."

윤공이 빈미 왈,

"나는 본성이 액색(阨塞)279)한 거조를 못하나니 장공의 뜻이 여차하니 약간 책장(責杖)이나 하라."

창후 수명하고 장공으로 더불어 난간 밖에 나가, 설억을 엄히 오십 장을 중타할 새, 노기 북풍한설(北風寒雪) 같고 장공의 호령이 뇌성 같으니, 설억이 피육이 후란하여 혼불부체(魂不附體)하니, 사백금 않아 만만 금이라도 경이 없어, 제 종자에게 붙들려 돈 주인에게로 갈 새, 송잠이

---

278) 명사가실(命士家室) : 관직을 받은 사대부의 아내.
279) 액색(阨塞) : 운수가 막히어 생활이나 행색 따위가 군색함.

사백 금을 전전이 혜여 주니라.

일모낙극(日暮樂極)하니 제공이 각귀기가(各歸其家)하고, 공이 자질을 거느려 입내(入內)하여 태부인께 혼정할 새, 설억의 말을 나직이 고하니라.

차시 의열과 초후 부인이 근친 칠팔일이 되매, 구고 부르시는 명이 내리니 운산으로 돌아갈 새, 존당과 자당께 순태부인 말씀을 전하여 숙렬을 귀근코자 하니, 두 부인이 쾌허하매 삼인이 하직하고 돌아가니, 가중이 훌연함을 이기지 못하더라.

어시에 의열과 숙렬과 초후 부인이 운산의 이르니, 숙렬 형제는 정부로 들어가고 초후 부인은 하부로 들어와 구고께 뵈오니, 정국공 부부 그 사이나 반김을 이기지 못하고, 소저의 척안수용(瘠顔瘦容)이 내도히 낳아 풍영쇄락(豊盈灑落)하니 구고 더욱 깃거 하더라.

차시 의열이 숙렬로 더불어 존당 부모께 뵈오니, 구고 존당이 반기고 겸하여 숙렬을 보니, 순태부인과 진부인이 집수(執手) 비열(悲咽)하니, 북공이 호언으로 위로하며, 숙렬이 화성(和聲)으로 관위하여, 조손모녀 남매형제(祖孫母女男妹兄弟)가 면면이 반기며 가득이 즐겨하고, 소양씨는 초면이나 그 용화 혜질을 애경하여 태우의 처궁이 유복함을 깃거 하고, 층층한 질아의 닌봉기린(麟鳳騏驎) 같은 기질을 보매, 자기 유자(幼子)의 신룡(神龍) 같은 의용이 문득 삼삼하여280) 오내여할(五內如割)281)하나 사색치 않아, 격세이정(隔歲離情)을 고할 새, 북공이 소이문지(笑而問之) 왈,

---

280) 삼삼하다 : 잊히지 않고 눈앞에 보이는 듯 또렷하다.
281) 오내여할(五內如割) : 오장이 끊는 듯 아픔.

"현매 여화위남(女化爲男)하여 화가 동상(東床)이 되다 하니, 장차 화씨를 어찌코자 하느뇨?"

숙렬이 대왈,

"형세 부득이 화가 여서(女壻)가 되나, 화씨는 윤군에게 천거하리니, 화공의 무죄히 원적한 바가 원통하더이다."

북공이 가로되,

"무죄할진대 성대지치(聖代之治)에 어찌 신설(伸雪)치 못하리오. 연이나 현매 화가 사적(事蹟)을 자세히 알았으리니, 뉘 화평장을 해하다 하더뇨?"

숙렬이 화공이 이르던 바, 태학사 위현과 상서 심방임을 전하니, 북공이 들을 만하나, 화공의 현명함을 여러 길로 듣고, 그윽이 흉모를 들춰내 현인을 구코자 하더라.

순태부인과 진부인이 위·유의 과악을 새로이 일컫고 머리를 흔드니, 숙렬이 가만히 위태부인의 회과함과 윤소사의 출천지효로 유부인을 감화하여, 갈호지심(蝎虎之心)이 바뀌어 현량(賢良)함을 고하니, 순·진 이부인이 대희 왈,

"연즉 너희 일신이 안한(安閒)하리니 무슨 염려 있으리오마는, 하아의 참잔(慘殘)턴 경상(景狀)을 생각하매, 그 회과함이 어찌 실새(實事)라 하리오."

하더라.

차설 만세 황야 설장인재(設場人材)[282] 하실새,

명주보월빙 권지칠십오

 화설 만세 황야 설장인재(設場人材)283) 하실새, 금후 성만(盛滿)을 두려 유흥을 응과치 않으려 하니, 순태부인이 공자의 과경을 죄오는지라, 금후 열친을 위하여 아자를 과옥(科屋)에 들여보낼 새, 재주는 의마(倚馬)284)의 빛나고 복록은 천시를 응하여, 공자 문과 제삼장(第三壯)285)에 뽑히니, 십삼 춘광에 용린(龍鱗)을 붙들고 봉익(鳳翼)을 받들어, 섬궁(蟾宮)286)의 계지(桂枝)를 꺾으니, 그 풍신은 반악(潘岳)287)의 고운 것을 능만(凌慢)하고 이청련(李靑蓮)288)의 호풍(好風)을 겸하여, 사군치

---

283) 설장인재(設場人材) : 과거시험을 시행하여 인재를 뽑음.
284) 의마(倚馬) : 말에 잠깐 기댄 사이라는 뜻으로 의마지재(倚馬之才)에서 온 말이다. 의마지재란, '글을 빨리 잘 짓는 재주'를 이르는 말인데, 말에 잠깐 기대어 있는 동안에 만언(萬言)의 글을 지었다는 중국 진(晉)나라 원호(袁虎)의 고사에서 유래하였다.
285) 제삼장(第三壯) : 삼장장원(三場壯元). 과거 시험에서 초장, 중장, 종장의 삼 단계 시험을 모두 장원으로 급제함을 이름.
286) 섬궁(蟾宮) : 달. 섬(蟾)은 달 또는 달빛을 말한다.
287) 반악(潘岳) : 247~300. 중국 서진(西晉)의 문인(文人). 자는 안인(安仁). 권세가인 가밀(賈謐)에게 아첨하다 주살(誅殺)되었다. 미남이었으므로 미남의 대명사로도 쓴다.
288) 이청련(李靑蓮) : 청련거사(靑蓮居士) 이백(李白)을 달리 이른 말.

정(事君治政)이 숙연(肅然)한 명상(名相)이요, 예도행신(禮度行身)은 부형여풍(父兄餘風)이니, 천심이 흡연 애경하시고, 백료(百寮)가 금평후의 복록을 탄복할 새, 천자가 유흥으로 금문직사(金文直士)289)를 삼으시어 삼일유과(三日遊街) 후 찰직하라 하시니, 직사 사은할 새, 금후더러 사연(賜宴)을 아니 받음을 문지(問之)하시니, 금후 돈수 주왈,

"신이 무슨 사람이라 성은(聖恩)이 사연에 미치시니까? 연이나 강근지친(强近之親)의 삼사복제(三四服制)가 명년까지이오니, 명추(明秋)290)로나 성은을 받자와 풍악 연회코자 하나이다."

상이 그 예의를 심복(心服)하시고, 이 때 임성각이 무과 장원으로 웅호대략(雄豪大略)291)과 강용장맹(强勇壯猛)이 수천 군웅(群雄)의 제일이요, 문장이 유여(裕餘)하니, 상이 총우하시어 거기장군(車騎將軍) 도총사(都總使)를 겸하고, 청성항에 일좌(一座) 대가(大家)와 노비(奴婢) 전장(田莊)을 사급(賜給)하시니, 차(此)는 장사 파적(破敵)한 공(功)을 표하심이라.

성각이 고사하나 불윤하시니, 성각이 부득이 사은하고 사급하신 가사(家舍)에 이르니, 벽와주맹(碧瓦朱甍)292)과 고루거각(高樓巨閣)이 왕공후백가(王公侯伯家)로 일반이요, 남녀 노복이 오십여 명이니, 각각 재능(才能)을 고하고 소임을 청하니, 총병(總兵)이 본디 금은필백(金銀疋帛)을 불관이 여기고, 자기 부귀 일시에 환혁(煥赫)함을 두려, 근신(謹愼)

---

289) 금문직사(金文直士) : 임금의 조서를 짓는 일을 맡은 벼슬. 금문(金文)은 조서(詔書)를 뜻하는 말이고 직사(直士)는 직학사(直學士)의 줄임말. 직학사는 고려 시대에 둔, 홍문관·수문관·집현전의 정4품 벼슬. 한림학사도 정4품이다.
290) 명추(明秋) : 명년 가을.
291) 웅호대략(雄豪大略) : 호걸의 큰 책략(策略).
292) 벽와주맹(碧瓦朱甍) : 푸른 기와지붕에 붉은 용마루를 얹음.

겸퇴(謙退)하나, 본(本)이 사족(士族)이요, 물망(物望)이 환혁(煥赫)하니, 주문갑제(朱門甲第)293)의 유녀자(有女子)들이 청혼하되, 성각이 공후지가(公侯之家)임을 괴로이 여겨 굳게 사양하니, 남창후 특별히 구하여 형부시랑 철임의 소녀를 취케 하니, 철시 용안이 절세하고 성행이 온순하니 성각이 대열하더라.

어시에 이부상서 윤환이 입상(入相)하매, 상이 희천으로 이부 총재 태자태부 홍문관 태학사를 삼으시어 찰직 행공하라 하시니, 윤태부 이부천관(吏部天官)294)이 불감함을 사양하니, 상이 재삼 권유하시어 부득이 행공하니, 정충대절(貞忠大節)이 이윤(伊尹)295) 주공(周公)296)을 압두하여 산두(山斗)297) 중망(衆望)이 형제에게 온전하더라.

윤이부 한공자 희린과 곽부인을 미화항에 두었더니, 그 사이 사고 연첩(連疊)하여 달리 안둔치 못하였다가, 이에 고하고 별당을 쇄소하여 곽부인 모자를 안둔하고 사오 복첩으로 사환케 하여, 금의옥식(錦衣玉食)을 넉넉히 공급하니 희린 모자의 감은함이 분골쇄신(粉骨碎身)코자 하더라.

---

293) 주문갑제(朱門甲第) : 붉은 대문을 단, 크게 잘 지은 집이란 뜻으로, 높은 벼슬 아치가 사는 집을 이르는 말.
294) 이부천관(吏部天官) : 이부상서(吏部尚書)를 달리 이르는 말.
295) 이윤(伊尹) : 중국 은나라의 전설상의 인물. 이름난 재상으로 탕왕을 도와 하나라의 걸왕을 멸망시키고 선정을 베풀었다.
296) 주공(周公) : 중국 주나라의 정치가. 문왕의 아들로 성은 희(姬). 이름은 단(旦). 형인 무왕을 도와 은나라를 멸하였고, 주나라의 기초를 튼튼히 하였다. 예악제도(禮樂制度)를 정비하였으며, ≪주례(周禮)≫를 지었다고 알려져 있다.
297) 산두(山斗) : 태산북두(泰山北斗)의 준말. 태산(泰山)과 북두칠성을 아울러 이르는 말로, 세상 사람들로부터 존경받는 사람을 비유적으로 이르는 말.

화설 정부 순태부인이 유흥공자 입과 후 바삐 미부(美婦)를 택하라 하
니, 금후 수명하여 택부할 새, 명공거경과 황친국척이 청혼할 이 문이
메었더라.

정직사 유흥의 자는 만백이니, 생성함이 충신효제하고 근신겸퇴(謹愼
謙退)하여 문장은 한원(翰苑)298) 옥당(玉堂)299)에 함옥토주(含玉吐
珠)300)하고 풍신용모는 남중일색(男中一色)301)이나, 위로 삼형을 잠깐
불급하니, 차(此)는 잠깐 유약(柔弱)함이러라.

익주(益州)302) 자사 주한기 직사를 보고 일안(一眼)에 청혼하니, 규
수의 현미(賢美)함을 자세히 아는 고로, 쾌허하여 면약(面約) 택일하니,
지격(只格) 일순(一旬)이니, 양가(兩家)에서 범구(凡具)를 급히 준비하여
길일에 백량(百輛)303) 우귀(于歸)304)할 새, 신부 풍완호질(豊婉好質)이
추천명월(秋天明月)과 금분화왕(金盆花王)305) 같아서, 오복(五福)이 완

---

298) 한원(翰苑) : 한림원(翰林院). 조선시대 예문관의 별칭. 임금의 명을 짓는 일을
맡아보던 관아.
299) 옥당(玉堂) : 조선 시대 홍문관의 별칭. 삼사(三司) 가운데 하나로 궁중의 경
서, 문서 따위를 관리하고 임금의 자문에 응하는 일을 맡아보던 관아
300) 함옥토주(含玉吐珠) : 옥(玉)을 머금고 구슬을 토한다는 뜻으로, 문장력이 뛰
어남을 비유적으로 표현한 말.
301) 남중일색(男中一色) : 남자 가운데 뛰어난 미모.
302) 익주(益州) : 중국 한나라 때에 둔 십삼 자사부(十三刺史部) 가운데 지금의 사
천성(四川省)에 해당하는 곳. 뒤에 성도(成都)를 흔히 이렇게 불렀다.
303) 백량(百輛) : '백대의 수레'라는 뜻으로, 『시경(詩經)』「소남(召南)」편, 〈작
소(鵲巢)〉시의 '우귀(于歸) 백량(百輛)'에서 유래한 말이다. 즉 옛날 중국의 제
후가(諸侯家)에서 혼례를 치를 때, 신랑이 수레 백량에 달하는 많은 요객(繞客)
들을 거느려 신부집에 가서, 신부를 신랑집으로 맞아와 혼례를 올렸는데, 이
시는 이처럼 혼례가 수레 백량이 운집할 만큼 성대하게 치러진 것을 노래하고
있다.
304) 우귀(于歸) : 전통 혼례에서, 대례(大禮)를 마치고 3일 후 신랑이 신부를 맞아
신랑집으로 데려오는 일.

전한 상모(相貌)이니, 존당 구고 사랑하고 직사 공경 중대하여 금슬이
화합하니, 합가(闔家)가 칭선하더라.

정부인 숙렬이 운산에 일삭을 유(留)하여 직사의 등과(登科) 입장(入
丈)306)을 보고 구가로 올새, 북공께 화평장 신원함과 또 남경 포정사
남숙을 환경케 함을 간청하니, 북공이 소왈,

"근간의 윤사빈이 이부(吏部)의 거하여 용인치정(用人治政)이 명경(明
鏡) 같으니 현매는 사빈에게 청하라."

숙렬이 잠소 재청(再請)하여 북공으로 남·화 양가의 중매 되라 하니,
북공이 잠소 부답하더라. 숙렬이 존당 부모께 하직하고 돌아오는 길에,
진부에 들어가 표숙 부부를 이별하니, 낙양후 부부 결연하고 숙렬이 진
씨를 쉬이 보내소서 하니, 평장이 대언(大言) 절치(切齒)하여 매제를 일
생 동거하여 윤부에 아니 보내련노라 하니, 숙렬이 해유(解諭)하고 진씨
를 재삼 당부하여 윤부로 쉬이 오라 하니, 진씨 탄 왈,

"제형이 힘써 막으니 부모 아직 일컫지 않으시니, 소제는 아무리 할
줄 모르고 비상화란(非常禍亂)에 심신이 황홀하여 부부인륜(夫婦人倫)과
부귀영화(富貴榮華)가 부운 같으니, 윤군이 봉후(封侯)하여 주문갑제(朱
門甲第)에 절염 숙녀와 화월 미희를 쌍쌍이 모으리니, 인형(人形)이 못
되었는 소제 일신은 불관하니, 유자는 존당과 저저(姐姐) 계시니 만무일
려(萬無一慮) 하나이다."

숙렬이 대의로 개유(開諭)하나 진씨 유유부답(儒儒不答)하니, 정부인
이 추연 탄 왈,

"현제 어지러운 구가는 물념(勿念)하고, 비상화란(非常禍亂)하여 세념

---

305) 금분화왕(金盆花王) : 화분 속에 피어 있는 모란꽃. 화왕(花王)은 모란꽃을 말함.
306) 입장(入丈) : 장가를 듦.

(世念)이 쇄연(灑然)하나307), 윤군의 엄준함이 타류와 다르고, 여자의 고집이 종시 무익하니 다시 생각하라."

하고, 이의 손을 나눠 윤부에 이르니, 존당 숙당의 반김이 비길 데 없 더라.

윤부(尹府) 인심이 심히 전자로 달라, 합문이 화평하고 법도 대행하였 더라.

어시에 형·유 양처 안무사 구몽숙이 정죽청의 호생지은(好生之恩)으 로 사화를 면하여 형주 유주를 안찰할 새, 소과(所過) 군현이 그 간악 요사를 업신여겨, 안무사로 대접할 뜻이 없으되, 정죽청의 문무 위권(威 權)과 산두중망(山斗衆望)을 기대(期待) 추앙(推仰)하니, 몽숙이 죽청의 지성갈구(至誠渴求)하여 살려, 안무사가 되었음을 잠깐 기탄(忌憚)하여 대접이 참혹지 아니하니, 몽숙이 참괴(慙愧) 에분(恚憤)하나, 형·유를 순수(巡狩)하여 요정(妖精)을 제어하고 위란지처(危亂之處)에는 죽청의 부작을 쓰고, 애민 선정을 추호도 죽청의 써 준 교유서(敎諭書)와 다름 이 없으니, 자연 교화가 대행(大行)하고 이민(吏民)이 공경하여 요얼(妖 孼)이 비추지 못하니, 오륙삭(五六朔) 내(內)에 형·유 양처를 복고(復 古)하되, 감히 예사 한원(翰苑)과 같이 임의로 환경치 못하고, 안찰사 관면(冠冕)과 인수(印綬) 절월(節鉞)을 황성에 올리고 천문 결사(決事)를 등대(等待)하더라.

이 때 조정에서 구몽숙의 치정과 인수를 봉환(封還)함을 보고, 좌승상 조공과 태상 정공이 상달하여 몽숙의 죄 범연치 아니하니, 일시 형·유 양처를 복고한 공이 있으나, 결연(決然)이308) 사(赦)치 못하리니, 조주

---

307) 쇄연(灑然)하다 : 씻은 듯하다. 기분이나 몸이 상쾌하고 깨끗하다.

절도에 충군(充軍)하여 영영 은사(恩赦)를 입지 못하게 정코자 하거늘, 낙양후와 평남후 간하여 성군의 교화가 편행(遍行)하시게 함을 주하여, 몽숙을 소주(蘇州)309)에 정배하시니, 구몽숙이 만악(萬惡)을 구비(具備)한 죄인으로 죄중벌경(罪重罰輕)하니, 소주는 부요지지(富饒之地)요, 십여 일정(日程) 되니, 북공이 몽숙을 위하여 참연자상(慘然自傷)함을 이기지 못하는지라. 몽숙의 성내(城內) 가사(家舍)를 팔아 취운산에 장만하고 그 처자를 옮겨 와 후휼(厚恤) 기렴(記念)하니310), 사랑하는 동기가 멀리 가매, 그 처자를 고렴(顧念)함311) 같고, 몽숙의 배소에 자생(自生)할 것을 극진히 하여 간핍(艱乏)지 아니케 하니, 몽숙 부부 그 산은해덕(山恩海德)을 세세생생(世世生生)에 갚지 못할까 근심하더라.

북공이 소매(小妹)의 청으로 화공이 무죄함을 힘써 신원할 새, 심방 위현의 현신 모함한 죄를 적발하여 적거 충군하시게 하고, 화무를 신원하니, 상이 비로소 화무의 충렬을 아름다이 여기사, 복직하여 추밀부사로 급급히 상경하라 하시니, 조야 열복하고 숙렬 정부인이 심리에 영행하나, 남공이 미처 환경치 못하여, 남소저의 성자 월광을 타문에 속현할까 그윽이 염려하여, 북공을 대한즉 남공의 환경함을 청하니, 북공이 마지 못하여 일일은, 상전(上前)에 주 왈,

"남서 포정사 남숙이 오래 외직에 있으니, 그만하여 내직으로 부르소서."

상이 의윤(依允)하시어, 남숙을 태상경으로 승패(承牌)312)하라 하시

---

308) 결연(決然)이 : 움직일 수 없을 만큼 확고한 마음가짐이나 행동으로. 결단코.
309) 소주(蘇州) : 중국 강소성(江蘇省)에 있는 도시.
310) 기렴(記念)하다 : 기념(記念)하다. 잊지 않고 생각하다. 유의하다.
311) 고렴(顧念) : 고념(顧念). 남의 사정이나 일을 돌보아줌. 남의 허물을 덮어 줌.
312) 승패(承牌) : 임금으로부터 소명(召命)의 패(牌)를 받던 일.

니라.

　시(時)에 등주자사 원복이 태학사 우염의 재실 두씨로 이종남매로서
통간(通姦)하여 잠닉(潛溺)313)함이 아주 우가를 반(叛)하는 정적(情迹)
이 발각되니, 방백(方伯)이 계문(啓聞)하고, 등주 안찰사 순겸이 원복과
두녀의 음일(淫佚)함을 주하였으니, 상이 조서하여 방백으로 두녀를 사
사(賜死)하고 원복은 경사로 이수(移囚)하라 하시니, 문득 참지정사 대
사마 남창후 윤청문이 원복의 흉음지죄(凶淫之罪)와 음녀 두녀의 방자
함이 우섭을 죽이고 우씨를 앗아 원복의 아들과 성혼하려 하던 일을 고
하니, 상이 또 하조(下詔)하시어 원복과 두녀를 상풍패속(傷風敗俗)314)
한 죄로 함께 죽이라 하시니, 태사 정공 등이 우섭이 무죄히 운남에 찬
적함이 성대치화(聖代治化)의 빛이 감하오니 사(赦)하심을 주청한대, 상
이 즉시 사명(赦命)을 내려 본직으로 징소(徵召)하시니, 우처사는 이 가
운데 신백(伸白)하여, 빙가(聘家) 정태사 부중에 머물고, 다시 등주로
갈 의사 없으며, 우소저 연아는 윤부에 머물러 조부인이 친생 여아같이
애휼하고, 창후 형제 우애함이 지성이고, 정·하·장 삼소제 그 빙옥
(氷玉) 교용(嬌容)을 애중하니, 우씨 그 천지 같은 은혜를 사생(死生)의
갚지 못할까 하더라.

　어시에 정부에서 여부(女婦)의 화변이 진정하여, 금자어필(金字御筆)
에 홍문(紅門)315)의 영광이 휘황하니, 존당 순태부인과 평후 부부 금루

---

313) 잠닉(潛溺) : 행방을 감추어 남이 그 소자를 모르게 함.
314) 상풍패속(傷風敗俗) : 풍속을 문란하게 함.
315) 홍문(紅門) : 홍살문(紅-門). 능(陵), 원(園), 묘(廟), 대궐, 관아(官衙) 따위의
　　 정면에 세우는 붉은 칠을 한 문(門). 둥근기둥 두 개를 세우고 지붕 없이 붉은

화당(金樓華堂)에 고와(高臥)하여 자서(子壻)316) 여부(女婦)를 두굿기
고, 옥수(玉樹) 인봉(麟鳳) 같은 손아를 완롱(玩弄)하여 영복(榮福)이 융
융(融融)하고, 태우 세홍이 양소저로 결발(結髮)317) 삼재(三載)에 용광
사덕이 겸비하니, 과중흡연(過重翕然)한 금슬은 여천지무궁(如天地無窮)
하되, 정태우의 위인이 엄격하여 규내(閨內) 세밀지사(細密之事)를 다
알려 않으나, 분호(分毫)나 자기지심(自己之心)에 불합(不合)한즉, 호령
이 뇌정(雷霆) 같고 위엄이 참엄(斬嚴)하여, 일호(一毫)도 소년의 비박
(卑薄)함이 없고 호주기색(好酒嗜色)은 백형(伯兄)과 흡사하고, 준급 과
격함은 문풍에 없는 성정(性情)이니, 금후 그 위인을 제어키 어려운 고
로, 일찍 자애지심(慈愛之心)이 없어 대소 허물을 일호도 용대(容貸)318)
치 않아 장책(杖責) 준언(峻言)이 엄렬하니, 생이 평생 충천지기(衝天之
氣)를 장축(藏縮) 수렴(收斂)함이 부전(父前) 뿐이니, 그러나 참지 못하
여 부형이 나간 사이는 대월루 미창(美娼)으로 잡가(雜歌) 탄금(彈琴)이
여류(如流)하고, 가중 홍장시녀(紅粧侍女)에 그냥 지나친 미인이 없으
니, 양소저에게 주찬을 징색하고, 음주단란(飮酒團欒)하여 혹 금후가 오
래 출입을 않는 때에는, 칭병하고 선삼정의 들어와 술을 미란이 취하고,
양씨를 이끌어 희소(戱笑)함을 창녀같이 하니, 양소저 생성함이 황금으
로 단련(鍛鍊)한 신장이요, 외모가 화벽(和璧) 지란(芝蘭) 같아서 풍전
(風前)에 날릴 듯하나, 금옥간장(金玉肝腸)이라.

　정생의 방탕함이 군자의 행실이 없고 정실을 예경(禮敬)함이 없어, 일

살을 세워서 죽 박는다.
316) 자서(子壻) : 아들과 사위를 함께 이르는 말.
317) 결발(結髮) : ①상투를 틀거나 쪽을 찌는 일. 또는 그렇게 한 머리. ②'혼인(婚
　　姻)'을 달리 이르는 말.
318) 용대(容貸) : =용서(容恕).

압(昵狎)[319] 친근함이 노류 창녀같이 함을 증분 불열하며, 그 행신(行身)이 진취(盡醉)하여 의관이 해탈(解脫)하며 희소가 낭자(狼藉)함을 불복하나, 금장소고(襟丈小姑)를 대하여는 혜풍화기(蕙風和氣)와 쇄옥낭성(碎玉朗聲)이 화열하여 담소가 낭자하되, 정태우를 대한즉 한월(寒月)이 빙설(氷雪)에 바애고[320], 옥매(玉梅) 납설(臘雪)[321]을 당한 듯, 냉담초준(冷淡峭峻)함이 말 붙이기 어려우니, 정태우 그 위인을 어려이 알되 그 초강(超强)함을 부디 제어하려 함으로, 대소사에 양씨에게 인정을 머무름이 없으니, 보채기를 시작하여 양씨 일신이 못 견디도록 보채나, 선삼정과 정당이 사이 뜨고 소제 사색치 않으니 진부인이 모르더니, 일일(日日)은 태우 입번하였을 때 양부에서 소저를 데리러 거교(車轎) 이르고, 화부인이 진부께 서간을 부쳐 소녀의 근친을 애걸하였으니, 순태부인과 진부인이 부득이 아부(兒婦)를 돌려보낼 새, 금후 흔연 무애하여 일순만 유하고 쉬이 오라 하니, 양소저 수명하나 감히 하직을 고치 못하여 유유하니, 진부인이 지기하고 가로되,

"세흥의 입번(入番)이 날이 포[322] 될지라. 비록 이르지 못하나, 방심하여 나아가 화부인의 간절히 기다리시는 바를 펴라."

소제 수명하나 또한 즉시 하직하지 못하니, 금후 소왈,

"세흥은 광망한 아해라. 우리는 저의 수상(手上)에 있는 고로, 시험(猜險)을 발뵈지 못하나 그 수하(手下)는 괴롭되, 이미 양부 거교(車轎) 왔으니 잠깐 다녀오라."

소저 구고의 명이 재삼 여차하시니 감히 역지 못하여, 쉬이 옴을 고하

---

319) 일압(昵狎) : 흉허물이 없이 너무 지나치게 친함. =친압(親狎).
320) 바애다 : 눈부시다. 빛나다. (눈이) 부시다.
321) 납설(臘雪) : 음력 섣달(12월)에 내리는 눈.
322) 포 : 거듭.

고 하직한 후 상교(上轎)하여 본부에 이르러, 부모를 반기나 그윽이 심려(心慮) 중하니, 차는 정태우더러 이르지 않고 왔으니 그 과격 준급한 위인을 근심하더니, 훌훌이 일순이 지나니, 양소저 구고의 순일(旬日)만의 오라 하신 명을 어기지 못하여, 모친의 지극한 정을 위로치 못하고 일순 후 취운산으로 돌아오니, 화부인이 장녀의 신세는 다시 염려치 않으나, 차녀의 약질이 서랑의 준급(峻急)한 성정으로 불평함이 많음을 근심하더라.

이 때 정태우 입번하였다가 출번하여 존당 부모께 뵈옵고, 옷을 갈고자 하여 선삼정의 들어가니, 시녀 등이 황망이 맞으나 양씨 없거늘, 태우 분노하여 생각하되,

"저 양씨의 색을 과애(過愛)하고 그 위인의 초출함을 흠복하더니, 제 나를 앎을 광부(狂夫)로 알아, 거취를 자전(自專)하여 귀녕하니, 어찌 여자의 온순한 덕이리오. 돌아온 후 한 차례 보채여 제 몸이 괴롭게 하리라."

의사 이의 미쳐 크게 벼르더니, 혼정에 남녀 자손이 태원전에 모이니, 태부인이 좌우를 고면(顧眄)하여 왈,

"자손(子孫)은 기특하나 마음에 과람(過濫)한 줄은 모르되, 손부 등에 다다라는 여러 집 여자가 각각 제 가부(家夫)를 바라며 우리를 우러르고, 일택에 모여 성행 사덕(四德)을 힘쓰니, 윤현부로부터 양·이·경 등이 하나도 용상한 이 없을 뿐 아니라, 색광(色光) 기질(氣質)이 만고에 희한한 숙녀라. 오문(吾門)이 무슨 복덕으로 손아 등이 또한 숙녀 철부를 취하였느뇨?"

금후 대 왈,

"천흥 등 칠남매 용속하기를 면하고, 들어오는 여자 개개히 현숙하옴은 태태의 적덕여음(積德餘蔭)이오나, 다만 세흥이 무식 광패하여 군자

의 행실이 없사오니, 문호의 욕을 이룰까 근심하오나, 양소부의 어진 덕과 복된 얼굴이 다남자(多男子)[323] 영귀지상(榮貴之相)이니, 부영처귀(夫榮妻貴)는 이세(理勢)[324]의 떳떳하온지라. 세홍이 불초하오나 소부(小婦)의 복덕이로되, 대단한 불길사(不吉事)나 없을까 하나이다.”

진부인이 태우를 돌아보아, 이르되,

“너의 광망한 인물은 한 곳도 취할 것이 없으되, 양소부의 덕행은 너의 높은 스승이라. 부도를 극진히 삼가하미 그 귀녕을 당하여 너에게 고치 못함을 깊이 불안한 거동이니, 우리 여차여차하여 보내니 여자 됨이 어찌 가련치 않으리오. 너는 모름지기 숙녀의 덕을 저버리지 말라.”

태우 야야 재좌(在坐)하였으니, 감히 일언을 못하고 복수궤좌(伏首跪坐)하여 듣자올 뿐이라. 태부인이 세홍을 편애하는 고로 등을 어루만져 왈,

“여부는 매양 너를 무식 탕자(蕩子)라 하여 한 번 두굿기는 말을 듣지 못하니, 네 마음이 편하랴? 모름지기 삼가 조심하여 아비 눈 밖에 나지 말라.”

태우 수명 재배 후, 양씨 자기더러 이르지 않고 귀녕한 바를 불평함을 깨달으나, 천성이 남 달리 세차기와 이상히 기승(氣勝)함이 매양 남을 보채고자 하는 고로, 양부의 대단한 사고 없이 자기더러 이르지 않고 바삐 돌아감을 분완하더니, 출번 삼일이 넘지 못하여 양씨 취운산으로 돌아오니, 존당 구고의 반김이 오래 그리던 바와 같아서, 무애함이 친생 여아에 감치 않으니, 양씨 감은 각골하더라.

차일 혼정 후 태우 채죽헌에 홀로 나와 앉아 시노(侍奴) 사인을 명하여, 선삼정에 가 양소저 유모와 소저 따라 갔던 시녀배를 다 잡아 오라

---

323) 다남자(多男子) : 여러 아들들을 낳음.
324) 이세(理勢) : 사리(事理)와 형세(形勢).

하여 정하(庭下)의 꿀리고, 태우 엄절이 수죄(數罪)하여 양씨 자가더러
이르지 않고 거취를 임의로 함이 사족 부녀의 경부(敬夫)하는 도리 아니
라 하여, 유랑의 간(諫)치 못함과 시녀 등의 좇아감을 일러, 주인의 대
신의 맞으라 하고 유랑을 형장 일차(一次)를 맹타(猛打)하고, 시녀 등을
엄히 장책하여 피육이 미란(靡爛)하기에 미처 그치고, 양소저에게 말씀
을 전하여, 귀녕한 때에 자기더러 이르지 않음을 책할 새 욕설이 무궁하
니, 양소저 유모와 시녀 등의 중장 받음과 전어하는 욕설이 듣는 자로
하여금 분완함을 이기지 못하나, 천성이 온순하여 비록 내념(內念)에 분
노하나 얼굴의 성낸 빛을 나토지 않으며, 장부와 언전쟁힐(言戰爭
詰)325)함을 않는 고로, 회답에 불순한 말을 않고 유모를 위로하여 상처
를 조리하라 하고, 시녀 등으로 하여금 태우를 감히 원망하는 말을 내지
못하게 하나, 자기 일생이 광부(狂夫)에게 속하여 괴롭고 분한 일이 무
궁함을, 그윽이 탄하여 태우를 노(怒)하는 뜻이 심상치 않더라.

　태우 양소저의 유랑 시녀를 중타하여 들여보낸 후, 연일하여 때를 타
궁극히 대월누에 들어가 제창으로 희소(喜笑) 쾌락(快樂)하며, 양소저에
게 호주성찬(壺酒盛饌)을 징색하여, 한 일이나 미진함이 있거든 크게 질
욕하려 하되, 양씨 백행이 일무소흠(一無所欠)하고, 승순군자(承順君子)
하는 도리 예의를 의장(倚仗)326)하여 사덕을 꽃답게 닦을 뿐이요, 태우
의 곡절 없는 호령을 족가(足枷)치327) 않되, 그 말이 패만하여 욕되기
에 다다르는 분한 심장이 터질 듯하더니, 일일은 양씨 태부인 앞에서 윤·
니·경 등으로 더불어 부인이 명하시는 바로 박혁을 사양치 못하여, 산

325) 언전쟁힐(言戰爭詰) : 말로 서로 다투고 힐난하며 싸움.
326) 의장(倚仗) : 의지하고 믿음.
327) 족가(足枷)하다 : 도망치지 못하도록 발에 족가(足枷; 차꼬)나 족쇄(足鎖; 쇠사
　　슬) 따위를 채우다. 아랑곳하다. 참견하다. 다그치다. 탓하다. 따지다.

호판(珊瑚板)의 구슬 바둑을 벌이고 서로 승부를 겨룰 새, 그 중 뛰어난
재능은 윤의열이 으뜸이요, 버거는 소양씨와 대이부인(大李夫人)이라.
태부인이 승부를 잠착(潛着)328)하여 살피며, 제소저의 사실의 돌아감을
허치 않더니, 이 날 태우 부형이 진부에 가 희소 담화하며 미쳐 돌아오
지 않은 때를 타, 대월누에 제창을 모아 희학하며 양소저에게 주찬을 징
색하니, 시녀 등이 양소저가 아침 문안 후 존당에서 나오지 않았음을 자
세히 고치 않아 몽롱이 대답하니, 태우는 주찬 오기를 기다리다가 날이
저물도록 주찬이 하나도 오는 일이 없으니, 가장 분완하여 주방의 술을
들이라 하되, 금평후 영이 있어 제자의 술을 찾는 때 한 잔 밖에 주지
말라 하니, 물같이 흔한 술이라도 북공 이하가 한 잔에서 더 드리란 말
을 못하는 고로, 주모 태우의 명을 응하여 청주 한 잔을 보내었으니, 태
우 주찬을 얻어 제창으로 통음(痛飮)할 길이 없어, 유모 설파를 불러 자
기 웃옷을 주고 호주성찬(壺酒盛饌)을 구하니, 설유랑이 혀 차고 태우의
행지를 방탕이 여겨 주찬을 주지 말고자 하되, 지성으로 구하니 마지못
하여 약간(若干) 주과(酒果)를 가져 와 창녀 등을 먹게 하고, 날호여 왈,
 "상공이 양부인 같은 만고 절염을 두시고 매양 번화를 생각하며 창류
(娼流)로 즐기시니, 첩이 실로 상공을 위하여 근심하는 바는 노야께 죄
책이 잦음을 절박히 여기나니, 상공은 민망치 않더니까?"
 태우 함소 왈,
 "이런 일은 유모 알 바 아니라. 아무 어려운 일이라도 내 스스로 당하리
니, 어미는 나를 위하여 일개 미인을 천거하여 나의 잉첩을 삼게 하라."
 유랑이 어이없어 물러나다.
 태우 종일 즐기다가 황혼에 부형이 돌아오실 때를 당하여 제창을 돌

---

328) 잠착(潛着) : '참척'의 원말. *참척; 한 가지 일에만 정신을 골똘하게 씀.

아 보내고, 의관을 정돈하여 태원전에 들어가니, 조모 문 왈,

"너는 조당에도 들어간 일이 없다 하거늘, 종일 어데를 갔관데 보지 못하더뇨?"

생이 대왈,

"초후 청하거늘 하부에 가 담화하다가 시방 돌아오는 거름이로소이다."

태부인이 그리 여겨 다시 묻지 않고, 촉을 밝히고 야심토록 자손으로 더불어 말씀하니, 금평후 날호여 모친 상요를 편히 하여 취침하심을 청하고 다 물러나니, 태우 부친을 모셔 청죽헌에 들으심을 보고 걸음을 돌이켜 선삼정에 들어가니, 양소저 바야흐로 옷을 끄르고 상요에 나아가려 하다가, 태우의 신소리를 듣고 의상을 도로 수렴하고 일어나 맞아 멀리 좌를 정하매, 태우 만면 노기로 들어와 봉안을 길게 떠 양씨를 뚫어질 듯이 보니, 사일(斜日) 같은 정기는 소저 신상에 비추는지라.

양씨 또한 태우를 보매 분한이 불 일 듯하되, 사색을 강인하며 묵연 정좌러니, 태우 웃옷과 띠를 끌러 소저 낯에 매이 던지매, 소매 속의 선자와 순금 서징(書鎭)이 들었다가 소저의 낯에 다질려, 코의 피 솟아나되, 소저 나건(羅巾)을 들어 코의 피를 없이 하고, 날호여 생의 옷을 걷어 병풍에 거는지라. 태우 소리를 가다듬어 준절이 책하되,

"그대 비록 양공의 귀한 딸이나, 이미 여자 되어 사람을 좇으매 자의 부모 경부하는 도리를 가르쳐 계실 것이거늘, 범사를 자행자지(自行自止)하여, 나를 없는 이로 여기고, 오늘 제창을 모아 가무를 잠깐 시키매, 이 또 예사(例事)거늘, 일찍 투악지심(妬惡之心)이 있어, 내 주찬을 구하되 박주(薄酒) 일배(一杯)도 보내는 일이 없으니, 그런 무상한 일이 어데 있으리오. 그대더러 말을 이름이 금수(禽獸)더러 경계함 같으나, 오히려 사람이라, 옛날 임사(姙似)329)의 덕을 알려 말고, 시금의 의열 백수(伯嫂)와 양・이・경 삼수의 화우하시는 덕을 보며, 운영과 상현 등

을 거느려 가내 춘풍같이 화하며 추수같이 맑음을 보라. 그 가히 숙녀
성새(盛事)로되, 그대는 자존(自尊) 교오(驕傲)하며 투악간사(妬惡奸邪)
하여, 밖으로 어진 빛을 나토아 명예를 모아 존당 부모의 과도하신 자애
를 얻고, 일가의 칭찬 경대함을 믿어, 그대 위에 다시 오를 사람이 없는
줄로 알아, 문득 가부를 엎누르고자 의사 있으니, 이 정예백이 비록 용
우하나 몸이 팔척 장부라. 결연이 자의 협제(脅制)를 받지 않으리니 모
름지기 서어(齟齬)한 교앙(驕昂)을 부리지 말라."

　이리 이르며 양소저를 노려보는 눈이 뚫어질 듯하고, 참엄한 낯빛이
늉동한천(隆冬寒天)의 상설(霜雪) 같으니, 사람으로 하여금 불감앙시(不
敢仰視)할 것이로되, 양씨 태우의 말이 다 자기 마음에 없는 말이라. 두
려움이 없어 가장 미치게 여기니, 그 거동을 못 보며, 그 말을 못 듣는
듯, 쌍안을 낮추고 단순이 함묵하여 일언을 답지 않으니, 천연 냉엄한
얼굴은 효월(曉月)이 빙설(氷雪)에 바애며, 옥매(玉梅) 한풍을 띠었는
듯, 열일초준(烈日峭峻)한 거동이 태우의 시험한 노기를 족히 당할지라.

　생이 자기 말을 부담잡설(腐談雜說)[330]로 알아 대답지 않음을 더욱 통
한하여, 곁에 놓였던 옥연갑(玉硯甲)을 들어 양씨에게 던지고 꾸짖어 왈,

　"간악한 여자가 가장 참된 체하여 내 말을 일언을 답지 않아, 스스로
교기(嬌氣)를 이기지 못하니, 만일 부모의 사랑하시는 정을 생각지 않으
면 아주 짓밟아 없애버리지 않으랴?"

　양씨 무심 중 연갑에 가슴을 맞아 입은 옷이 엷은 고로 붉은 피 솟아
나니, 더욱 중상하여 깁 같은 가죽이 벗어지고 그 아픔이 어이 측량하리

---

329) 임사(姙似) : 중국 주(周)나라 현모양처(賢母良妻)인 문왕의 어머니 태임(太姙)
　　과 무왕(武王)의 어머니 태사(太姒)를 함께 이르는 말.
330) 부담잡설(腐談雜說) : 썩고 잡된 말.

오마는, 자기 생어부귀(生於富貴)하고 장어호치(長於豪侈)하여 세상 근심과 염려를 알지 못하다가, 연기 이륙을 겨우 지나며 저런 광생(狂生)을 만나, 성혼 삼재에 하루도 편함을 얻지 못함이 범연(凡然)한 역경이 아니라. 스스로 신세를 탄할지언정, 저를 겨뤄 언전(言戰)하는 것이 자기 입이 욕되어, 마침내 앉은 것을 고치지 않고 안색을 불변하여 한결같이 맹렬한 사색으로 앞을 볼 따름이라.

생이 그 가슴이 매이 상함을 애석하나, 저의 거동을 채 보고자 함으로, 다함[331] 간악(奸惡)다 꾸짖기를 마지않으며, 일변 주찬을 내라 보채니, 양씨 시녀 월앵을 명하여 호주성찬(壺酒盛饌)을 금반옥기(金盤玉器)예 가득이 벌여 생의 앞에 놓으니, 생이 수십여 배를 거우르고 만반진수(滿盤珍羞)를 한 그릇도 남기지 않고 다 먹은 후, 취안(醉眼)을 비스듬히 떠 양씨를 보다가, 월앵이 상을 물리려 함을 보매, 절세한 거동이 삼색도(三色桃)가 이슬을 맞음 같고, 고요미려(嬌妖美麗)하여 별 같은 쌍안과 초월(初月) 같은 눈썹이 채필(彩筆)의 공을 더하지 않아서, 원산의 그림자 청녀(淸麗)하여, 날랜 어깨는 비봉(飛鳳) 같고, 가는 허리는 유지(柳枝) 같아서, 풍류영걸(風流英傑)의 춘정(春情)을 요동(搖動)할 바라.

태우 양씨의 마음을 채 알려 하여, 빨리 월앵의 손을 이끌어 곁에 안치며 화시(花顋)를 접하고 무릎을 연하여, 유희 방탕하니, 앵이 천만 기약 밖 이런 놀라온 경계를 당하니, 경각의 죽고자 하나 미치지 못할 뿐 아니라, 소저로 더불어 연기상합(年紀相合)하여 명위노주(名爲奴主)나 실은 향규(香閨) 마역(莫逆)[332]이라. 사오 세로부터 소저를 좇아 문리(文理)를 정통하고 예의를 아는지라. 침선수치(針線繡致)의 재주 유여하

---

331) 다함 : 다만, 그저, 또한.
332) 마역(莫逆) : 막역(莫逆). 허물없는 친구.

여 소저의 사랑하고 중히 여김이 수족 같으니, 앵이 주인 위한 정성이 몸을 죽여 갚을 뜻이 있더라.

소리를 높여 왈,

"비자(婢子) 불충무상(不忠無狀)하나 아래로 위를 범치 못함은 만고강상(萬古綱常)이거늘, 이제 천비 주모(主母)의 대은을 잊고 몸이 적국(敵國)이 되면 찬역지신(簒逆之臣)이라. 무왕(武王)333)이 주(紂)334)를 치시매, 백이숙제(伯夷叔齊)335) 말머리를 잡고 간(諫)하되, '부사부장(父死不葬) 하고 원급간과(爰及干戈)하니 가위효호(可謂孝乎)아 이신벌군(以臣伐君)이 가위인호(可謂仁乎)아'336) 하고 은어수양산(隱於首陽山)337) 하여 채미식지(采薇食之)338)라가 아사(餓死)하니, 이포역포(以暴易暴)339)라 함은 신하로써 임군을 침이라. 무왕이 어짊을 모름이 아

---

333) 무왕(武王) : 중국 주나라의 제1대 왕. 성은 희(姬). 이름은 발(發). 은(殷) 왕조를 무너뜨리고 주 왕조를 창건하여, 호경(鎬京)에 도읍하고 중국 봉건 제도를 창설하였다. 후대에 현군(賢君)으로 추앙되었다.
334) 주(紂) : 중국 은나라의 마지막 임금. 이름은 제신(帝辛). 주(紂)는 시호(諡號). 지혜와 체력이 뛰어났으나, 주색을 일삼고 포학한 정치를 하여 인심을 잃어 주나라 무왕에게 살해되었다.
335) 백이숙제(伯夷叔齊) : 은말(殷末) 주초(周初)에 고죽국(孤竹國)의 두 왕자. 주(周)나라 무왕(武王)이 은(殷)나라를 치러 나가자 무왕의 말고삐를 잡고 치지 말 것을 간하였으나, 받아들여지지 않자, 수양산에 들어가 고사리를 캐먹다 굶어죽었다 한다.
336) '부사부장(父死不葬)~ 가위인호(可謂仁乎)아' : 아버지가 돌아가시어 아직 장례도 치르지 못하였는데 (자식이) 손에 무기를 드는 것을 가히 효(孝)라고 할 수 있겠는가?, 신하로서 임금을 치는 것을 가히 인(仁)이라 할 수 있겠는가?
337) 은어수양산(隱於首陽山) : 수양산에 들어가 숨음. *수양산(首陽山) : 중국 감숙성(甘肅省) 농서(隴西)에 위치한 산 이름.
338) 채미식지(采薇食之) : 고사리를 캐서 먹음.
339) 이포역포(以暴易暴) : 포악함으로 다른 포악함을 바꾸는 것. 무왕이 주(紂)를 친 역성혁명을 일컫는 말로, 무왕이 주(紂)를 친 것은 신하로서 임금을 친 것이므로 불충(不忠)이며 포(暴)이기 때문에, 포(暴)로써 포(暴)를 바꾼 것에 지

니라, 천비 주군의 뜻을 받들고 주모를 엎눌러 적국(敵國)이 되면, 어찌
이제(夷弟)340)의 죄인이 아니리까?"

말로 좇아 천항 누수 옷깃을 적셔 경악한 안색이 여토(如土)하여 합연
(溘然)341) 부지(不知)코자 하는지라. 태우 어찌 그 당연함을 모르리오마
는, 이미 절대미아(絶代美兒)를 눈에 들였으니 풍정을 걷잡으며, 저의
망극함을 돌아보리오. 한 말을 않고 짐짓 양씨 상요에 이끌어 운우지정
(雲雨之情)을 맺을 새, 앵이 천만 가지로 밀막고 지어(至於) 불공한 말이
많되, 태우의 구정(九鼎)342)을 경히 여기는 용력으로 만의 일을 당할
길이 없으니, 그물에 걸린 새 되어 움직이지 못하고, 생이 그 입을 막아
소리를 못하게 하니, 앵이 경각에 죽고자 하나 촌철(寸鐵)이 없는지라.
하릴없어 일침지하(一枕之下)에 동품에 들어, 망측 해괴한 거동이 사람
이 차마 보지 못할지라. 양씨 아니꼽고 더러움을 이기지 못하여 몸을 피
하여 협실로 들어가려 하거늘, 태우 대로하여 좌수로 앵을 단단히 잡고,
우비를 늘여 양씨를 이끌매, 소저 비록 분완 통해함이 측량없으나, 연연
약질(軟軟弱質)이 태우의 장맹(壯猛)히 이끎을 당하여, 추풍낙엽같이 휘
부드쳐343) 거꾸러짐을 면치 못하니, 태우 그 상함을 염려치 않고, 가벼
이 붙들어 앵과 한가지로 금리(衾裏)에 나아가고자 하는지라.

소제 분연 통해함을 이기지 못하여 한 번 소리 하고 엎어져 인사를 모
르고 막히니, 제 시녀와 유랑이 장외의 있으되, 한갓 망극 황황함을 이

나지 않는다는 것으로, 패도(覇道)를 경계한 말이다.
340) 이제(夷齊) : 백이(伯夷)와 숙제(叔齊)를 함께 이르는 말.
341) 합연(溘然) : 갑작스럽게 죽음.
342) 구정(九鼎) : 중국 하(夏)나라의 우왕(禹王) 때에, 전국의 아홉 주(州)에서 쇠붙
이를 거두어서 만들었다는 아홉 개의 솥.
343) 휘부드치다 : '휘다'와 '부딪치다'가 합하진 말. 휘어진 채로 부딪치다.

기지 못하여, 들어가 소저를 구코자 하나, 태우의 위엄을 두려 능히 나
아가지 못하고, 초전(焦煎) 차악함을 이기지 못하는지라. 태우 오히려
앵을 놓지 않고, 낭중에 약을 내어 소저의 입의 드리오니, 이윽고 양씨
숨을 내두르고 정신을 수습하거늘, 태우 온 가지로 보채려 하는 고로,
시녀를 명하여 대월루에 가 자기 유정한 창녀 월하선 봉월애 화향연 영
가앵 등 사창을 불러 오라 하니, 수유(須臾)에 사창이 명을 응하여 선삼
정에 다다라 중계에서 양소저에게 재배하고, 감히 당에 오르지 못하거
늘, 생이 명하여 당중의 오르라 하여, 다 자기 곁에 앉히고, 소저를 이
끌어 창녀 등을 위로 앉혀 왈

"적첩 존비는 차림직한 고로, 창녀 등을 그대도곤 사랑하되, 그대 아
래 앉히고 그대는 더욱 내 곁에 앉아, 우리 부부 가까이 앉아 희첩의 용
화신채(容華身彩)를 등제(等第)하344)리니, 오수용우(吾雖庸愚)나 풍채
골격이 하등이 아니요, 그대 투악 간악할지언정 은(殷)나라를 망한 소달
기(蘇妲己)345)의 고움과 주(周)나라를 멸한 포사(褒姒)346)의 미묘한 자
태를 겸하여, 풍류 장부의 은정을 요동할 바요, 제창이 다 옥진(玉
眞)347)의 완혜(緩慧)함과 비연(飛燕)348)의 경신(輕身)함으로 방불하여,

344) 등제(等第)하다 : 등급을 매기다.
345) 소달기(蘇妲己) : 중국 은나라 주왕의 비(妃). 성(姓)은 소씨(蘇氏). 흔히 '달기
(妲己)'로 칭해진다. 왕의 총애를 믿어 음탕하고 포악하게 행동하였는데, 뒤에
주나라 무왕에게 살해되었다. 하걸(夏桀)의 비 매희(妹喜)와 함께 망국의 악녀
로 불린다.
346) 포사(褒姒) : 중국 주(周)나라 유왕의 총희(寵姬)로 웃음이 없었다. 유왕이 그
녀를 웃게 하기 위해 거짓 봉화를 올려 제후들을 소집하였다가, 뒤에 외침(外
侵)을 받고 봉화를 올렸으나 제후들이 모이지 않아 왕은 죽고 포사는 사로잡혔
다고 한다.
347) 옥진(玉眞) : 옥진부인(玉眞夫人). 하늘에 있는 신선으로 옥진보황도군(玉眞保
皇道君)이라 일컫는데, 옥청삼원궁(玉淸三元宮)에 산다고 한다.

하나도 용(庸)치 않고, 월앵을 새로 얻어 측실에 용납하매, 그대 노주의 정과 적첩의 의를 겸하니, 예사 비자와 같지 않아 각별함이 있으리라."

소제 분기 막힐 듯하여, 욕되고 통완함이 죽어 모르고자 하되, 부모 유체를 차마 칼과 노349)에 던지지 못하여, 한갓 비분(悲憤)이 철골(徹 骨)하매, 옥면이 한상(寒霜) 같고 아황(蛾黃)350)에 노기 어리어, 힘을 다하여 잡은 옷을 떨치고 일어나고자 하는지라. 태우 대로하여 한 팔로 옆에 껴 누르매, 태산이 엎누른 듯하여 소제 수족을 놀릴 길이 없으니, 한갓 분한 눈물이 화협(花頰)에 구르고, 일신이 얼음 같아서 기운을 수 습치 못하나, 태우 모르는 듯하여 갈수록 단단이 잡아 고개를 돌리지 못 하게 하고, 월앵의 손을 놓지 않으며 제창의 옷과 손이 양씨에게 닿게 하여, 천만 가지 욕설이 아니 미친 곳이 없고, 술이 미란하매 삼가는 일 이 조금도 없어 제창으로 더불어 희학이 낭자하더니, 옥첨에 금계 새배 를 보하는지라. 월하선 등을 주찬을 먹여 돌려 보내고, 비로소 앵의 손 을 놓은 후 양씨를 더욱 끌어당겨 상요에 누우며, 웃으며 왈

"그대 월하선 등과 월앵을 꺼려 일침동와(一枕同臥)함을 절박히 여기 니, 그대 원을 좇아 한가지로 누워있으리라."

이리 이르며 호호히 웃기를 마지않고, 또 소저의 낯을 가르쳐, 꾸짖어 왈,

"미우(眉宇)해 등등한 살기는 사람을 포집어351) 죽일 듯싶고, 안정(眼 睛)의 초독(超毒)한 빛은 요사(妖邪)에 백출(百出)한 거동이니, 상모(相

---

348) 비연(飛燕) : 중국 전한(前漢) 성제(成帝)의 비(妃). 시호는 효성황후(孝成皇 后). 가무(歌舞)에 뛰어났고 빼어난 미모로 성제의 총애를 받아 황후에까지 올 랐다.

349) 노 : 노끈. 실, 삼, 종이 따위를 가늘게 비비거나 꼬아 만든 줄.

350) 아황(蛾黃) : 아황(蛾黃)은 예전에 여자들이 얼굴에 바르던 누런빛이 나는 분으 로, 여기서는 분바른 얼굴을 뜻함.

351) 포집다 : 거듭 집다. 거듭 단단히 잡아들다.

貌)의 박복 매몰하기는 청춘과모(靑春寡母)로 신혼(新婚) 체읍(涕泣)을
면치 못할 형상이라. 그대 모친이 그대를 낳을 때에 꿈에 무슨 독한 짐
승을 보았는고? 천년 노호(老狐)를 보지 않았으면, 사갈(蛇蝎) 독귀(毒
鬼)를 품 속에 넣었으리라."

양씨 생의 광언잡설(狂言雜說)을 족가(足枷)치 않고, 오직 자기 명도
남 같지 못함을 슬퍼, 고대 땅을 파고 몸을 감추어 이 같은 욕을 면코자
하되, 능히 미치지 못할지라. 만신이 짓누르는 듯 아픔이 심할 뿐 아니
라, 새도록 심히 보채여 기운을 수습치 못하니, 신성(晨省)에 들어갈 길
도 없을 뿐 아니라, 태우 일침지하(一針之下)에 두금(兜衾)352) 접면(接
面)하여 움직이지 못하게 붙들었으니, 이목이 수 없고, 가중이 열료(熱
鬧)함이353) 날이 밝은즉 대로상(大路上)이나 저잣거리 같거늘, 자기 태
우와 한가지로 누어있는 경상을 망측히 볼 이 많음을 생각하니, 참괴함
이 낯을 깎고 싶은지라. 하염없이 오열비읍함을 마지않되, 태우 요동치
않고 양씨를 온가지로 꾸짖으며 희롱함을 낭자히 하더니, 홍일(紅日)이
사창(紗窓)에 명랑이 비추며, 아소(兒小) 등이 다 일어나 정당(正堂)과
소당(小堂)으로 왕래하는 발자취 분분요요(紛紛擾擾)하니, 양씨 착급함
을 이기지 못하여 입을 여러 잠깐 일어나기를 빌고자 할 즈음에, 정당
태부인 명으로 시녀 전어 왈,

"금일은 태우 부처가 기척이 없으니 아지못게라! 신기(身氣)354) 불평
하냐? 혹자 통세 있거든 조심하여 조리하라."

하시니, 태우 쟁그라움을 이기지 못함이 가려운 데를 긁는 듯하여, 즉

352) 두금(兜衾) : 이불을 뒤집어 씀. 이불로 동여 쌈.
353) 열료(熱鬧)하다 : 떠들썩하다. 왁자지껄하다. 벅적거리다. 북적거리다.
354) 신기(身氣) : 몸의 기력.

시 회보 답 왈,

"소손이 통처(痛處) 없으면 어찌 신성(晨省)에 불참하였으리까마는, 작야에 우연히 먹은 것을 다 토하고 정신이 혼미하니, 양씨는 새도록 구호하는 체하고 자지 아니하니, 역시 앓는지라. 이러므로 정당의 들어가지 못하였으나, 원간 소손과 양씨 다 통세 대단치 아니하오니 과려치 마소서."

이렇듯 대답하여 시녀를 돌아 보내니, 시녀 정당에 나아가 소저 유질함과 태우 또 불평함을 아뢴데, 태부인과 금후 부부 듣고 크게 경려(驚慮)하여 진부인이 자부를 보려 선삼정에 이르니라.

차시 태우 역시 새도록 광태를 부리노라 접목을 못하였는지라. 일신이 곤뇌한 중 소저를 조로고자 일어나지 않고, 긴긴(緊緊)히355) 누어 소저를 백단으로 보채여, 일시를 못 견디도록 하여 왈

"그대 어찌 이렇듯 누어 홍일(紅日)이 사창(紗窓)에 오로도록 신성(晨省)을 참예치 않았느뇨? 그대 날 떠남이 마음에 이다지도 어려우냐? 그대 나를 일시 떠나기 싫어함과 투악이 남달리 이상함을 보니, 만일 남자 같으면 호색(好色)이 천고의 무쌍할지라. 원간 여자의 애부(愛夫)하는 음정(淫情)이 호탕하여, 풍류 남아의 애처(愛妻)하는 마음에 백배 승(勝)함을 가히 알리로소니, 혹자 생이 불행하여 일찍 죽는 날이면 그대는 결단하여 절행을 지키지 못하고, 다른 풍류 호걸을 가리리라."

소제 태우의 실성광패(失性狂悖)한 말을 들을 적마다, 분기 가슴에 막히는 듯하더라.

스스로 명도(命途) 다천(多舛)356)함을 슬퍼하며, 돌탄(咄嘆)하여 일루

---

355) 긴긴(緊緊)히 : 굳건히. 단단히.
356) 다천(多舛) : 어긋남이 많음

잔천(一縷殘喘)을 초개같이 여겨 정히 죽기를 바야더니357), 문득 시녀 진부인의 친림(親臨)하심을 고하는지라.

이 때 정태우 선삼정에서 양소저를 백단으로 조르더니, 모부인의 친림하심을 듣고, 웃으며 왈,

"이 거동을 자정께 뵈옴이 해악(駭愕)하나, 생이 용렬하여 요악한 여자를 제어치 못하고 붙잡힌바 되어, 일신을 주변358)치 못하고 병 없이 누었음을 참혹히 여기시려니와, 으뜸은 그대 간음(奸淫)을 거의 짐작하실지라."

이리 이르며 몸을 움직일 의사 없어, 양씨를 다함359) 매이 누르니, 양씨 차마 이 경상을 존고께 뵈옵지 못하여, 죽을지언정 태우와 담화치 않으려 하던 뜻을 고쳐, 바삐 눈물을 거두며 분노를 낮추어, 빌어 왈,

"첩이 비록 불인무상(仁無狀)360)하나 일찍 군자께 큰 죄를 지은 일이 없고, 귀녕(歸寧)한 때에 고치 못한 것이 허물을 면치 못하나, 이 또 대인과 존고의 명을 받자왔으니 일분 용서하실 곳이라. 어찌 차마 사족 여자로써 군자 이미 육례(六禮) 정실(正室)로 맞으신 조강(糟糠)을 질책(叱責) 누욕(累辱)361)하심이 아니 미친 곳이 없으니, 군자는 이 경상을 존고께 뵈옴을 좋은 일같이 여기시나, 첩은 실로 낯을 깎지 못함을 한하나니, 군자의 호생지덕(好生之德)이 죽이지 말고자 하시거든 첩을 놓아 일어나게 하소서."

태우 짐짓 양씨의 비는 말을 듣고자 함으로, 모친이 오신다 하되 요동

357) 바야다 : 재촉하다. 서두르다.
358) 주변 : 주변. 일을 주선하거나 변통함. 또는 그런 재주.
359) 다함 : 다만. 또한. 그저.
360) 불인무상(不仁無狀) : 사람이 어질지 못하고 행실이 내세울 만한 것이 없음.
361) 누욕(累辱) : 여러 차례 모욕을 줌.

치 않더니, 소저의 절박히 일어나물 청하는 말을 듣고, 비로소 금금(錦衾)을 열고 두 발을 모아 굴러 양씨를 차 버리고, 의건(衣巾)을 수렴(收斂)하여 일어나니, 양씨 새도록 남의 없는 곡경을 당하고 또 흉녕(凶獰)이 채인 바에 멀리 거꾸러져, 무릎이 벗어지고 두골이 때리는 듯, 정신이 아득하되, 천만 강인(强忍)하여 운환(雲鬟)을 헤쓸고362) 의상을 바로 하더니, 이미 진부인이 청하(廳下)의 다다라 계신지라.

태우 기운을 낮추어 연망이 하당하여 모친을 맞고, 양씨 또한 중계에 내려 존고를 맞아 입실하매, 진부인이 아자와 양씨의 유질함을 듣고 가장 염려하여 친히 와 보매, 태우의 용화는 조금도 수패(瘦敗)함이 없어, 당당한 혈기와 쇄락한 신광(身光)이 늠름준매(凜凜俊邁)하여 용호(龍虎)의 앙장(昻壯)한 기습(氣習)이니, 좀 질양이 그 몸을 침노치 못할지니 가히 근심 된 바 없으되, 양씨의 수약(瘦弱)함은 일야지내(一夜之內)에 독질(毒疾)을 얻음 같아서, 정신을 차리지 못하고 아픈 것을 지향치 못하는 거동이라.

부인이 놀라고 연애하여 상요에 편히 누웠음을 당부하고, 그 손을 잡고 머리를 집허 통처를 물으니, 양씨 대단치 않음으로 대답하나 깊이 불평한 거동이라. 진부인이 비록 총명하나 아자의 광망패려(狂妄悖戾)함은 오히려 알지 못하고, 양씨 무슨 중병이나 얻었는가 우려하여, 생더러 이르되,

"너는 기운이 장성하니 미양을 염려할 바 아니로되, 양소부의 거동이 아픈 것을 견디지 못하는 형상이니, 모름지기 의약을 이뤄 착실히 치료케 하라."

생이 흔연 수명하여, 무식한 광기를 싼 듯이 기이니, 진부인이 능히

---

362) 헤쓸다 : 긴 머리를 풀어헤친 뒤 손으로 머리카락을 쓰다듬어 가지런히 고르다.

알지 못하고 오직 양씨를 어루만져 조리함을 이르고, 날호여 침전으로 돌아갈 새, 태우 이미 누어있지 못할 형세인 고로 모친을 모셔 정당으로 들어가니, 양씨 잠깐 사이라도 등에 졌던 가시를 벗은 듯 시원함이 극하되, 태우의 거동이 자기를 괴로이 긴 날에 보채려 하는 의사라. 얼음에 티 없는 마음과 범사 처신에 예의를 섭렵하던 행실로써, 비의(非義)의 거동과 추악한 음정(淫情)을 당하여, 자기를 창녀와 월앵으로 달리 대접하는 일이 없어, 욕설을 그칠 줄을 모르니 한심 차악함을 형상치 못하여, 존고와 태우 나간 후 작야(昨夜) 요란이 덤벙이던 침석(寢席)을 걷어치우고, 새 금침(衾枕)을 포설하고 머리를 베개의 던지고 몸이 이불에 말리어, 흐르는 눈물이 봉침(鳳枕)에 아롱짐을 면치 못하니, 유랑 시녀배(侍女輩) 위하여 근심하고 슬퍼하되, 소저의 성정이 단엄하고 범사 안정하여 요란한 것을 짓거 않는 고로, 유랑이라도 감히 태우의 광패(狂悖)함을 들놓지 못하더니, 문득 월앵이 장 밖에서 목을 매었다 하는지라.

소저 대경차악함을 이기지 못하여 바삐 유모로 하여금 앵의 결항(結項)한 것을 끄르라 하고, 친히 경대 속의 약을 꺼내 갈아 앵의 입에 떠 넣으라 하고, 소저 앵을 불러 정색 왈,

"내 너를 저버린 일이 없거늘, 네 어찌 내 침처(寢處)에서 흉한 거조를 행하여 죽기를 달게 여기느뇨?"

앵이 체읍 대왈,

"소비 부인의 하늘같은 은혜를 입사옵고, 한 일도 충의를 펴지 못하여서, 주군의 핍박하심을 당하여 소저께 차마 못 뵈올 욕을 끼치고, 소비 소저의 적인(敵人)이 되오니, 불충 간음이 천하의 짝이 없사온지라. 어찌 살 뜻이 있으리까?"

소저 탄 왈,

"네 본디 청의하류(靑衣下流)의 용속(庸俗)함이 없어 나로 더불어 향

규마역(香閨莫逆)363)이 되어, 밖으로는 노주(奴主)의 분의(分義)를 차리나, 안으로 붕우(朋友)의 정이 있더니, 이제 네 나를 저버려 주군의 일시 희롱으로써 사생을 가벼이 결하려 하니, 평일 믿던 바 아니로다. 내 너로 더불어 일시 떠나지 말고, 화복길흉(禍福吉凶)을 노주 한가지로 하고자 하나니, 네가 만일 나의 정을 알진대, 주군이 너를 혹하여 부인으로 두는 지경(地境)이라도, 아직 살아 종두(終頭)를 보는 것이 옳으니, 내 너더러 투기 없음을 자랑하여, 짐짓 이리 이름이 아니니, 네 듣지 아니하랴?"

월앵이 설움이 막힐 듯하고, 애달음이 무궁하여 체읍 대왈,

"소비 실로 살 뜻이 없삽더니, 소저의 이렇듯 이르시는 바를 차마 저바리지 못하와, 살기를 결단하나이다."

소제 앵을 재삼 위로하여 협실의 두고, 유모와 제 시녀를 당부하여 작야지사(昨夜之事)를 아무 데도 누설치 말라 하니, 차고로 제 비재 대(大)양부인께도 이 소유를 고치 못하더라.

순태부인이 태우 부부의 유질함을 진정 병으로 알아 염려함을 마지않더니, 태우 모친을 모셔 침전의 들으신 후 조모께 뵈오니, 태부인이 즉시 나음을 깃거 하나, 양씨 일어나지 못함을 근심하여, 보기(補氣)할 미죽과 아름다운 과실을 연하여 보내고, 쉬이 차경(差境)364)함을 당부하더라.

태우 이후 연일하여 선삼정의 들어와 자며 날마다 제창과 월앵으로 병좌(竝坐)하여, 양소저를 연고 없이 욕하고 조르며 꾸짖고 보채기를 마

---

363) 향규마역(香閨莫逆) : 규방 안의 막역한 친구. 여성끼리 서로 허물없이 지내는 친구.
364) 차경(差境) : 병의 차도가 있는 형편.

지않아, 필경은 쇠와 돌을 혜지 않고 고요한 밤을 당하면 짓두드리기를 시작하여, 양씨의 일신이 한 곳도 성한 곳이 없게 하되, 홀로 얼굴을 상해오지 않아 방인(傍人)의 의심을 이루지 않더니, 일일은 태우 진부에 가, 술을 미란이 취하고 선삼정으로 들어오더니, 창외에서 잠깐 들으니 오읍(嗚泣)하는 소리 있거늘, 족용을 잠깐 중지하고 문틈으로 보니, 양씨 자기에게 짓맞은 곳이 두루 성농(成膿)하여 크게 덧났을 뿐 아니라, 유랑이 소저를 붙들고 슬피 울기를 마지않아 왈,

"소저는 매양 여러 이목을 두려, 주군의 행지를 아무더러도 이르지 말라 하시나, 근간의 주군의 하시는 거조가 측량치 못할 일이 많으니, 실로 소저 보전하실 도리 없는지라. 청컨대 본부의 이 소유를 고하고 핑계를 얻어 돌아가사이다."

소제 정색 왈,

"내 본디 세념(世念)이 부족하여 죽기를 돌아감같이 여기되, 부모의 낳아주신 대은을 저버리고 칼과 노로써 일명을 차마 끊지 못하나니, 이미 무궁한 누욕과 참참한 곡경을 살아 견딤이 나의 성도(性度) 이완(弛緩)함이라. 여자 어찌 소천(所天)의 흔극(釁隙)[365]을 친정에 고하고, 내 몸이 편키를 위하여 귀녕을 때 없이 하리오. 사생화복(死生禍福)이 하늘의 매었고 인력에 달리지 않았으니, 어미는 부질없는 근심을 그치고, 어지러운 말로써 여러 사람이 듣게 말지니, 선매정 저저 날로 더불어 골육동기(骨肉同氣)의 지극한 정과 금장(襟丈)의 의(義)를 겸하여, 주야 염려하시는 바가 정군의 행지(行止) 용치[366] 못하므로 내 몸에 화액이 미칠까 근심하시나니, 이런 말을 고치 말라. 가중 제인이 아직 정군의 광패

---

365) 흔극(釁隙) : 틈. 사이.
366) 용하다 : 기특하고 장하다.

(狂悖)함을 모르는 것이 나의 영행(榮幸)이니, 혹자 아름답지 않은 말이 존당에 사무쳐, 구고 가군을 그르다 책하실진대, 내 마음의 불안함이 어 떠하며, 금장과 일가친척이 나의 성품을 모르는 자는, 나의 허물이 중하 여 장부에게 견욕(見辱)함이 있는가 여기리니, 어미는 부질없이 슬퍼 말 고 태우의 광패함을 언두(言頭)에 일컫지 말라."

유랑이 더욱 슬퍼하나, 소제 다시 말을 아니 하니 능히 다시 말을 못 하고 장 밖으로 물러나니, 소저 고요히 촉을 대하여 두어 줄 청루를 뿌 려 백만 수운(愁雲)이 아미(蛾眉)에 맺혔으니, 근심하는 거동이 더욱 절 승하여 꽃이 광풍을 만나며, 달이 흑운(黑雲)에 쌓였는 듯, 연연청약(軟 軟靑弱)함이 진속(塵俗)에 물들지 않아 우화등선(羽化登仙)할 듯하니, 태우 창외에서 보다가 애모(愛慕)하는 정을 이기지 못하되, 남 다른 성 벽이 그 귀녕을 이르지 않고 감을 절통(切痛)하여 일 년이나 보채려 하 는 고로, 월여를 조르고 그칠 리 없는지라.

날호여 문을 열고 들어가매, 소제 태우를 만나면 시호사갈(豺虎蛇蝎) 을 대함 같아서, 슬밉기367)를 이기지 못하니, 자연 화기 맥맥하여 면모 에 열일(烈日) 한풍(寒風)을 띠었는지라. 태우 들어 앉아 월앵을 찾으니 양씨 묵연이요, 제시녀(諸侍女) 앵의 유질함을 고하니, 태우 탁병(託病) 인가 분노하여 건장한 시녀를 명하여, 앵을 잡아내어 중계에 세우고 태 지(笞之)할새, 호령이 뇌정 같고 고찰이 이상하되, 앵이 죽음을 두려 않 는 고로 차라리 제 스스로 못 죽을지언정, 핑계를 얻어 죽기를 바야는 고로, 자연 말씀이 공순치 못하니, 태우 더욱 대로하여 시노를 불러 앵 을 형벌할 새, 일장에 피육(皮肉)이 으깨지고 성혈이 땅에 괴이되 갈수 록 고찰하니, 비록 청의차환(靑衣叉鬟)이나 고당화루(高堂華樓)에 호치

---

367) 슬밉다 : 싫고 밉다. 얄밉다. *슬밉다; '슬다+뮙다'의 형태.

(豪侈)로 자라 인물이 영오총민(穎悟聰敏)하고 충근인자(忠謹仁慈)함으로 일찍 희미한 태장도 당치 않았다가, 불의에 중형을 당하니 어찌 살 뜻이 있으리오마는, 짐짓 죽기를 죄오는 고로, 태우의 광패함이 죄 없는 정실을 참혹히 박대하며, 만사 비인정임을 언언이 일컬으니, 태우 분완함을 이기지 못하여 앵의 머리를 베고자 하다가, 오히려 그 자색을 유련(留憐)하여 그치고, 중형(重刑) 일차368)를 다 못하여 앵이 기절하여 인사를 모르니, 집장노자(執杖奴子)는 앵의 이종(姨從)이니 양부로서 온 바라. 거짓 앵을 죽다 일컫고, 끌어내어 와 가만히 제 집의 두고 구호하여 살리려 하더라.

소저 앵을 죽여 끌어내감으로 알아 참연(慘然) 타루(墮淚)하니, 태우 본뜻이 월앵을 죽이려 한 것이 아니라, 그 불순함을 제어코자 중형을 가했더니, 앵의 연약함이 일차를 다 못하여 헛되이 죽음을 고하니, 과급(過急)할지언정 소활(疎豁)키 심하고 술이 극취(極醉)하매, 아무런 상이 없어 자세히 살피도 않고 시신을 내어 주고, 심하(心下)에 아낌을 마지 않더니, 양씨의 슬퍼함을 보매 심화 불 일 듯하여, 양목을 높이 떠 양씨를 보며, 꾸짖어 왈,

"그대 앵을 온 가지로 꾀고 달래어 나의 첩잉으로 두지 못하게 심용(心用)을 놀리매, 그대 마음을 맞춰 앵을 죽였거니와, 그대 자녕히 여기며 질투(嫉妬)함을 생각하니 통해(痛駭)함이 극하고, 나의 증화(憎火)로써 그대로 백수동락(白首同樂)고자 않을 뿐 아니라, 그대 상모 결단코 청상(靑孀)을 면치 못하리니 나를 죽이고 말리라. 그대 면죄코자 하거든

---

368) 일차 : =일칙. 한 바탕의 매질. *차; 칙. 매질. 죄인을 신문할 때 공포감을 주어 자백을 강요할 목적으로 한바탕 가하는 매질. 또는 그러한 매질의 횟수를 세는 단위. '칙'는 '笞(매질할 태)'의 원음, '태'는 그 속음(俗音)임.

일등 풍류호걸을 얻어 돌아가라."

소제 정색 단좌하여 묵연부답하고, 태우 앓을 한 실성발광(失性發狂) 한 사람같이 여겨, 기괴망측하여 하는 거동이 현저하니, 태우 그 교만함을 더욱 대로하여, 서안(書案)을 들어 힘을 다하여 소저의 일신을 혜지 않고 마구 치니, 산호책상(珊瑚冊床)이 산산이 으스러지고 소저의 몸이 크게 상하여, 옷 위로 적혈이 사무쳐 보기에 경참하고, 소저 능히 정신을 차리지 못하니, 생이 비로소 짓두드리기를 그치고, 자기 침리(寢裏)에 나아가 편히 잠드는 체 하니, 유랑과 시녀 장외에서 저 경상을 보고, 태우의 거동을 시호사갈(豺虎蛇蝎)같이 여기고, 소저의 참혹히 맞은 바를 망극 비원(悲怨)하되, 감히 들어가 구호치 못하더니, 태우 잠듦을 보고 유랑이 가만히 들어가 소저를 주물러 구호하며 누수 비 오 듯하더니, 가장 오랜 후 소저 인사를 차려 일어나 안고자 하나, 책상으로 맞은 곳이 살이 으깨지고 뼈 부서져 유모에게 붙들려 기대어 있더니, 이윽고 태우 거짓 깨는 체 하고 일어 앉아, 유랑을 질퇴(叱退)하고 소저를 붙들어 상요의 나아가고자 하니, 소저 반생반사 한 중에 분한 심장이 터질 듯하니, 태우의 손을 뿌리치매, 맹렬한 거동이 서리 같아서 업신여기는 사색이 현현하니, 태우 월여를 양소저 보채기의 골몰하여, 역시 잠을 편히 못 자고 밤마다 술을 미란(迷亂)이 취하고, 여색을 관정(關情)함을 측량 없이 하니, 때때 기운이 시진(澌盡)할 듯하고 후들거릴 적이 많은 고로, 소저를 끌어당기려 할 적에 뿌리침을 당하여, 무심결에 손이 침병(枕屛) 쇠의 다질려[369] 가죽이 벗어지고 아프기 심하니, 더욱 대로하여 금로(金爐)에 피워둔 불을 그릇째 들어 소저에게 내리 씌우니, 양씨 급히 일어나되 두루 데이기를 많이 하여 가뜩이나 연약한 몸이 경각에 스러질

---

369) 다질리다 : 부딪치다.

듯하거늘, 태우 오히려 분을 풀지 못하여 요강370)의 변수(便水) 가득하였음을 보고, 들어 양씨에게 힘껏 던지매, 월액(月額)이 맞아 피 흐르고 변수 소저 일신에 가득이 젖으니, 방 중에 불과 물이 어지러워 용문채화석(龍紋彩畵席)이 남지 않고, 연염(煙焰)이 가득하여 눈을 뜨지 못하는지라.

태우 시녀를 불러 불을 없이 하고, 젖은 자리를 걷어 치우며, 좌우 문을 열어 독한 내를 내어 보내며, 양씨를 이끌어 자기 마음대로 화락고자 하되, 소저 죽기를 그음하여 태우의 무상(無狀)한 뜻을 가납치 아니하니, 태우 갈수록 분노하여 자기 용력을 다 발하여 소저를 친근 일압(昵狎)함이 아니 미친 곳이 없으니, 양씨 이에 다다라는 죽기를 자분(自憤)하여 애다움이 하늘을 꿰뚫 듯하되, 태우의 기운을 당할 길이 없으니 완연이 숨 있는 시신이 되어, 경각에 진할 듯하되, 태우 조금도 염려하는 빛이 없어 새도록 보채다가, 계명(鷄鳴)에 일어나 관세(盥洗)하고 신성(晨省)에 참예하니, 태부인과 금후 부부 근간 소양씨 자주 유질(有疾)하여, 신혼성정에 불참할 적이 많으니 우려하여 그 병세를 물으니, 태우 복수 대왈,

"소손이 밤든 후 그 방의 들어가 새배 나오니, 그 병을 자세히 알지 못하오나, 작야 측중의 가 실족하여 이마를 다쳤다 하더이다."

금후 경문(驚問) 왈,

"양씨 행동이 신중 유법한지라. 실족하여 중상할 위인이 아니니 그 어인 일이뇨? 태우 복수(伏首) 무언(無言)이거늘, 금후 그 상처에 약이나 싸맨다?"

---

370) 요강 : 방에 두고 오줌을 누는 그릇. 놋쇠나 양은, 사기 따위로 작은 단지처럼 만든다.

물은데, 태우 대왈,

"소자 잠이 깊어 그 상한 때를 알지 못하고 나왔나이다."

공이 발연작색(勃然作色)[371] 왈,

"네 말이 상(狀) 없어, 아부의 액간(額間)을 다친 곡절도 밝히 모르는 바이거니와, 그 상처를 자세히 살펴 약을 바르지 않고 매양 자는 잠이 무엇이 그리 겹[372]더뇨? 너의 거동이 근간 안정(眼睛)이 따로 삐져나와[373] 흘기고[374] 행사 부정괴려(不正乖戾)하여 중정(中情)[375]에 주(主)한 것이 없으니, 결단하여 무슨 일을 낼 듯하고, 미간(眉間)에 살기(殺氣) 비취었으니 수년 내에 사람을 죽이고 날 듯하니, 조심하여 화망(禍網)에 걸리지 말라."

언필에 몸을 일으켜 선삼정의 이르니, 태우 행여 야야가 자기 행사를 아실까 황겁하여, 빨리 야야를 모셔 선삼정의 이르매, 양소저 상석(床席)에 몸을 버려 인사를 알지 못하다가, 기운이 막혀 수족이 얼음 같으니, 유랑 시녀 등이 소저를 붙들고 체읍함을 마지않더니, 금후 다다라 차경을 보고 차악함을 이기지 못하여 가까이 나아 앉아 맥후를 보려 하니, 태우 부친 앞을 당하여 양씨의 손을 내어 진맥하는 체 하며, 부전에 고 왈,

"소자 양씨의 병을 살펴 극진히 구호하오리니, 복원(伏願) 대인은 과려치 마소서."

---

371) 발연작색(勃然作色) ; 왈칵 성을 내어 얼굴빛이 달라짐. =발연변색(勃然變色).
372) 겹다 : 정도나 양이 지나쳐 참거나 견뎌 내기 어렵다.
373) 삐져나오다 : 속에 있는 것이 겉으로 불거져 나오다.
374) 흘기다 : 눈동자를 옆으로 굴리어 못마땅하게 노려보다.
375) 중정(中情) : 가슴속에 품은 감정이나 생각.

공이 그 거동이 석연(釋然)376)치 않음을 더욱 깃거 않아, 미우를 찡기고 생을 물리치고 양씨의 팔을 내어 진맥고자 하더라.

하회를 석남(釋覽)하라.

---

376) 석연(釋然)하다 ; 의혹이나 꺼림칙한 마음이 없이 환하다.

명주보월빙 권지칠십육

어시에 금평후 양씨 팔을 내어 진맥하고자 하매, 옥 같은 살빛이 푸르고 검어 적혈(赤血)이 두루 맺혀있고, 이마로부터 머리 깨어져 중상하였으니, 그 몸을 보지 못하되 이다지도 중상하였음을 대경하여, 즉시 소저의 유모를 불러 곡절을 물으니, 유랑이 태우를 두려워하는 고로 머리를 숙이고 오래 유유(儒儒)하니, 태우 정색 왈,

"네 주인이 작야에 실족하여 상한 것을 무엇이 어려워 지정대느뇨[377]? 아지못게라![378] 측중(厠中)에 거꾸로 박혔더냐?"

유랑이 창졸에 꾸밀 말을 생각지 못하여 하다가 태우의 말로 좇아 몽롱이 고하되,

"소저 작야의 여측(如厠)하라 가 계시다가 다치셨나이다."

평후 귀로 유랑의 말을 들으며 눈으로 태우의 기색을 보매, 크게 의심하되, 양씨의 병이 위위(危危)하여 구호함이 급한 고로, 약물을 연하여

---

377) 지정대다 : 머뭇거리다. 곧장 내달아 가지 아니하고 한곳에서 조금 머뭇거리다. =지정거리다.

378) 아지못게라! : '모르겠도다!' '모를 일이로다! '알지못하겠도다!' 등의 감탄의 뜻을 갖는 독립어로 작품 속에서 관용적으로 쓰이고 있어, 이를 본래말 '아지못게라'에 감탄부호 '!'를 붙여 독립어로 옮겼다.

떠 넣으며 곁에 앉아 그 상처를 자세히 살펴 약을 처매며, 그 깨기를 기다리더니, 새배 이르러 비로소 인사를 차려 눈을 떠 좌우를 살피더니, 존귀 곁에 앉아 계심을 보고 대황(大惶) 참괴(慙愧)하여 경각의 땅을 파고 들고자 하나 능히 득지 못하고, 또 움직여 일어날 기운이 없는지라. 다만 공구전율(恐懼戰慄)하여 베개에 엎디었으니, 그 모양이 신상에 큰 죄를 지은 듯한지라.

평후 불승애련(不勝哀憐)하고 병중 너무 조심함을 우려하여, 그 손을 잡아 왈,

"세인이 구식지간(舅息之間)을 부녀 사이와 다르다 하거니와, 윤현부로부터 여러 식부가 친녀와 간격이 없으니, 현부의 성효로써 우리 사랑을 알지라. 이런 병을 어이 은휘하리오. 아부 근간 병이 잦으니 우리 부부 우려하되, 이 당이 사이 뜬 고로 날마다 이르러 보지 못하고, 네 가부 무식소활(無識疎豁)하고 광망패려(狂妄悖戾)하여 주색에 침닉하니 현부의 병을 유념(留念)할 자가 아니라. 금일이라도 네 고모(姑母)379)의 협실에 옮아 병을 조호(調護)하고, 여러 형제로 더불어 서로 담화하여 병심을 위로할지니, 모름지기 침구를 옮기라."

이리 이르며, 다시 소저의 답언을 기다리지 않고, 진부인께 협실을 쇄소하여 아부를 머물게 하라 하고, 태우를 빗기380) 떠 보는 눈이 십분 엄렬(嚴烈)하여 동천(冬天) 열일(烈日) 같고, 추상(秋霜)이 번득이는 듯한지라. 태우의 충천장기(衝天壯氣)로도 부전을 임하여는 국궁진취(鞠躬進趨)381)하여 황황전율(惶惶戰慄)하니, 부친이 양씨를 모친 협실로

---

379) 고모(姑母) : 아버지의 누이, 또는 시어머니를 이르는 말. 여기서는 '시어머니'를 말한다.
380) 빗기 : 비스듬히. 수평이나 수직이 되지 아니하고 한쪽으로 기운 듯하게
381) 국궁진취(鞠躬進趨) : 삼가고 조심하여 허리를 굽히고 종종걸음으로 나아감.

옮기는 뜻이 벌써 자기를 깊이 의심하시는 바를 깨달아, 경황전율(驚惶戰慄)할 뿐 아니라, 본디 양씨로 은애 태과한지라. 도리어 병이 되어 연소호흥(年少豪興)에 괴이히 보챔이 있으나, 하루도 떠나고 싶은 뜻이 없거늘, 깊이 협실로 옮으면 얼굴도 자주 못 얻어 볼 바를 결울(結鬱)하되, 한 말을 못하고 국궁궤좌(鞠躬跪坐)러니, 이윽고 진부인이 협실을 서릇었음을 고하니, 공이 대양씨를 불러 여러 시녀를 데리고 소양씨를 붙들어 소교(小轎) 위에 올리매, 시녀 등으로 메여 진부인 협실로 가라 하고, 자기는 양씨의 아시녀 일인을 앞세우고 외루(外樓)로 나오니, 태우 모셔 나오나 놀라온 가슴이 벌떡여 일천 잔나비382) 넘놂을 면치 못하더니, 금평후 청죽헌에 좌를 이루고, 양씨의 아시녀를 계하(階下)의 꿀리고 소저의 상한 곡절을 자세히 고하라 하니, 아시녀 아무리 할 바를 알지 못하여 한갓 눈물만 흘리고 말을 못하는지라.

평후 엄형추문(嚴刑推問)코자 하니, 시녀 혼비백산 하여 한 매도 더하지 않아서 태우의 처음부터 작난한 바와, 작야에 또 소저를 난타하던 설화를 세세히 고하니, 평후 듣는 말마다 한심 차악하니, 도리어 일장을 차게 웃고 날호여 시녀를 들여보내고, 하리 노복을 명하여 대월누에 가 빨리 사창을 잡아 오라 하니, 이리 할 즈음에 태우는 감히 당상에 있지 못하여 관영(冠纓)을 해탈하고 당하의 내려 명을 기다리더라.

북공과 예부 등은 내루(內樓)로서 갓 나오매 연고를 알지 못하나, 야야의 노기를 스치고 경황함을 이기지 못하여, 감히 연유를 묻잡지 못하고 기운을 낮추어 모셨더니, 이윽고 하리 월하선 등을 매어 계하의 복명하니, 금후 주방에 분부하여 일두주(一斗酒)를 가져 오라 하여 태우의 앞에 놓고 구박하여 한 모금도 남기지 않고 다 먹인 후, 정성 책 왈,

---

382) 잔나비 : 잔나비. 원숭이.

"불초자 사유(士儒)의 몸으로 한원(翰苑)에 충수하며 행실을 삼감이 없고, 마치 아는 것이 주색이라. 양소부는 너의 적거 정실로 요조숙녀니 네게 외람한 처자거늘, 무고히 혈육이 임리(淋漓)토록 난타하며, 술을 미란이 취하고 창녀를 옆옆이 껴 양소부의 실중에 이르러 정실을 구욕(驅辱)383)하니, 여차 광패 무식한 행실이 어느 성경현전(聖經賢傳)의 있더뇨? 욕자(辱子)와 말함이 부질없으니 아부 약한 매를 맞아 보라."

하고, 인하여 그 대답을 기다리지 않고 시노(侍奴)를 호령하여 매를 들라 할 새, 산장(散杖)384) 열흘 놓고 중장(重杖)을 더하니, 호령이 엄숙하고 위엄이 열풍(熱風) 한상(寒霜) 같으니, 시노가 두려 힘을 다하매 옥부(玉膚) 훼상(毁傷)하여 유혈(流血)이 임리(淋漓)385)하되, 태우 일성을 부동하고 매를 받으매 이미 칠십 장에 이르니, 북공 등이 태우의 행사는 통해하나 그 혈육이 임리함을 보고, 그 살에 매 내려질 적마다 자기 살이 아픔을 이기지 못하는지라. 이의 중계의 내려, 고두 왈,

"세흥의 행사 광패함은 일백 장책도 오히려 경하오나, 복원 야야는 혈육이 훼상함을 살피사 관사(寬赦)하소서."

금후 처음은 태우를 일백 장 안의는 그치지 않으려 하더니, 그 혈육이 임리함을 보매 추연하거늘, 북공 등의 애걸함을 들으매 사(赦)하고, 이에 사창 등을 올려 오십 장식 맹타한 후, 큰 바386)를 가져 오라 하여 왈,

"불초자 아는 바 다만 주색이라. 노부 네 욕심을 채와 제창으로 일생 한 데 있게 하노라."

---

383) 구욕(驅辱) : 못 견지도록 괴롭히고 욕함.
384) 산장(散杖) : 죄인을 신문할 때, 위엄을 보여 협박하기 위해서 많은 형장(刑杖) 이나 태장(笞杖)을 눈앞에 벌여 내어놓던 일.
385) 임리(淋漓) : 피, 땀, 물 따위의 액체가 흘러 흥건한 모양.
386) 바 : 삼이나 칡 따위로 세 가닥을 지어 굵다랗게 꼰 줄.

하고 이의 하리를 명하여 태우를 세우고, 사창을 전후좌우로 한 데 동여 가도라 하니, 그 모양이 절도할지라. 태우 비록 자기 허물은 태과하나 만목소시(萬目所視)에 이를 당하니, 일백장책(一百杖責)에서 더 수괴(羞愧)하고, 고개를 전후좌우로 돌릴 길이 없으니 괴롭고 민민함을 이기지 못하나 무가내하(無可奈何)387)라. 일언을 못하고 갇히니라.

북공 등이 태우의 중장 후 편히 조호(調護)도 못하고, 창녀와 한 데 결박하여 갇힘을 연석(憐惜)하나, 야야의 엄노가 진첩하시니 감히 다시 개구(開口)치 못하더라.

태우 갇히매 술은 점점 익취(溺醉)하고 장처는 아픔이 극하거늘, 사창과 한 데 동여매었으니 앉으려 하여도 앉을 길이 없고, 머리를 돌리려 하여도 꼼짝할 길이 없으니, 제녀를 총애(寵愛)하던 뜻도 간 데 없고, 증분이 양씨에게 모두 돌아가 벼르기를 마지않고, 장승처럼 뻣뻣이 서서 차야를 접목치 못하고 새워 나니라.

차시 태부인이 양소저의 연연약질(軟軟弱質)이 미풍의 날닐 듯하나, 행동이 신중하니 경이히 실족할 바 아니거늘, 중상함을 자닝388) 참상(慘傷)하여 애련함을 이기지 못하더니, 금평후 제자를 거느려 들어와 모부인께 뵈옵고, 태우의 광망함이 양소부 제게 고치 않고 귀녕하다 하여 월여(月餘)에 이르도록 치부하여, 그리 몹시 두드리고 행사 광패하여, 창녀를 끼고 정실의 침실에 이르러 작난하던 바를 고하고, 광패함을 물시한즉 후일이 가히 염려스러운 고로 약간 장책하여 수계(囚繫)함을 아뢴데, 태부인이 태우의 행사를 경해차악하여 왈,

"세애 연소호방하여 행사 광망(狂妄)하나, 연기 차면 할연(豁然)한 장

---

387) 무가내하(無可奈何) : 어찌할 도리가 없음.
388) 자닝하다 : 애처롭고 불쌍하여 차마 보기 어렵다.

부되려니와, 이번 해거(駭擧)는 다스림직하니, 일시 경각(警覺)389)이나 하여 후일 삼가 함이 있게 하고, 너무 중장을 말 것 아니냐?"

하고 심히 아끼더라. 금후 모부인의 태우 과애하심이 여차하심을 보매, 이의 주 왈,

"패자의 행사 극히 통해하오대, 자위 열(悅)치 않으실 바를 생각하옵고, 약벌(弱罰)을 하였나이다."

하더라.

이윽고 북공과 제인이 물러난 후 진부인이 이르러 시좌할 새, 양씨의 상처가 대단함을 불승애석(不勝哀惜)하니, 성안(星眼)에 추파(秋波) 어리어, 존고께 고왈,

"양소부 지란(芝蘭) 같은 기질과 백행(百行) 사덕(四德)이 겸전(兼全)하고, 겸하여 행동이 유법(有法) 신중(愼重)하거늘, 그대도록 중상하였으니 괴이한 밖에, 쉬이 차성(差成)함을 얻지 못할까 근심하나이다."

태부인이 세흥의 광망한 행사를 전하고 차탄 왈,

"천아는 호방이 심하나 정실을 대접함이 법도를 다하더니, 세아는 부형을 담지 않았으니 가히 통완(痛惋)한지라. 양소부 백행 사덕이 겸비하거늘, 한 번 귀녕에 제게 허락을 얻지 않음을 죄를 삼아, 월여 되기에 이르기까지 조르고 구타하는 지경에 이를 줄 어찌 알았으리오."

진부인이 양씨 중상함이 태우의 작사임을 비로소 알고, 분완 통해함을 이기지 못하여, 태부인께 고 왈,

"첩이 불민함으로 세흥 같은 광망패자를 낳았으니, 태교치 못함을 생각하오매 대인할 낯이 업도소이다."

금후 재좌(在坐)러니 미소왈,

<hr/>

389) 경각(警覺) : 정신을 차리고 주의 깊게 살피어 경계하는 마음.

"원간 부인이 스스로 죄를 잘 아는도다. 우리 문호에 천흥과 세흥같이 불인 광패한 것이 없으니, 차는 외가를 닮음이라. 양소부 빙옥 같은 성행으로써 광부(狂夫)의 무지한 욕을 보니, 만일 윤현부와 혜주 같을진대, 신상을 상해오며 광부를 촉노함이 그리 심치 않으리니, 양소부 백행 사덕이 반점 비례와 권도(權道)390) 없어, 백희(伯姬)391)의 고집과 결부(潔婦)392)의 행실이 있는 고로, 가부의 뜻을 어김이 많은지라. 세아의 작난이 그칠 날이 없을까 하나이다."

진부인이 근심하고 통해하여 팔자춘산(八字春山)393)에 근심이 맺혔으되, 금후는 태우에게 분을 풀었음으로 안색이 화평하여, 다만 부인으로 하여금 아부(兒婦)의 상처에 약을 바르게 하고, 아주 소저를 협실의 두어 소일하게 하니, 아주 칠세로되 자색 성행이 출어범류(出於凡類)하고, 덕기 성취하여 숙녀의 제일좌(第一坐)를 사양치 않을러라. 양소저와 한 데 처하여 구호하는 정과 위로하는 언사 절당하니, 양소저 심복 애경함이 지극하더라.

금평후 태우와 제창을 한가지로 하옥하고 기위(氣威) 추상같아 쉬이 사할 뜻이 없으니, 예부 등이 십분 우려하여 가만히 존당에 애걸하니, 태부인이 평후를 명하여 태우를 사하라 하니, 평후 모명을 역지 못하여 태

---

390) 권도(權道) : 목적 달성을 위하여 그때그때의 형편에 따라 임기응변으로 일을 처리하는 방도.
391) 백희(伯姬) : 중국 춘추시대 魯(노)나라 宣公(선공)의 딸. 송나라 恭公(공공)에게 시집갔다가 10년 만에 홀로 됐다. 궁궐에 불이 났을 때 관리가 피하라고 했으나 부인은 한밤에 보모 없이 집을 나설 수 없다고 고집해서 결국 불속에서 타 죽었다. 『열녀전(烈女傳)』〈정순전(貞順傳)〉'송공백희(宋恭伯姬)' 조(條)에 기사가 보인다.
392) 결부(潔婦) : 정결한 부인. 정부(貞婦). 열부(烈婦). 열녀(烈女).
393) 팔자춘산(八字春山) : 화장한 눈썹.

우를 사하고 사창을 기적(妓籍)에서 이름을 떼어 원지(遠地)에 내치다.

제인이 결박한 것이 풀렸으나, 월하선 등이 본디 죽기를 그음하여 태우를 위하여 수절하려 하더니, 불의에 풍파가 일어나 몸에 중장을 당하고, 일일(一日)을 하옥되었다가 비록 놓임을 얻었으나, 금평후의 엄명으로 기적(妓籍)에서 이름을 떼이고 원방에 내쳐지니, 사창이 사생을 그음하여 태우를 저버릴 뜻이 없는지라, 멀리 가지 않고 각각 근지(近地)에 있어, 가만히 정부 동정을 탐지하더라.

이 때 태우 중장 후 결박을 당하여 일주야(一晝夜)를 경야(經夜)하니, 일신이 짓치는 듯, 아프고 괴로움을 견디지 못하되, 엄명이 졸연이 사하심을 바라지 않았더니, 천만 의외로 사명(赦命)을 들으니 용약하여 서재의 돌아와 의관을 수렴하고, 태원전에 이르러 당하에서 청죄하니, 금후는 미우 추상 같아서 묵연이 말이 없고, 태부인은 바삐 승당함을 이르나, 태우 대인의 사명을 듣지 못함으로 복수유유(伏首儒儒)하니, 태부인이 금후를 향(向)하여 왈,

"세애 행사 비록 광패하나 그 장책이 족히 전과를 속하였는지라, 그만하여 사하라."

금후 모교를 듣자오매 마지못하여 태우를 사하여 오르라 하니, 태우 국궁(鞠躬) 전율(戰慄)하여 당에 올라 시좌하니, 금후 태우를 보매 일일 지내에 수척함이 심하였는지라. 부자의 유유(悠悠)한 정을 금치 못하여 그윽이 아끼나, 그 호방광탕(豪放狂蕩)함을 꺾으려 함으로 언어를 이름이 없어, 묵묵한 미우에 상풍(霜風)이 늠름하여 열일(烈日)이 최외(崔嵬)한 듯, 사람으로 하여금 불감앙시(不敢仰視) 할지라. 무죄한 북공 등도 한출첨배 함을 면치 못하거든 하물며 태우의 마음을 이르리오마는, 세흥의 사람 됨이 심지(心志) 소활하고 방일하여 북공의 쾌히 깨달아 호일

방탕(豪逸放蕩)함을 그쳐, 단정 수행하는 총명(聰明) 영기(靈氣)를 미칠 길이 없으니, 한갓 수렴하고 두려워하는바 부전(父前)이요, 물러난즉 발월호탕(發越豪宕)한 기운을 주리잡지394) 못하니, 어찌 부친의 흡연한 자애를 얻으리오. 태부인이 태우를 나아오라 하여 경계 왈,

"네 정실을 예대(禮待)치 않고 무고히 구타하여, 상한천류(常漢賤流)의 취광무식(醉狂無識)한 유(類)의 계집을 난타구욕(亂打驅辱)하는 행실을 배우고, 수행할 줄을 모르니, 차후 계지(戒之)하라."

말씀이 엄중단절(嚴重端切)하니 생이 대참 황공하여 감히 고개를 들지 못하고, 조모의 소교아(所嬌兒)395)로 평생 처음 책교(責敎)를 당하니, 부전의 수장(受杖)보다 더한지라. 그러나 마음을 고치지 못하니 양씨의 액운(厄運)이러라.

차일 서재에 돌아와 태우 석식을 먹지 못하고 종야(終夜) 고통하니, 입 가운데 토하는 것이 술물이라. 진상서 영문이 와 자더니, 서안(書案)에 주호(酒壺)를 보고 스스로 반을 쳐 거우르고, 남은 것을 태우에게 권 왈,

"비록 아프나 본디 즐기는 바니 먹으라."

태우 손을 저어 왈,

"어질하고 아니꼬워 술내 맡기 심히 괴로워 몽중에도 생각이 없어라."

진상서 소왈,

"술은 싫어도 월하선은 생각이 나고 양수는 다만 치고 싶으냐?"

태우 아득한 중 미소 왈,

"엄전에 한 번 수장함으로 유정한 미인을 잊으며, 내 몸을 괴롭게 한 양씨를 미워 않으리까? 차후는 아주 찔러 죽이려 하나이다."

---

394) 주리잡다 : 줄잡다. 생각이나 기대 따위를 표준 보다 줄여서 헤아려보다.
395) 소교아(所嬌兒) : 사랑을 받는 아이.

상서 흉험타 꾸짖고, 예부 또한 절책하더라.

이러구러 십여일이 되도록 태우 상처 뿐 아니라 일신이 짓치는 듯 아
픔이 낫지 않되, 금평후 미워하여 일시도 편히 누어있지 못하게 하여,
조당에 가지 않는 날은 종일토록 앞에 두어, 서화를 받들게 하되 한 번
낯빛을 허하며 화히 말함이 없어, 비록 입으로 꾸짖지 않으나 부자의 유
유한 정을 폄이 없어, 대한즉 안색이 십분 엄렬하여 동천열일(冬天烈日)
같고, 태우의 필체 찬란하여 희지(羲之)396)를 압두할 것이요, 화법의
기이함이 눈을 옮기기 아까우나 일분도 두굿김이 없어, 직사와 필흥이
서법(書法)을 배우려 한즉, 금후 문득 정색하고 책하되,
"미친 형의 서화를 본받을 것이 어찌 있으리오."
하고, 매양 윤총재의 필체를 주며 본받으라 하니, 북공의 필체 또한
영롱(玲瓏) 비무(飛舞)하여, 사람의 눈을 현황케 함은 윤이부의 필체도
곤 나은 듯하되, 금후 구태여 본받으라 아니함은, 대개 시사(詩詞)와 필
획(筆劃)에 그 사람의 기상이 나타나는 고로, 북공의 전일호방(專一豪
放)함을 깃거 않음이러라.
차시 양소저의 상처 수십일을 신고하더니, 약석(藥石)397)의 효험으로
거의 차성함을 얻으나, 태우의 광망한 행사를 부중이 모르리 없고, 존귀
태우를 엄치함을 들으매, 불안 황공함이 스스로 몸에 죄를 지음과 다르
지 않아 하는지라. 태부인과 진부인이 더욱 연애하여 무휼함이 강보(襁
褓) 같고, 금후 더욱 애련함을 마지않아 범사에 구구세쇄(區區細瑣)하기

396) 희지(羲之) : 왕희지(王羲之). 307~365. 중국 동진(東晋) 때 사람. 서성(書聖)
으로 일컬어지는 중국 최고의 서예가.
397) 약석(藥石) : 약과 침이라는 뜻으로, 여러 가지 약을 통틀어 이르는 말. 또는
그것으로 치료하는 일.

에 가까우니, 양소저 구고의 이 같으신 은덕이 아니면, 태우의 곤욕 구타를 참고 견디리오. 스스로 쇄신분골(碎身粉骨)하나 존당 구고의 양춘 혜택을 다 갚지 못할까 슬퍼하고, 목전에 불효를 이루지 말고자 하나, 자기 지란(芝蘭) 같은 기질로써, 천인(賤人)도 능히 당치 못할 구타를 당하여, 신병이 일일 첨가(添加)하니, 이우(貽憂)398)를 증(增)함을 탄하는 중, 태우의 질언(叱言) 욕설과 핍박 난타(亂打)함이 아니 미친 곳이 없던 바를 생각하매, 스스로 심한골경(心寒骨驚)함을 면치 못하는지라. 존고의 협실을 일야 떠나지 않아 태원전 신혼성정(晨昏省定) 밖은 움직일 의사 없고, 더욱 사실(私室)에 돌아갈 뜻이 사연(捨然)하니, 진부인이 또한 아자의 광패함을 통한하여 소저를 선삼정에 보내지 아니하니, 가중인(家中人)이 다 태우의 광패(狂悖)함을 꾸짖는 고로, 양소저를 사실의 보냄을 권할 이 없으되, 홀로 북공이 모친께 고왈,

"삼제의 광망함은 통해하오나, 양수의 도린즉 가부를 피하여 침소를 버리고 자위 협실에 머묾이 불가하옵고, 대인이 삼제를 증념(憎念)하시어 양수를 선삼정에 있음을 허치 않으시니, 소자 등이 감히 소견을 고치 못하오나, 생각건대, 세흥의 분노를 점점 도도와 양수와 크게 불화할 징조(徵兆)요, 저희 부부 화락할 길이 없으리니, 세흥이 비록 무상하나 양수에게는 소천(所天)이니, 하늘이 풍우의 위엄이 있으나, 땅이 능히 피치 못할 것이오. 임군이 황음무도(荒淫無道)할지라도, 신자의 도리인즉 버리고 물러나지 못할지라. 부부간을 의논컨대, 군신지간과 다름이 없사오니, 비록 대인 처사시나 양수를 자정 협실에 감추심은 소자 그윽이 의아하옵나니, 양수로 하여금 절절이 삼제의 통해한 마음을 돕고, 세흥으로써 양수의 분완한 증화(憎火)를 도와, 남광여강(男狂女强)399)하여

---

398) 이우(貽憂) : 남에게 근심과 걱정을 끼침.

각재기심(各在其心)400)하니 부창부수(夫唱婦隨)401)하는 화기(和氣) 없을까 하나이다."

진부인이 정색 왈,

"네 말이 오히려 미친 세흥의 어린 기운을 돕고자 함이요, 양아로써 일분이나 강렬한가 그릇 여김이라. 골육동기를 위한 사정이 일편 되니, 여모 어찌 양아를 사실에 보내어 광부 욕자의 마음을 맞춰, 혈육이 임리(淋漓)하게 짓두드림을 다시 보리오."

북공이 함소(含笑), 사죄 왈,

"소자 불민하여 사정의 구애함으로 미친 아우를 편드옵거니와, 소자의 뜻인즉 양수로 하여금 여행(女行)과 부덕(婦德)의 온전코자 함이로소이다."

정언간의 태우 들어오다가, 모친과 형장의 말씀을 다 듣고, 날호여 장을 들고 들어가니, 부인이 다시 말을 않고, 북공이 또한 묵연하거늘, 태우 백형을 두려워하나 오히려 부친과 같지 않고, 모친은 더욱 자애하심을 믿는지라. 문득 웃음을 머금고, 고 왈,

"양가 요물을 감추시어 소자로 하여금 환부(鰥夫)의 괴로움과 음식지절(飮食之節)이며 대객지제(對客之際)에 가음알 이 없게 하시니, 소자 마지못하여 재취를 하리로소이다. 재취를 구할진대, 명문거족과 왕공후백의 천금옥녀를 두고 택서하는 마음이 고산태악(高山泰岳)402) 같아도, 소자를 보는 이는 미치며 사오납다 아니하여 재취도 주고자 할 이 많사

---

399) 남광여강(男狂女强) : 남자는 광패(狂悖)하고 여자는 초강(超强)함.
400) 각재기심(各在其心) : 그 마음이 각각임.
401) 부창부수(夫唱婦隨) : 남편이 주장하고 아내가 이에 잘 따름. 또는 부부 사이의 그런 도리.
402) 고산태악(高山泰岳) : 높고 큰 산.

오리니, 소자 뜻을 결하여 일삭지내(一朔之內)에 색덕(色德)이 갖은 숙녀를 취하여, 양씨를 절치하고 금슬종고(琴瑟鐘鼓)의 화락이 무흠코자 하옵나니, 소자 구태여 번화로 신취(新娶)한가 책지 마소서."

부인이 발연(勃然) 질(叱) 왈,

"네 수백 잉첩(媵妾)을 모아도 여모(汝母) 알 바 아니오. 네 야야 이미 버린 자식으로 알아, 네 행사 아무 지경의 미처도 아른 체 않으려 하시니, 재취(再娶) 아냐, 천흥같이 오취(五娶)를 하여도, 상공이 너를 책할 리 없으니, 다른 이야 더욱 너더러 무엇이라 하리오. 다만 양아는 그 명맥을 보전함을 위하여, 너를 맡겨두지 않을 것이니, 다시 양소부의 말을 말라."

부인이 말씀을 마치매 북공이 태우를 진목(瞋目) 질왈,

"근간 대인이 너를 보실 적마다 안색이 화열하실 적이 없으니, 인자의 마음이 황황송늘(惶惶悚慄)할 바거늘, 어느 겨를에 재취를 생각하리오. 네 행사 갈수록 광패하여 남이 알까 두려운지라. 부훈과 모교의 명성(明聖)하심을 저버리고, 스스로 광음 패악함을 달게 여기니, 어찌 한심치 않으리오. 대인이 관홍후덕(寬弘厚德)을 힘쓰시나 비례불법(非禮不法)은 일호도 용납지 않으시나니, 네 행사 점점 광패할진대 결단하여 사생을 유념(留念)치 않으시리라."

태우 다시 말을 하고자 하더니, 시녀 금평후의 임하심을 고하는지라. 제자가 황망이 하당영지(下堂迎之)하여 침실에 이르매, 금후 태우를 볼 적마다 통완함이 더하여, 안모(顔貌)에 열풍이 비비(飛飛)함 같으니, 북공 등이 역시 송구 전율하더라.

이 날 태우 모친 말씀을 듣자오매 양씨를 쉬이 사실로 보내지 않으실 줄 헤아리매, 심리(心裏)에 울울함을 이기지 못하고, 재취의 뜻이 급하여 부디 색덕(色德)이 양씨만한 여자를 취하여 쾌락고자 하더라.

석양에 취운산상에 올라 풍경을 유완(遊玩)하여 울적한 심회를 위로
코자 하더니, 홀연 눈을 들어 보매 산상 북편에 적은 교자를 놓고, 인가
시녀 양낭의 무리 가득하였는데, 그 가운데 일개 미인이 날랜 어깨에 녹
나삼(綠羅衫)[403]을 착(着)하고, 가는 허리에 홍금상(紅衿裳)을 두루며,
구름 같은 녹발을 정히 싸고, 쌍봉백옥잠(雙鳳白玉簪)을 꽂았으며, 면모
(面貌)에 지분(脂粉)을 난만(爛漫)이 칠하여, 혼란(焜爛)한[404] 자태를
도우니, 높이 비하면 직녀(織女)[405]가 오작교(烏鵲橋)[406]를 지나는 형
상이요, 낮이 비하면 서시(西施)[407]의 고움과 비연(飛燕)[408]의 경신(輕
身)함을 아울렀으니, 태우 가장 황홀함을 이기지 못하고, 자세히 살피매
이목구비와 일신체도(一身體度)가 기기묘묘하여 눈이 밤비고[409] 신혼
(神魂)이 어린지라. 태우 평생 무산(巫山)[410]과 월궁(月宮)[411]을 보았으

---

403) 녹나삼(綠羅衫) : 녹색의 비단 적삼.
404) 혼란(焜爛)하다 : 혼란(焜爛)하다. 어른어른하는 빛이 눈부시게 아름답다.
405) 직녀(織女) : 견우직녀 설화에 나오는 여자 주인공.
406) 오작교(烏鵲橋) : 까마귀와 까치가 은하수에 놓는다는 다리. 칠월 칠석날 저녁
    에, 견우와 직녀를 만나게 하기 위하여 이 다리를 놓는다고 한다.
407) 서시(西施) : 중국 춘추 시대 월나라의 미인. 오나라에 패한 월나라 왕 구천이
    서시를 부차에게 보내어 부차가 그 용모에 빠져 있는 사이에 오나라를 멸망시
    켰다.
408) 비연(飛燕) : 중국 전한(前漢) 성제(成帝)의 비(妃). 시호는 효성황후(孝成皇
    后). 가무(歌舞)에 뛰어났고 빼어난 미모로 성제의 총애를 받아 황후에까지 올
    랐다.
409) 밤비다 ; 빛나다. 부시다.
410) 무산(巫山) : 중국 중경시(重慶市) 동쪽에 있는 현. 무산십이봉(巫山十二峯)이
    솟아 있는데 기암과 절벽으로 이루어진 경치가 아름답기로 유명하다. 소설 등
    에서 신선이나 선녀가 사는 선계(仙界)로 설정되는 경우가 많다. 여기서는 무
    산선녀를 뜻한다.
411) 월궁(月宮) : 전설에서, 달 속에 있다는 궁전. 여기서는 월궁에 살고 있다는 선
    녀인 상아(嫦娥)를 뜻한다.

되, 이 여자의 아름다움이 어찌 양소저를 미치리오마는, 전세 업원(業冤)이 중한 연고로 비롯함이니, 도시 양씨의 홍안(紅顔)의 해(解)를 면치 못함이라.

이 화루(華樓)는 여람백 성공의 가사(家舍)니, 성공의 위인이 걸호(傑豪) 장자(長子)로되, 일찍 금현(琴絃)412)이 단절하여, 자녀를 갖추 두고 상실(喪室)하매, 박부득이(迫不得已)413) 노씨를 재취하매, 노씨의 위인이 무일가취(無一可取)414)로되, 이미 취한 바를 버리지 못하여 강인(强忍)하여 부부지도(夫婦之道)를 이뤘더니, 정문의 여액(餘厄)이 미진하여 정예백이 일장풍파를 겪을 때라. 노씨 일녀를 생하니 이름은 난홰라. 위로 닐곱 자녀를 성취(成娶)하고, 필녀(畢女) 난화가 연보(年譜) 이칠(二七)에 애용(愛容)이 절세하고 기질이 아연(雅然)하니, 부모 만래(晚來) 필아(畢兒)로 사랑이 제자(諸子)의 위라.

그 집이 동문 안에 있어 취운산 풍경이 기이(奇異)함을 듣고, 부모를 보채여 산경(山景)을 보아지라 하니, 성백이 규수의 행사 불가(不可)타 하고 허치 않고, 그 거거(哥哥) 성한림 등이 힘써 말리니, 난화가 부친을 두려 취운산 경치를 보지 못하였더니, 마침 성백이 친우 설연(設宴)하여 청하는지라. 성백이 아자(兒子)를 거느려 나간 사이를 타, 난화 취운산에 이르러 종일 산경을 유완(遊玩)하여 돌아갈 줄을 잊었더니, 정태우를 공교히 만난지라. 아무인 줄을 알지 못하되 그 유지풍(柳之風)415)

---

412) 금현(琴絃) : '거문고의 줄'이란 듯으로, 부부 가운데 한쪽 편을 이르는 말. 즉 부부가 서로 화락하는 것을 금슬지락(琴瑟之樂)이라 하는데, 이는 거문고와 비파가 좋은 화음을 이루는 것에 비유한 말로, 거문고와 비파는 '부부'를 대유(代喩)한 표현이다.
413) 박부득이(迫不得已) : 일이 매우 급하게 닥쳐와서 어찌할 수 없이.
414) 무일가취(無一可取) : 한 가지도 취할 만한 것이 없음.
415) 유지풍(柳之風) : 버들가지 같은 늘씬한 풍채.

과 화지용(花之容)416)을 놀라고, 문득 흠모하는 마음과 유의(留意)하는 뜻이 있으니, 몸이 성문법가(聖門法家)에 나고 부형이 어질되, 난화는 각별한 요인(妖人)이라. 바야흐로 이칠(二七) 춘광(春光)이 되도록 군자를 만나지 못하니, 스스로 맹세하여 옥인(玉人) 영걸(英傑)을 만나지 못한즉, 심규에서 종로(終老)함을 원하니, 성백과 한림 등이 규수의 염치 상진(廉恥喪盡)함을 책하되, 노씨 난화를 과애하여 그 뜻을 어기지 못하는 고로, 대로(大路)를 향하여 일좌(一座) 채루(彩樓)를 세우고, 그 딸을 그 곳의 두어 노중(路中) 남자 가운데 영웅 준걸을 가리라 하니, 난화 평일 심상(心上)417) 칭선하는 자는 평장 진영수와 정병부 죽청공이요, 초평후 하사마며, 남창후 윤청문 곤계(昆季)요, 태우 경춘기로되, 진평장은 연기 삼십이 거의요, 양처를 두어 자녀 여럿임을 들었고, 정죽청은 문양공주 같은 존귀함으로도 단장박명(斷腸薄命)을 겪고, 공주의 과악이 드러나매 아주 금슬지정(琴瑟之情)을 베고 사비(四妃) 십희(十姬)를 두어 화락이 무흠(無欠)하니, 다시 신취(新娶)의 뜻이 없을 줄을 듣지 아녀 알 것이오. 윤청문 곤계는 그 가변이 차악하여 위씨와 유씨 개과천선하였음을 알지 못하고, 저 같은 것이 일시도 용납지 못할 줄 헤아려 능히 생의(生意)치 못하고, 초평후는 윤·연 두 부인을 두고 다시 처첩을 갖추지 않으려 함을, 그 백씨 한림 처 조씨 정국공 부인의 질녀(姪女)인 고로 자세히 들었고, 경춘기는 소주 자사를 하였을 제, 성백이 소주 토민의 뫼를 앗아 부모의 장지(葬地)를 정코자 하되, 일이 당연치 않은 고로 경춘기 성백으로 하여금 그 뫼를 못쓰게 처결(處決)하니, 인하여 경·성 양가 혐극(嫌隙)이 되었는 고로, 혼인을 의논치 못할지라. 이

---

416) 화지용(花之容) : 꽃처럼 아름다운 얼굴.
417) 심상(心上) : 마음으로.

러므로 난화 저의 가기(佳期)를 정치 못하고, 정태우도 동문으로 지나기를 무수히 하되, 원간 그 위인이 종용치 못함으로 각별이 날랜 말을 구하여 추풍(秋風) 취우(驟雨)같이 달려 왕래함으로, 그 얼굴을 자세히 보지 못하였다가, 천연이 기구(崎嶇)하여 오늘날 서로 익히 본지라. 규녀의 염치 인사를 잊고 홀홀(忽忽)히⁴¹⁸⁾ 혀를 둘러 기특히 여김을 마지아니하니, 제시녀 양낭(養娘)이 소저를 데리고 왔다가 외인의 본 바 되니, 경황하여 급히 교자를 앞에 놓고 소저의 들기를 재촉하니, 성씨 가장 괴로이 여겨, 이르되,

"내 이미 산경을 보러 왔는지라. 채 보도 않고 어찌 교자에 들리오."

이리 이르며, 골홈⁴¹⁹⁾의 찼던 금령(金鈴)⁴²⁰⁾을 끌러 멀리 정태우를 향하여 던지니, 시녀 등이 해연(駭然) 경악(驚愕)함을 이기지 못하나, 난화의 성도가 포악함으로 거우기⁴²¹⁾ 싫어 보기만하고 말을 아니 하더라.

정태우 미인의 던진 금령(金鈴) 일 줄이 자기 앞에 내려짐을 보고, 반드시 유의함인 줄 깨달아 즉시 자기 백옥건잠(白玉巾簪)을 빼어 미인에게 던지려 하다가, 오히려 부형의 총명지식(聰明知識)을 품수하였는지라. 심리(心裏)에 헤오되,

"내 전후에 창물(娼物)도 많이 유정(有情)하여 보았으되, 멀리서 굴을 던져 정을 비추는 유(類)도 일분이나 수괴(羞愧)한 빛을 두고, 군자를 어려이 여기는 유(類)는 절을 지키고자 마음이 있어, 월하선을 일러도

---

418) 홀홀(忽忽)하다 : 조심성이 없고 행동이 매우 가볍다.
419) 골홈 : 고름. 옷고름. 저고리나 두루마기의 깃 끝과 그 맞은편에 하나씩 달아 양편 옷깃을 여밀 수 있도록 한 헝겊 끈.
420) 이 장면에서 성난화가 던진 패물(佩物)을 82권 31-32쪽에서는 금녕(金鈴)으로 말하고 있다.
421) 거우다 : 거스르다. 다투다. 집적거려 성나게 하다.

이름이 창녀나 초에 나를 좇을 때에 수괴한 빛이 있더니, 이제 대인의
엄명을 만나 내치시대 마침내 나를 버릴 의사 없으니, 차인의 거동과 복
색은 후문(侯門) 여자 같으되, 금령을 던지는 행실은 심히 아름답지 아
니하니, 어찌 그 얼굴과 같지 못한고? 이제 저런 유에게 신물을 보내어
는 아름답지 않은 말을 취하리니, 아무려나 고개 조아 금령 받는 뜻을
응하고, 저의 근본을 종용이 알아보리라."

　의사 이에 미처는 금령을 거두어 소매에 넣고 길이 고개 조으니422),
난화 알아보고 비로소 교자에 드는지라. 태우 오래도록 서서 교자 가는
데를 보니, 성부 시녀 등이 여러 노자 등을 멀리 세웠다가, 일시에 불러
교자를 메워 나는 듯이 문내(門內)로 향하거늘, 태우 바랄만치423) 따라
가 그 가는 집을 본즉 여람백 성공의 가사(家舍)거늘, 중심에 성백의 여
(女)임을 짐작하고 돌아오니, 벌써 황혼이더라.

　정당에 들어가 석반을 찾아 태부인 안전에서 먹고, 서재에 돌아와 금
령을 어루만져 그 자색(姿色)을 사상(思想)하나 그 행실이 정렬(貞烈)치
못함을 지기하고 깊이 사렴(思念)함은 없더라.

　차시 난화 부중(府中)에 돌아와 산상(山上)에서 방랑하던 소년의 기이
한 용화를 모친께 고하고, 일생을 섬김을 원하는지라. 노씨 불인(不人)
함이 여아의 불초(不肖)함을 책(責)지 않고, 시녀를 놓아 그 소년의 자
취를 심문(尋問)하매, 금평후 정공의 제삼자요, 간의태우 세흥이라 하는
지라. 노씨 왈,

---

422) 조으다 : 조아리다. 상대편에게 존경의 뜻을 보이거나 애원하느라고 머리를
　　깊숙이 숙이거나, 이마가 바닥에 닿을 정도로 머리를 자꾸 숙이다.
423) 바랄만치 ; 바라볼 수 있을 만큼. *바라다; 어떤 것을 향하여 보다.

"정공의 문미(門楣)424) 높음이 공후 벌열로 천하에 미칠 이 없고, 제 정이 다 출류(出類)하여 명문거족으로 형세 당당하니, 결연이 허치 않을까 하노라."

난화 울며 보채여 왈,

"정가가 아무리 고안(高眼)이 태산 같아도 소녀 두렵지 않으니, 모친이 그로써 염려치 마시고, 소녀로써 정세흥의 비첩지열(婢妾之列)에나 참예케 하소서."

노씨 진실로 아무리 할 줄을 몰라 하거늘, 난화 결하여 정세흥이 아니면 인륜(人倫)에 충수(充數)치 않겠노라 하고, 일야(日夜) 애걸하니, 노씨 일계를 생각하고 그 아우 노귀비 황상께 승은하여 총행(寵幸)하시는 바라. 노씨 여아의 굳은 정심과 보챔을 견디지 못하여, 귀비기 글을 부쳐 정세흥으로써 자기 여아와 결승(結繩)425)을 맺음을 청하여 사혼(賜婚)하심을 바라니, 노귀비 그 말을 좇아 황야께서 자기 침전에 들으시는 때를 타 이 소유(所由)를 주하니, 상이 세흥을 총애하시는지라. 이에 가라사대,

"성녀가 아름다운즉 짐의 사혼함이 쾌하거니와, 일분이나 정세흥의 위인을 미치지 못할진대, 정가(鄭家)가 크게 불열하리라."

귀비 질녀의 아름다움을 갖추426) 고하여 사혼하심을 간절히 주(奏)하니, 상이 신청(信聽)하시어 즉시 간의태우 정세흥을 명초하시어 편전에

---

424) 문미(門楣) : ①문벌, 가문. ②창문 위에 가로 댄 나무. 그 윗부분 벽의 무게를 받쳐 준다.
425) 결승(結繩) : ①끈이나 새끼 따위로 매듭을 지음. ②월하노인이 청실홍실을 묶어 부부의 인연을 맺어준다는 전설에서 유래한 말로, 혼인을 맺는다는 뜻으로 쓰인다.
426) 갖추 : 고루 있는 대로.

서 글을 짓게 하실 새, 입번(入番) 태우와 학사의 무리 수십여 인을 다 한가지로 짓게 하시매, 이윽고 제 명류 다 작필(作筆)하여 올리니, 으뜸은 정세흥의 글이라. 상이 제 명류를 상사하시고 정세흥은 특별이 여람백 성흠의 여로 사혼(賜婚)하여 총우하시는 뜻을 뵈노라 하시니, 태우 불감청(不敢請)이언정 고소원야(固所願也)로되, '사양지심(辭讓之心)은 예지단(禮之端)'427)이라. 벌써 취실하여 아내로 집을 지키매 타념(他念)이 없음을 주(奏)하여 고사(固辭)하니, 상이 웃으시고 가라사대,

"님군의 주는 바는 견마(犬馬)라도 사양치 못하나니 하물며 절색가인(絕色佳人)이냐? 경이 비록 취실하였으나 태우는 삼체(三妻)라. 재취(再娶) 무엇이 외람하여 고사하느뇨? 짐의 뜻이 이미 정하였으니 사양치 말라."

하시니, 태우 하릴없어 사은하고 퇴조하여 부중의 돌아올 새, 상이 환시(宦侍)로써 정·성 양부에 사혼전지를 내리오사, 금평후와 여람백이 알게 하라 하시니, 환시 성부에 먼저 전하고, 버거 정부에 이르니, 태우 먼저 돌아와 차사를 존전의 고하매, 금후는 정색(正色) 위좌(危坐)하여 일언을 않고, 태부인과 진부인은 아부(兒婦)의 적인(敵人) 만나게 됨을 근심하고 통한하되, 상명이라 말을 못하더니, 환시 이르러 황명을 전하니, 금후 감히 사양치 못할 줄 알고, 오직 주찬으로 환시를 접대하여 보낼 뿐이라.

차시 성부에서 여람백과 성한님 형제 난화의 불인(不仁)함으로써 정문에 정친(定親)함을 불열하나, 노씨는 즐겨함이 비할 데 없더라.

---

427) '사양지심(辭讓之心)은 예지단(禮之端)': 사양하는 마음이 예(禮)의 출발점이 라는 말.

금후 태우를 더욱 증분(憎憤)하여 길일에 빈객을 아니 모으려 하더니, 대양씨가 소양씨를 보고 이르되,

"숙숙(叔叔)의 재취 길일이 가까운데 현제는 어찌 길복을 갖추지 아니하느뇨?"

소저 미소왈,

"소제 투기함이 아니라 정군이 나를 욕한 줄 합가(闔家) 모르면 종용이 사실에서 관복을 정하려니와, 일이 드러나 사기 요란하니, 이제 존고 협실에 두시고 길일에 참예치 말고자 하시는데, 소제 구태여 어진 체 하여 자원하리까? 부도는 없으나 효봉구고(孝奉舅姑)나 하려 하나이다."

양부인이 책 왈,

"고집 말고 길복을 이루라."

하니, 아주 소저 양인의 문답을 듣고 부모께 가만히 고하니, 금후 웃고 왈,

"양소부는 열일군자(烈日君子)의 풍이 있고 아녀자의 녹녹(碌碌)함428)이 없도다. 세흥이 비록 무상하나 길복을 아니 다스리지 못하리니, 양아가 부인의 명을 기다린다 하니 부인은 길복 다스림을 명하소서."

진부인이 마지못하여 양소저를 명하여 아자의 길의(吉衣)를 이룸을 이르나, 일념에 세흥의 일을 통한함과 양소저 자닝함을 이기지 못하더라.

차시 태우, 양씨의 그림자도 못 얻어 본 지 수삭에 미치니, 본디 은정이 옅지 않은 고로 울울함을 이기지 못하되, 양소저 처변이 영오 민첩하여 중목소시(衆目所視)에 태우를 대한즉 현현이 피함을 나타내지 않되, 몸 감춤을 못 미칠 듯이 하니, 진부인이 그 뜻을 더욱 애련하더니, 일야

---

428) 녹녹(碌碌)하다 : ①평범하고 보잘것없다. ②만만하고 상대하기 쉽다.

는 부인이 주부인의 청함을 인하여 낙양후 부중에 가 밤을 지낼 새, 태부인이 양소저 협실에 혼자 있음을 염(念)하여, 혼정을 파한 후 다시 소저를 불러 열녀전(列女傳)429)을 보이더니, 야심 후 태부인이 몽롱이 접목하니, 양소저 감히 물러나지 못하고 책을 덮고 상하에 앉았더니, 태우 진부에 갔다가 모친이 숙모 침소에서 숙침하심을 보고, 용약(勇躍)하여 기탄없이 협실의 들어가 양씨를 일장 곤욕고자 이르니, 양씨 없는지라.

시녀더러 간 곳을 물으니 태부인 명으로 정당에 가심을 고하는지라. 태우 즉시 태원전의 이르니, 양씨 태부인 상하(床下)의 단좌하여 자기를 보고 불호한 빛을 나타내되, 마지못하여 일어나 맞는지라.

태우 눈을 들어 보니 소저의 상처 쾌히 낳았고, 촉영이 쇠잔한데 찬란한 광휘(光輝) 더욱 조요(照耀)하여, 백일(白日)이 만방에 빛을 흘리고, 명월이 벽공(碧空)에 한가한 듯, 백태천광이 수삭 보지 못하였던 눈을 현황케 하는지라. 태우 그 옥모화질(玉貌花質)을 대하매 분노하던 뜻이 춘설 스러지듯 하고, 산해 중정을 걷잡지 못하는지라. 연망(連忙)이 나아가 옥수를 연(連)하니, 소저 놀랍고 슬미움이430) 사갈과 시호를 대한 듯, 안색이 변함을 깨닫지 못하되, 존전이라 감히 일언을 못하고, 새로운 분노가 측량없는지라.

태부인이 처음 문 열 때의 깨어 눈을 들어 태우를 보대, 그 거동을 채보려 짐짓 자는 체하더니, 양씨를 견권(繾綣)함을 보고 심중에 두굿기고, 저희 부부 만나게 하고자 하여 잠깐 기침하고 돌아 누우니, 태우 손을 놓고 장외로 나가는지라. 소저 태우가 협실에 와 광거를 부릴 줄 짐

---

429) 열녀전(列女傳) : 중국 한(漢)나라의 유향(劉向)이 지은 책. 고대로부터 한대(漢代)에 이르는, 중국의 현모·열녀들의 약전(略傳), 송(頌), 도설(圖說)을 엮었다.
430) 슬밉다 : 싫고 밉다. 얄밉다.

작하고, 태부인께 시침함을 청하니, 태부인 왈,

"네 고모 금일 진부의 가서 자니, 침실을 비움이 불가한지라. 금야란 협실에 가서 자고 다른 날 노모의 곁에서 자라."

소저 존명을 위월치 못하여 유유(儒儒)하니, 태부인이 시녀를 명하여 촉을 주어 소저를 협실로 인도하라 하니, 소저 하릴없어 존고 협실로 돌아갈 새, 태우 먼저 협실로 오다가 여측(如厠)하라 나가니, 소저 암희하여 협실에 이르러 문을 안으로 잠그고 옷을 입은 채 누었더니, 태우 다시 협실에 이르러 문을 열려 하니 긴긴(緊緊)히 잠겼는지라. 심리에 통한함을 이기지 못하여, 편각(片刻)431)에 문을 차 깨어짐을 보고자 하되, 모친 침전임으로 감히 작난치 못하고, 문에 구멍을 뚫고 손을 들이밀어 잠근 것을 비틀매, 이상한 용력이라, 수고를 발치 않아서 쇄약(鎖鑰)이 빠지거늘, 문을 열고 들어간 즉, 양씨 이에 다다라는 일어날 의사 없어 입은 위로, 금금(錦衾)을 단단히 덮고 아주 죽은 듯이 움직이지 않으니, 생이 분노를 이기지 못하여 침금을 벗겨 앗고, 양씨의 옥수를 잡아 일으키니, 소저 새로이 심기 아득하고 증한(憎恨)이 첩첩하니, 봉황미(鳳凰眉)에 노분(怒憤)을 띠어 정생에게 휘잡혀 일어나 앉아니, 태우 집기수(執其手) 연기슬(連其膝) 하여 자기를 노려보는 눈이 고대 삼킬 듯싶으니, 소저 진력(盡力)하여 손을 빼고자 하되, 태우 단단히 쥐었으니 능히 뺄 길이 없으니, 금야에 자기 명을 끊을 날인 듯, 비한(悲恨)에 가슴이 막힐 듯하여, 말이 없더니, 태우 찬 칼을 빼어 번득이며 꾸짖어 왈,

"요악한 별물(別物)이 나로 하여금 엄전에 중죄를 받잡게 하며, 한없는 고상(苦狀)을 당케 하여, 긴 혀를 놀려 아당(阿黨)함이 아니 미친 곳이 없고, 무슨 의사로 자정 협실에 숨어 나를 내외(內外)하며, 요언을

---

431) 편객(片刻) : 삽시간. 매우 짧은 시간.

주작하여 부자(父子) 모자(母子) 간 천륜지정을 난상(亂傷)코자 하느뇨?
이 칼로 먼저 그 혀를 베어 요언(妖言)을 놀리지 못하게 하리라."

양씨 문득 차게 웃고 가로되,

"첩이 불민 무상하여 결부(潔婦)의 죽음을 효칙지 못하고, 군자의 전
후 누언과 참욕을 들음이 그 수를 알지 못하리니, 이는 다 첩의 불민한
연고라 무엇을 한하리까마는, 원간 사람이 친히 들으며 보지 않은 전은
억탁(臆度)하여 무함(誣陷)함이 가치 않은지라. 사람의 없는 허물을 일
컬음이 스스로 참괴할지라. 군자의 위엄이 천하에 한 사람이라 일러도,
간대로 무근지설(無根之說)을 주작(做作)지 않으심 즉 한지라. 첩이 엄
구와 존고께 군자의 않은 말과 무단한 과실을 고하여 천륜지정을 난상
코자 할진대, 군자 친히 참청함이 계시니까? 첩이 간예함이 없어도 군
자 엄전의 수장함이 잦으시니, 어찌 첩에게 죄를 미루시며, 첩의 사생이
또 군자에게 달렸으나, 칼을 비껴 장한 위엄을 뵈시나 첩이 별로 두려워
할 바 아니라. 벌써 명도(命途) 박하여 군자의 무궁한 욕설을 받으니 어
찌 살고자 마음이 있으리까? 그러나 삼촌설(三寸舌)을 연고 없이 내밀
어 군자의 칼끝에 베이지 않으리니, 모름지기 수신(修身) 섭행(攝行)하
여 패도(悖道)를 그치소서."

언필의 냉엄한 기운이 일신이 서늘케 하는지라. 태우 전일은 온 가지
로 저를 구타하고 모욕하여도 일언을 변쟁(辯爭)함이 없더니, 금야에 다
다라는 자기를 아주 광부(狂夫) 박행지인(薄行之人)으로 지목(指目)함을
대로하되, 은정이 견권(繾綣)한 바에 다시 보챌 뜻이 없어, 타일 조르고
자 하는 고로, 다시 말을 않고 빨리 이끌어 금리(衾裏)의 나아가려 하
니, 소저 죽기로 그음하여 은애(恩愛)를 막자름이, 일분 인정이 없어,
매몰 씩씩함이 비컨대 설상한상(雪上寒霜) 같으니, 태우 반야를 힐난하
여 은정을 펴고자 하나, 소저 전일은 오히려 수습함이 있으나, 도금(到

今)하여는 태우의 광망함이 날로 층가함을 보매 한갓 온공(溫恭)함만 주하지 못할지라. 천생 강렬한 성도를 감추지 않아 씩씩이 거절하고 냉담이 물리쳐 태우의 은정을 가납(嘉納)지 않으니, 태우 통완함을 이기지 못하여, 팔을 잡아 이끌려 하매 팔이 상하여 피 나고, 머리를 잡아 병풍에 부딪치매 두골이 겨우 완합하였더니 다시 깨어지고, 만신이 다 상하여 인사를 모르되, 질욕함을 그치지 아니하니, 소저 태우의 구욕(驅辱)이 익익층가(益益層加)함을 보매 진실로 무생지기(無生之氣)하고 유사지심(有死之心)하니, 잠연(潛然)이 인사를 모르는 듯하더니, 태우 칼등으로 소저를 치노라 한 것이 그릇 칼날이 소저의 가슴에 박히매, 희미히 한 소리를 하고 넘어지니, 그 위위(危危)한 경상(景狀)이 참불인견(慘不忍見)432)이라.

　태우 도리어 창황망극(悄怳罔極)하여 급히 칼을 빠히고, 연망(連忙)이 협사(篋笥)의 약을 뒤여, 일변 상처에 바르고 일변 입에 약을 드리오대, 소저 오래도록 정신을 차리지 못하여 생도가 망연한지라. 태우 그 낯을 접하고 실성비읍(失性悲泣)함을 깨닫지 못하니, 흐르는 눈물이 천항(千行)이라.

　차시 정세홍의 거동이 기괴망측하여 양씨의 진하여 가는 경상을 차악하되, 태우의 거동인즉 화공(畵工)을 불러 채필(彩筆)을 가함직 하더라. 시녀 등이 태우의 작난이 이렇듯 함을 정당의 고코자 하되, 태부인이 취침하실 뿐 아니라 가중 비복이 태우를 두리는 고로 감히 고치 못하고, 창황실조(蒼黃失措)함을 마지않더니, 계명(鷄鳴)에 이르러 소저가 숨을 내쉬고 눈을 들어 좌우를 살피는지라.

---

432) 참불인견(慘不忍見) : 참혹하여 차마 볼 수 없음.

태우 불승행열(不勝幸悅)하여 스스로 낯을 돌려 누흔(淚痕)을 없애고, 소저의 손을 잡아 맥을 보고자 하니, 소저 끔찍하고 흉히 여겨 기운을 십분 강작하여 뿌리치미 더욱 냉담한지라. 태우 갈수록 구속지 않음을 분노하나, 오히려 그 사생을 염려함으로 분을 참고 위력으로 손을 잡아 맥을 살피매, 문득 놀라온 바는 그 가운데 태후(胎候) 있어 거의 삼사 삭이나 된 듯한지라. 광패 무상한 마음에도 자식 귀중함은 아는지라, 자기 저를 보채며 구타하여 태후 중 해로움이 많은가 뉘우침을 이기지 못하되, 일단 고집이 태과하여 자기 허물을 일컫지 않으려 하는지라. 곁에 이윽히 앉아 말이 없더니, 날호여 금금(錦衾)을 잡아당겨, 소저를 덮고 나오며 이르대,

"몸을 조심하여 태를 안휴(安休)케 하면 기쁘려니와, 불연즉 용사치 않으리라."

소저 차언을 들으매 더욱 분노하고 염치없이 여기더라.

시녀 양낭의 무리 서로 이르대, 천하에 안면(顔面) 두껍고 기백(氣魄) 좋음은 우리 삼상공 같으신 이 없다 하더라.

날이 밝은 후 진부인이 아주로 더불어 일찍 돌아와, 먼저 태원전에 들어가 존당에 신성하고 물러 침소의 이르니, 시녀 등이 작야사(昨夜事)를 일일이 고하니, 부인이 청필(聽畢)에 불승통해(不勝痛駭)하여 태우를 크게 다스리고자 하되, 엄부 재당(在堂)하여 가르치는 바 법도의 숙연하니, 자모의 약석지언(藥石之言)이 무익하여 잠잠하고, 다만 양소저의 상처를 보고 평후께 고하려 하는 고로 이에 협실에 이르니, 소저 혼혼(昏昏)이 소리 없이 머리를 베개의 던지고 금리(衾裏)에 쌓여 형색이 위위(危危)하니, 부인이 나아가 앉아 그 상처를 두루 보매, 눈물이 비같이 떨어짐을 면치 못하여, 다시 그 옥비섬수(玉臂纖手)를 만지매 피육(皮肉)이 다 으깨지고 적혈이 임리(淋漓)하였으니, 부인이 차마 보지 못하

여 아주 소저로 지키게 하고 나와, 북공을 불러 태우의 작야 작난을 이르고, 양씨의 명재수유(命在須臾)함을 금후께 고하라 한데, 북공이 모친 말씀으로 좇아 아우의 광패함을 불승차악 하나, 차사를 야야께 고한즉 태우의 중책 입음이 반듯할지라. 이에 피석 궤고 왈,

"세흥의 행사는 갈수록 광패 한심하오나, 생각건대 본심이 양수를 죽이고자 함이 아니라. 자위 나가신 때를 타 양수를 협제(脅制)코자 하매, 양수의 열렬(烈烈)함이 광부(狂夫)의 뜻을 용납지 않은 연고로, 패광(悖狂)한 아해 작난이 이 지경에 미침이라. 저해 본심인즉 양수를 미워함이 아니요, 일시 호승으로 연소배의 상힐(相詰)함을 엄전의 고한즉, 아이 필연 장책을 면치 못할지라. 성가 길기(吉期) 수일이 격하였사오나, 비록 기쁘지 아니하오나 성상의 사혼하신 바로 어김이 불가하오니, 자정이 차사를 대인께 고치 마시고, 저를 보셔도 아는 체 마시어 언어에 일컫지 않으신 즉, 제 염치 비록 상진(喪盡)하오나 일분 두려워함이 있으리이다."

부인이 탄 왈,

"여언(汝言)이 유리하거니와 너의 야야의 청덕과 나의 잔미(孱微)함으로 세흥 같은 광패한 것을 생할 줄 어찌 알리오."

북공이 웃고 주 왈,

"세흥의 행사 광망(狂妄)하오나 풍신 재화가 타인의 바랄 바 아니되, 양수를 보채고 구타함은 일편되이 저를 책할 바 아니라, 양수의 너무 강렬하신 연고인가 하옵나니, 여자는 복어인(伏於人)433)이라. 설사 가부가 뜻에 불합한들 온순비약(溫順卑弱)434)함이 지극한 부도(婦道)거늘,

---

433) 복어인(伏於人) : 남[남편]의 뜻에 순종함.
434) 온순비약(溫順卑弱) : 온순하고 자신을 낮추고 세차지 않게 처신함.

이제 양수는 삼제 앎을 미친 범과 사갈같이 여기며, 비록 언어 간의에 박절함을 나타내지 아니하오나, 은은히 비침이 있는 고로, 광망한 아해 더욱 심화를 내는 것이니, 자위는 양수를 온순 화열함을 경계하시고, 작야사를 다시 일컫지 마소서"

부인이 탄식 왈,

"여자 됨이 지극히 구차하고 어려움을 가히 알리로다. 양소부의 옥이 티 없음과 얼음이 맑은 행실로써, 어찌 하자할 곳이 있으리오마는, 너의 사정이 과도하여 양아로써 강렬하다 나무라 하니, 원민치 않으리오."

북공이 함소(含笑) 궤좌(跪坐)라가 날호여 고 왈,

"양수의 병침에 소자 나아감이 불가하되 잠깐 나아가 진맥고자 하나이다."

부인이 즉시 북공으로 더불어 협실에 나아가 진맥할 새, 본디 예모 삼엄하여 수숙지간(嫂叔之間)에 눈을 들어 봄이 없는 고로, 상처를 살피지 않으나 맥을 보매 그 중상하였음을 가히 알 것이요, 또 사생에 염려 있는지라. 크게 경악한 중 태후(胎候)가 있어 놀람을 과히 하여, 안태(安胎)함이 어려움을 알매, 약 쓰는 것이 일시 급한지라, 모친께 고 왈,

"자세하든 않으오나 태후가 있는 듯싶으니 자위 삭수(朔數)를 아시나이까?"

부인이 경왈(驚曰),

"아부의 유신(有娠)함을 노모는 망연이 알지 못하나니, 태후가 분명할진대 필연 안태(安胎)치 못하리로다."

북공이 고왈,

"의치(醫治)를 잘 알아 하온즉 태후 안온하오리니 자위는 과려치 마소서."

언파에 빨리 나와 자작명약(自作名藥)하여 대양부인을 주어 빨리 달여 급히 쓰게 하고, 상처에 속(速)한 약을 자위께 드려 바르게 하니,

부인이 종일 협실에 있어 약을 바르고 구호함을 지극히 하니, 황혼에 미처 정신을 차려 죽음(粥飮)을 마시고, 존고의 이렇듯 하심을 불승황공하여 불안함이 안색에 나타나니, 진부인이 청루(淸淚)를 나리오고 어루만져 가로되,

"불초 패자(悖子)가 광망(狂妄) 무례(無禮)함이 여차(如此)하여, 현부를 이렇듯 구타하니 어찌 통해치 않으리오. 상공께 고하여 크게 다스릴 줄 모르는 바 아니로되, 오히려 생각함이 있어 고치 못하나, 패자의 행사 어찌 분해치 않으며, 현부의 지란(芝蘭)같은 약질이 보전함을 능히 바라리오. 차후 아자를 서로 봄이 있으나, 이열기심(以悅其心)435)하여 신상에 유해케 말라."

인하여 태신(胎身)의 삭수(朔數)를 물으니, 소저 참황 수괴하여 불감대(不敢對)하고 옥면이 통홍(通紅)하니, 부인이 더욱 애련하고 두굿겨 옥수를 잡고 이르대,

"내 실로 현부에게 자모나 다름이 없거늘 어찌 이렇듯 수습함을 과히 하느뇨?"

소저 유유(儒儒)하여 분명이 알지 못함을 고하니, 부인 왈,

"짐작건대 사오 삭이나 된가 하노라."

소저 수괴만면(羞愧滿面)하여 몽롱이 대하니, 부인이 보호함을 차후 더욱 여린 옥같이 하고, 이 소유를 금후께 고치 아니하니, 금평후 소저를 오래 보지 못하되 태우의 난타 구욕함은 알지 못하고, 일일은 부인을 대하여 물어 가로되,

"신혼 성정에 양소부를 보지 못하니 유질함이 있으니까?"

부인이 대왈,

---

435) 이열기심(以悅其心) : 그 마음을 기쁘게 함.

"양현부 우연이 유병하니 십분 절민하여이다."

금평후 크게 경녀하여, 아주로 하여금 양씨를 당부하여 조심 보호함을 이르라 하고, 부인을 돌아보아 아부를 극진히 구호함을 재삼 이르더라.

차설 순태부인이 평일 태우의 영호(英豪) 출류(出類)하고, 기도(氣度)가 늠름함을 과애(過愛) 하더니, 차시를 당하여는 도리어 그 광패한 행사를 통해함이 많더니, 이 때 양씨 상하에 시침함을 청하되, 태우의 견권한 뜻을 애련하여 허치 않고 협실로 돌아 보냈더니, 세홍의 광패 무도함이 그대도록 난타 구욕할 줄은 생각지 못하고, 우겨 협실로 들여보낸 바를 천만 뉘우쳐, 생의 광패함을 분해하되 혼례를 무사히 지내기를 위하여, 평후더러 이일을 말하지 않으나, 색위(色威) 흔연치 아니하니, 생이 전일은 조모의 교애(嬌愛)를 많이 믿는 바러니, 도금하여는 조모로부터 합문 상해 다 자기를 사람같이 여기는 이 없어, 입 밖에 말이 난즉 광언 잡설로 치우고, 몸을 움직인 즉 광부로 알아 꾸짖으니 아무리 할 줄 모르는 가운데, 부친의 묵묵(黙黙)함이 한 말씀 계책(戒責)하심이 없으니, 그 주의 장차 어떠 하실꼬?, 날로 황민(惶憫) 축척(跼蹐)함이 유사지심(有死之心)하고 무생지기(無生之氣)하여 스스로 독부(毒夫) 됨을 애달라 하는 바라.

양씨를 칼로 질너 상해오고 나온 후의 삼일이 되어, 병세 아무란 줄을 망연이 알지 못하니, 중심의 염려 비할 곳이 없으되, 감히 모친께도 묻잡지 못하고, 자기 양씨를 칼로 지른 줄은 부공과 제형이 다 모름으로 알아 행희 하되, 모친이 마침내 기이지 아니실 줄 헤아려, 부친이 아시는 날이면 책죄(責罪)하심이 아무 지경에 갈 줄을 알지 못하여, 은위만복(隱憂滿腹)하되 마침내 삼가고 조심하는 뜻이 없으니, 어찌 정도에 나아갈 길이 멀지 않았으리요.

이러구러 태우의 재취길일(再娶吉日)이 다다르니, 금평후 숙렬과 하부인도 오라 않고, 다만 진부 제인과 인리(隣里) 절친(切親)을 약간 청하고, 주찬을 약설(略設)하여 내외 빈객을 접대할 새, 중빈(衆賓)이 소양씨 좌의 없음을 물은데, 진부인이 아미를 빈축(嚬蹙)하고 그 병세 비경(非輕)하여 좌에 나오지 못하였음을 대하더라.

일색이 반오(半午)에 북공이 태우를 데리고 내당의 이르러 길복을 찾으니, 부인이 이르되,

"양현부 길복을 다스리다가 괴이한 병을 들었으니 다하였음을 알지 못하리로다."

언파의 시녀로 하여금 길의를 가져 오라 하니, 시녀 즉시 옥함(玉函)에 길복을 받들어 나아오니, 부인이 식부의 침선을 좌중의 자랑하고, 홀연 옥면이 추연하여 길이 탄식 양구(良久)의, 태우를 돌아보아 가로되,

"호신지벽(豪身之癖)은 탕자의 예사(例事)거니와, 모름지기 오기(吳起)436)의 박행(薄行) 패도(悖道)를 본받지 말고, 고인을 경대(敬待)하며 신인을 편케 하여 가내에 어지러운 일이 없게 하라."

태부인이 우연(憂然) 탄왈,

"경계하며 당부하여 들을 위인이 아닌 후는 일러 쓸 데 없으니, 제 아비 순설을 허비치 않으려 함이 그르지 않은지라. 하물며 늙은 할미와 약한 자모의 말을 이르리오"

태우 불승황공 하여 감히 낯을 들지 못하더라.

날이 늦으매 존당 부모께 하직하고, 허다 위의를 거느려 성부의 이르러 옥상(玉床)의 홍안을 전하매, 성한림 등이 팔 밀어 좌의 나아가니,

---

436) 오기(吳起) : B.C.440~B.C.381. 중국 전국 시대(戰國時代)의 병법가(兵法家). '오기살처(吳起殺妻)'의 고사로 유명하다.

신랑의 영풍준골(英風俊骨)이 늠연 쇄락하여 완연이 적강(謫降)한 이백
(李白)437)이라. 성백이 흔연 애중하고 좌객이 쾌서 얻음을 칭하하여 빈
주 즐기더라.

이윽고 신부 상교하매 신랑이 순금 쇄약(鎖鑰)을 가져 봉교(封轎)하기
를 마치매, 위의를 휘동하여 부중에 돌아올 새, 허다 요객(繞客)이 남취
녀가(男娶女嫁)의 위의(威儀) 되었으니, 명공후백(名公侯伯)이 전차후응
(前遮後應)하여 사마(駟馬)에 들레는438) 가운데, 신랑의 선풍옥골(仙風
玉骨)이 수려쇄락(秀麗灑落)하여 태양이 빛을 아이니439), 관시자(觀視
者)가 책책(嘖嘖) 칭선(稱善)하더라.

부중에 돌아와 양 신인이 합근교배(合卺交拜)440)를 파하고 금주선(錦
珠扇)을 반개(半開)하니, 신부의 화태미질(花態美質)이 기기묘묘하여 풍
류 호걸의 황홀한 정을 이끌지라.

예파(禮罷)에 신랑이 만면희색으로 나가고 신부 단장을 고쳐 존당 구
고께 폐백(幣帛)441)을 헌(獻)하더라.

---

437) 이백(李白) : 중국 당나라 때의 시인. 701~762. 자는 태백(太白). 호는 청련
거사(靑蓮居士). 칠언 절구에 특히 뛰어났으며, 이별과 자연을 제재로 한 작품
을 많이 남겼다. 현종과 양귀비의 모란연(牧丹宴)에서 취중에 〈청평조(淸平
調)〉 3수를 지은 이야기가 유명하다. 시성(詩聖) 두보(杜甫)에 대하여 시선(詩
仙)으로 칭하여진다. 시문집에 ≪이태백시집≫ 30권이 있다.
438) 들레다 : 야단스럽게 떠들다.
439) 아이다 : 빼앗기다.
440) 합근교배(合卺交拜) : 전통 혼례에서, 신랑 신부가 서로 잔을 주고받고[합근],
절을 주고받고[교배] 하는 의례.
441) 폐백(幣帛) : 신부가 처음으로 시부모를 뵐 때 큰절을 하고 올리는 물건. 또는
그런 일. 주로 대추나 포 따위를 올린다.

명주보월빙 권지칠십칠

　어시에 신랑이 예파에 만면희색으로 나가고 신부 단장을 고쳐 존당 구고께 폐백을 헌하고 팔배대례(八拜大禮)를 행하니, 좌중이 일시의 거 안시지(擧眼視之)하매, 신부의 혼란(焜爛)한 자태 홍매화(紅梅花) 납설 (臘雪)442)을 띠었는 듯, 무릉도원(武陵桃源)443)에 삼색도(三色桃)444) 가 이슬을 떨친 듯, 육척신장(六尺身長)과 일척세요(一尺細腰)에 긴단 장445)을 끌고, 운환(雲鬟)446) 무빈(霧鬢)447)에 칠보금주(七寶金珠)를 황홀 영롱이 꾸며 홀란한 색태를 도우니, 진퇴예배(進退禮拜)에 주선(周 旋)이 영오(穎悟)하고, 행동이 민첩하니 날램이 비연(飛燕)과 흡사하고,

---

442) 납설(臘雪) : 납일(臘日)에 내리는 눈. 납일은 동지 뒤 셋째 미일(未日).
443) 무릉도원(武陵桃源) : 도연명의 〈도화원기〉에 나오는 말로, '이상향', '별천지' 를 비유적으로 이르는 말. 중국 진(晉)나라 때 호남(湖南) 무릉의 한 어부가 배 를 저어 복숭아꽃이 아름답게 핀 수원지로 올라가 굴속에서 진(秦)나라의 난리 를 피하여 온 사람들을 만났는데, 그들은 하도 살기 좋아 그동안 바깥세상의 변천과 많은 세월이 지난 줄도 몰랐다고 한다.
444) 삼색도(三色桃) : 한 나무에서 세 가지 빛깔의 꽃이 피는 복숭아나무.
445) 긴단장 : 온갖 단장. 특히 혼인 때 신부의 머리에 족두리나 화관을 씌워 단장 하는 일을 이른다.
446) 운환(雲鬟) : 여자의 탐스러운 쪽 찐 머리.
447) 무빈(霧鬢) : 안개가 서린 듯한 하얀 귀밑털.

아름답고 교연(嬌然)함이 남해상에 빛나는 구슬 같으나, 별 같은 양안(養眼)에 살기등등(殺氣騰騰)하고, 초월(初月) 같은 아미(蛾眉)에 암사(暗邪) 음난(淫亂)한 기운이 모였으니, 범안(凡眼)은 신부의 특이 절묘함을 칭찬하되, 금평후의 조심경(照心鏡) 안광(眼光)과 진부인의 총명으로 어찌 그 현우 선악을 모르리오.

심리(深裏)에 불승차악 하고 불행함을 마지않되 강인하여 색을 변치 않고, 태부인이 흔연한 빛으로 신부를 무애하여 원비 양씨는 사덕이 숙진(熟盡)하고 백행이 초출하니, 서로 화목하여 '황영(皇英)448)의 성사(盛事)'449)를 효칙함을 경계하니, 신부 듯이 일어나 배사수명(拜謝受命)하나, 양씨를 보지 않았으되 그 일컫는 말을 들으니 그윽이 시심(猜心)이 만복(滿腹)하되, 사람 됨이 간힐능려(奸黠凌厲)하여 내외 다른지라. 사색에 나타냄이 없으니 뉘 그 속에 이검(利劍)을 장(藏)한 줄 알리오. 중인이 연성(連聲) 치하하여 왈,

"금일 신부는 세상에 무쌍한지라. 존문의 복경을 하례하나이다."

태부인과 금평후 부부 좌수우응(左酬右應)에 강인(强忍) 사사(謝辭)하더니, 일모도원(日暮途遠)하매 제객이 각산귀가(各散歸家)하고, 신부 숙소를 선수정에 정하여 돌아 보내고, 태원전에 촉을 이으매 평후 부부 태부인을 모셔 말씀할새, 금후 좌우에 북공과 예부 밖에 외인이 없음을 보고, 문득 탄 왈,

"금일 신부를 보니 미친 세흥을 더욱 그릇 만들 위인이라. 어찌 경악치 않으리오."

---

448) 황영(皇英) : 중국 순(舜)임금의 두 왕비이자 요(堯)임금의 두 딸인 아황(娥皇)과 여영(女英)을 함께 이르는 말.
449) 황영(皇英)의 성사(盛事) : 요(堯)임금의 두 딸인 아황(娥皇)과 여영(女英)이 순(舜)에게 시집가서, 자매가 서로 화목하며 순임금을 잘 섬긴 일.

북공이 고 왈,

"신부 구태여 기특다 이를 것이 없고 사람의 성정을 상해올 위인이로되, 삼제의 장원한 상모가 저로써 길게 화락치 못하오리니, 얼마 오래리까?"

공이 점두 왈,

"여언(汝言)이 마땅하되, 세홍이 사색(邪色)을 본 일 없이 근간 광망(狂妄)한 가운데, 다시 요물(妖物)을 만났으니 아주 실성키 쉬울지라. 어찌 한심 차악치 않으리오."

태부인은 탄식 무언이오. 진부인은 태우의 행사를 골똘함을 마지않더라.

차야에 태우 신방에 이르니, 신부 일어나 맞으매 태우 팔 밀어 좌를 정하고, 촉영지하(燭影之下)의 저를 대하매 그 선연미질(嬋娟美質)이 취운산상에서 얼핏 보고 오매(寤寐)의 맺혔던 바, 금령의 임자라. 반가오미 극하고 무궁한 은정이 샘 솟 듯하되, 오히려 금령을 먼저 던지던 일이 측하여, 그 위인을 자세히 살핀 후 화락고자 하더니, 다시 생각하되,

"내 양씨로 더불어 여산중정(如山重情)을 펴지 못하고, 월하선 등을 내어 보내고 수월 환거(鰥居)의 괴로움이 심한지라. 차인의 행사 비록 기특지 못하나 창녀만은 할지라. 속담에 '추처(醜妻) 악첩(惡妾)도 승공방(勝空房)이오 박박탁주(薄薄濁酒)도 승다탕(勝茶湯)이라'450) 하니, 여차 절염을 일방의 처하여 남아의 정의를 요동치 않음이 괴물이라."

하여, 희연이 웃고 신부를 향하여 가로되,

"저적 산경을 잠깐 유완코자 한 것이 피차 타문 남녀로 서로 얼굴을

---

450) 추처(醜妻) 악첩(惡妾)도 승공방(勝空房)이오 박박탁주(薄薄濁酒)도 승다탕(勝茶湯)이라 : 추처 악첩도 없는 것보다는 낫고, 아무리 맛없는 술이라도 차(茶)보다는 낫다.

대하여, 그대 이 정여백을 버리지 않으려 금령으로써 다정한 뜻을 뵈시니 그윽이 감사하되, 생이 계무소출(計無所出)451)하여 감히 귀소저로써 재실을 구치 못하더니, 성은이 빛을 더하시어 사혼(賜婚)하시는 영광으로 금일 그대를 맞아 돌아오니, 일인즉 영행하나 그대 일생이 날 같은 박행필부(薄行匹夫)에 속하여 괴로움이 많을까 두려워하노라."

난화 염치(廉恥) 상진(喪盡)하나 금령지사(金蓮之事)를 일컬음을 보니 잠깐 참괴하여, 침음할 새, 문득 공교로운 의사 일어나니, 금령을 던짐이 제 뜻이 아님을 비추고자 하여, 부끄러운 얼굴과 태도를 지어, 왈,

"첩은 유충한 소녀자라 생세의 부형 밖은 얼굴을 대한 자가 없더니, 부질없이 규수의 자취 산경을 유완하다가, 뜻밖에 외인(外人)을 만나니 몸 둘 곳을 모르거늘, 금령을 던질 염치 어데 있으리까마는, 첩의 부모 첩을 만래(晩來)에 얻은 바라. 자식을 위한 정이 구구키를 면치 못하여, 매양 팔자를 추점하여 복설(卜說)을 믿으매, 모일(某日)에 이인(異人)을 만나, 금령을 첩에게 전하여 '취운산상의 가 만나는 사람에게 전하라.' 하거늘, 첩이 차마 못할 노릇이라 하여 사양하니, 이인이 이르되, '불연즉 삼오(三五)를 넘지 못하고 속절 없이 세상을 이별하리라.' 하여, 저히거늘452), 첩의 모친이 경동하여 위력으로 운산의 보내어 이 거죄 잇게 하니, 생각할수록 참괴함이 욕사무지(欲死無地)라. 청컨대 그 때를 일컫지 마소서."

언파에 부끄러워하는 거동이 낯 둘 곳이 없는 듯하니, 세흥이 실성 발광할 마디 곧 아니면, 혹(惑)하지 않아 전일 총명이 있을 것이지마는, 요사(妖邪)에 빠질 때이니, 진정말로 듣고, 흔연 소어(笑語)하여 집기수

---

451) 계무소출(計無所出) : 아무리 꾀를 내어도 방법이 나오지 않음.

452) 저히다 : 위협하다. 겁주다.

(執其手) 연기슬(連其膝) 하여 이르되,

"천연이 중하매 하늘이 지시(指示)하도다. 금령이 중매 되니 천고의 희한함이라, 그대 어찌 수괴(羞愧)하느뇨?"

언파의 촉을 물리고 이끌어 금리(衾裏)의 나아가니, 생의 무궁한 정과 난화의 음난한 정태 비길 데 없으며, 풍류 탕자의 음욕은 측453)하고 음녀의 정은 창물(娼物)에 지난지라. 생의 유모 설파(婆)가 규시하니, 그 아니꼬우며 음측454)한 거동을 대강 존당에 고하니, 양(兩) 부인이 한심코 불행하여 하더라.

성씨 구가의 머물러 구고와 가부를 은악양선(隱惡佯善)으로 섬겨 사람의 이목을 가리고, 금장소고(襟丈小姑)455)로 간사히 사귀어 정을 맺으나, 평후 부부와 북공은 안채(眼彩) 타류와 다르니 거짓 화기를 지어, 원망(怨望)을 이루지 않으려 하더라.

성씨 구고(舅姑) 존당(尊堂) 금장(襟丈) 숙매(叔妹)456)의 깊은 뜻을 모르고, 한갓 안색을 가다듬어 정태우를 아주 농락(籠絡)457) 중 넣고자 하여, 승순군자(承順君子)하여 그 부드럽고 아리따우며 그림자 좇는 듯이 따르니, 휴휴장부(休休丈夫)458)의 고혹(蠱惑)할 바라.

이러므로 태우 대혹(大惑)하여, 존전(尊前) 시참(侍參) 외에는 주야로 선수정을 떠나지 않되, 일념에 양씨 상처를 우려하더니, 일삭이 지나매 양씨 상처가 북공의 약효를 힘입어 상처완합하고 기부(肌膚) 소성(蘇醒)

---

453) 측하다 : 망측(罔測)하다. 추악(醜惡)하다. 언짢다.
454) 음측(淫-) : 음란하고 망측함.
455) 금장소고(襟丈小姑) : 동서와 시누이를 함께 이르는 말.
456) 숙매(叔妹) : =소고(小姑). 시누이.
457) 농락(籠絡) : 새장과 고삐라는 뜻으로, 남을 교묘한 꾀로 휘잡아서 제 마음대로 놀리거나 이용함.
458) 휴휴장부(休休丈夫) : 마음이 너그럽고 자잘한 일에 관심을 두지 않는 사내.

하니, 금평후 그 상한 곡절은 모르되 병이 나음을 깃거, 양씨를 불러 곁
에 앉히고, 또 성씨를 불러 면전에 이르매, 공이 양씨를 가르쳐 왈,

"이 곳 아자의 조강이라. 명문 숙녀니 금일 신부 처음으로 보는 예를
폐치 말라. 소부는 양현부와 자매의 의를 맺으면 가내 화평할 것이로되,
아자(兒子)가 무식 박행하니 망측한 일이 많으려니와, 양현부는 광부의
위인을 아는 바니 아무 괴이한 일이 있어도 요란치 않으리라."

성씨 태우의 원비 양씨 어짊을 들을 뿐이요, 그 얼굴을 보지 못하였더
니, 금일 한 번 보매 그 색광이 찬란수려(燦爛秀麗)하여 계궁명월(桂宮
明月)459)이오 금분(金盆)의 화왕(花王)이라. 팔채(八彩)460)는 성자기맥
(聖姿氣脈)이요, 오채(五彩)461) 영롱(玲瓏)하고, 체지장단(體肢長短)의
기이함과 일신 위풍이 임하사군자(林下士君子)요, 당당한 숙녀라.

성씨 심중(心中)에 대경하여 시심(猜心)을 억제치 못하나, 엄구 면전
이라 강인하여 공순이 예하니, 양씨 천연 답배에 동서로 좌하니, 윤의열
등 제사금장(娣姒襟丈)462)이 안항(雁行)463)을 차려 열좌(列坐)하니, 상
광(祥光)이 서로 빛을 다투어 고하(高下)를 정키 어렵되, 의열의 광휘와
한없는 덕화 으뜸이요, 각각 아름다운 기질이 세상의 드물기는 숙렬이
요, 그 버금은 경부인, 소양씨라. 대양부인은 온순유열(溫順愉悅)을 주

---

459) 계궁명월(桂宮明月) : 계궁에 빛나는 밝은 달. *계궁(桂宮)은 달 속에 있다고
     하는 계수나무 궁전으로, 달을 달리 이른 말.
460) 팔채(八彩) : 눈썹의 광채. '八'은 눈썹의 모양과 같다 하여, 눈썹을 나타내는
     말로 많이 쓰임.
461) 오채(五彩) : 파랑, 노랑, 빨강, 하양, 검정의 다섯 가지 색.
462) 제사금장(娣姒襟丈) : 형제의 아내들의 손위 손아래의 여러 동서(同壻)들. '제
     (娣)'는 손아래 동서, '사(姒)'는 손위 동서, 금장(襟丈) 손위·손아래 구분 없
     이 동서를 이르는 말.
463) 안항(雁行) : 기러기의 행렬이란 뜻으로, 남의 형제를 높여 이르는 말.

(主)하여 부도를 안정할 뿐이요, 강엄열일(剛嚴烈日)함이 없고, 소이씨
는 화순청활(和順淸闊)하며 청고인현(淸高仁賢)하여 진정 예부의 배필이
요, 대이씨는 색모를 의논할 것이 없으나, 덕냥의 흠 없기는 거의 의열
을 딸을 것이요, 또 총명 달식이 의열의 명성함을 대두할 것이로되, 의
열은 겸공비약(謙恭卑弱)함이 더하고, 이부인은 쾌대활연(快大豁然)하여
준걸(俊傑)의 장부 같은지라.

　금후 좌우로 고면(顧眄)하여 두굿거온 입이 스스로 열림을 깨닫지 못
하더라.

　양소저를 성씨 입승(入承)464) 후는 협실에 둠이, 중궤(中饋)465)를 성
씨에게 돌아 보냄 같은 고로, 이에 명하여 왈,

　"현부의 병이 이제는 차성하였으니 선삼정에 돌아가 네 소임을 폐치
말라."

　소저 선삼정의 돌아가라 하심을 듣자오매 놀라움이 사지(死地)를 향
하는 듯하나, 감히 회포를 펴지 못하고, 유유히 배사 수명할 뿐이러니,
문득 북공이 제제로 더불어 들어와 왕모께 반일 존후를 묻잡고, 형제 차
례로 시좌하니, 북공의 천일지표와 용봉 자질이 물중(物中) 기린이요,
철중지쟁(鐵中之錚)466)이거늘, 예부의 선풍옥골(仙風玉骨)과 태우의 옥
면준골(玉面俊骨)이 다 진속(塵俗)에 물들지 않고, 직사의 미려숙연(美
麗肅然)함과, 필흥의 쇄락수려(灑落秀麗)함이 일인도 용상(庸常)한 무리
아니라.

　존당 부모의 두굿김이 비길 곳 없으되 금후 태우를 보매 통한함이 자

────────────

464) 입승(入承) : 여자가 혼인하여 며느리로 시집에 들어옴.
465) 중궤(中饋) : 안살림 가운데 음식에 관한 일을 책임 맡은 여자. 늑주궤(主饋).
466) 철중지쟁(鐵中之錚) : '쇠 가운데 징'이라는 뜻으로, 쇠로 만든 악기 가운데 가
　　 장 장중한 소리를 내는 징처럼, 무리 중 뛰어난 인물을 비유적으로 표현한 말.

심(滋甚)한지라. 춘풍화기 돈감(頓減)하여 상풍열일(霜風烈日) 같으니, 제 소저 어찌 감히 존구의 기색을 살피리오마는, 성씨 내리 뜬 가운데 엄구의 색위(色威)를 알려 간간이 앙견하여 그 미워하는 자를 깨달으니, 이 곳 태우라. 중심에 아처하더니, 이윽고 공이 제자를 거느려 나가고, 의열 등이 태부인을 모셔 담화하다가 흩어질 새, 경부인이 소양씨를 돌아보고, 잠소 왈,

"현제 선삼정으로 오래간만에 옮으리로다."

양소저 문득 탄식 양구(良久)에 대왈,

"선삼정이 지해(地下) 아니요, 사지(死地) 아니로되, 갈 마음이 아득 처연하니, 능히 강잉(强仍)467)치 못하리로소이다."

의열이 탄 왈,

"현제 마음이 영신(靈神)하여 그러하거니와, 성인도 오는 액을 면치 못하시니, 구태여 선삼정이 현제에게 더욱 해로올 줄 어찌 알리오."

양소저 추연이 말을 않고 침구를 옮겨 사실(私室)로 돌아갈 새, 존고의 협실을 떠남이 강보유애(襁褓乳兒) 자모의 품을 떠남 같으니, 진부인이 더욱 연애(憐愛)함을 마지않더라.

차일 태우 혼정을 파한 후 선삼정의 이르러 소저를 보니, 양소저 저를 대하매 놀랍고 금즉함468)이 갱가일층이라. 쌍미 제제(齊齊)하고, 주순이 함묵(含黙)하여 냉담 씩씩함이 전자에 더하고, 온색(慍色)이 현저하니, 태우 저의 유신함을 아는 고로 전일같이 구타치 못하고, 분노를 풀지 못하니 불승통한하여 짐짓 엄렬한 빛을 뵈려, 허랑(虛浪) 호일(豪逸)

---

467) 강잉(强仍) : 억지로 참음. 또는 마지못하여 그대로 함.
468) 금즉하다 : 끔찍하다. ①정도가 지나쳐 놀랍다. ②진저리가 날 정도로 참혹하다.

한 풍을 감추고 극히 엄중하고 숙묵(肅默) 언건(偃蹇)한 체하여, 와잠미(臥蠶眉)를 찡기고 단봉안(丹鳳眼)을 높이 뜨니, 그 마음을 잡지 못하였으므로, 안광이 뒤룩뒤룩[469]하여, 미쳐 내달을 듯, 물어뜯을 듯, 거지(擧止) 괴이함을 면치 못하거늘, 목을 가다듬고 소리를 지예(至禮)[470]코자 하여, 산천이 울릴 듯이 높이 지르지 않되, 주순(朱脣)이 실룩실룩 웃는 듯, 노하는 듯, 미친 마음을 정치 못하여, 동지(動止) 괴이한지라.

소저 책하는 말이, 전혀 부행(婦行)과 여도(女道)를 모르고, 존당 부모의 자애를 믿고 가부를 협제(脅制)하며, 동렬을 시기하여 오래 들어 눕고 일어나지 않은 바를 수죄할 새, 혹 꾸짖는 듯, 달래는 듯, 누누이 긴 말을 시작하여 그칠 줄 알지 못하니, 소저 단좌(端坐)하여 그 책언을 귀에 머무름이 없고, 또 답함이 없어, 벽자(躄者)[471]더러 조어(鳥語)[472]함과 일반이라. 태우 어찌 저 기색을 모르리오. 중심에 분노함을 이기지 못하여 문득 곁에 나아 앉아 그 손을 잡아 가로되,

"그대 거동이 결단코 나를 죽이고 내 집을 망한 후 타문에 개적(改籍)하려 하는 주의니, 아지못게라! 내 그대와 무슨 수국(讐國)[473]이뇨?"

소저 또 입을 열지 않아 한 말을 답하지 않으니, 태우 백단구욕(百端驅辱)하며 유세(誘說)[474]하여 상요에 나아감을 청하되, 소저 한갓 목인(木人)같이 단좌하여 좌차(座次)를 요동치 않으니, 태우 심화(心火)를 참고 반야를 은근이 달래다가 못하여, 일장을 질욕하고 힘을 다하여 소

---

469) 뒤룩뒤룩 : 크고 둥그런 눈알이 자꾸 힘 있게 움직이는 모양
470) 지예(至禮) : 예(禮)를 다함.
471) 벽자(躄者) : 앉은뱅이.
472) 조어(鳥語) : ①새의 지저귀는 소리. ②알아듣지 못하게 지껄이는 말소리를 비유적으로 이르는 말.
473) 수국(讐國) : 원수나라. 원수.
474) 유세(誘說) : 달콤한 말로 꾐.

저를 붙들어 금리(衾裏)의 나아갈새, 소저 죽기를 그음하여 광부의 뜻을 맞히지 말고자 하되, 태우의 광패함이 의상을 편편(片片)이 열파(裂破)하고, 쇠와 나무를 혜지 않아 다시 구타할 형상이니, 아름답지 않은 일로 구타하는 욕을 받아 상처를 중인소시(衆人所視)[475]에 드러냄이 낯을 깎고 싶은지라. 침병(枕屛)에 걸린 장도(粧刀)를 빼어 자문코자 하니, 태우 급히 앗아 산산이 부숴버리고 위력으로 핍박하여, 금리(衾裏)의 나아가 여산중정(如山重情)을 펴나, 소저 매몰 씩씩함이 침석지간(寢席之間)에 더욱 냉담하니, 태우 노분(怒憤)을 억제치 못하여, 왈,

"그대 진실로 교앙방자(驕昻放恣)한 뜻을 그치지 아니 한즉, 내 엄전(嚴前)의 다시 장책을 받잡는 지경에 이르러도, 그대로 더불어 이렇게 누어있기를 일삭(一朔)이나 하여, 주야(晝夜)를 가리지 않고 아무 사고 있어도 움직이지 않으리니, 그리 한 후는 자의 마음이 흐뭇하여 쾌활함이 있으리라."

소저 광부의 염치(廉恥) 상진(喪盡)함을 불승한심(不勝寒心)하고, 타인소시(他人所視)[476]와 정당의 아름답지 않은 말이 사무쳐, 엄전에 죄책이 내리는 지경에 이르러도, 수장(受杖)을 어렵게 아니 여기는 고로, 금수(禽獸)같이 주야물론(晝夜勿論)하고 누었을까 두려, 비로소 입을 열러 추연 비읍 왈,

"첩이 십악대죄(十惡大罪)[477]를 지은 일 없으되, 군자가 죽이고자 함

---

475) 중인소시(衆人所視) : 많은 사람들이 보는 가운데.
476) 타인소시(他人所視) : 다른 사람들이 본 바.
477) 십악대죄(十惡大罪) : 조선 시대에, 대명률(大明律)에 정한 열 가지 큰 죄. 모반죄(謀反罪), 모대역죄(謀大逆罪), 모반죄(謀叛罪), 악역죄(惡逆罪), 부도죄(不道罪), 대불경죄(大不敬罪), 불효죄(不孝罪), 불목죄(不睦罪), 불의죄(不義罪), 내란죄(內亂罪)를 이른다.

을 일시 바빠하시니 일생일사(一生一死)는 천지의 떳떳한 일이라. 첩이 비록 삼오청춘(三五靑春)478)이 느꺼우나479), 벌써 명도 이러하니 현마480) 어찌하리까? 궁극히 틈을 얻어 스스로 죽어 군자의 분분한 염려를 끊게 하리이다."

태우 소저의 강렬함을 두려워하는 고로 혹 자결(自決)함이 있을까 겁하는 뜻이 있으되, 소저를 더욱 질욕하여 존당 부모의 대은을 저버리려 함을 책하되, 소저 태우의 말인즉 일언도 경복(敬服)함이 없는 고로, 증분을 더할 뿐이러니, 계명에 이르러는 태우 일어나지 않을까 근심하여, 화열한 빛으로 일어남을 청한데, 태우 마지못하여 소저를 놓고 자기는 미좇아481) 일어나매, 종야 힐난하여 기운이 곤한 고로, 잠깐 선수정에 가 쉬고자 하여 성씨 침소에 이르니, 성씨 태우 들어와 취침치 않는 날은 뜬 눈으로 새워나는 버릇이라. 작일 입은 옷을 끄르지 아니하였다가, 생의 들어옴을 보고 교언녕색(巧言令色)482)으로 일어나 맞아, 요음(妖淫)한 거동이 승어창물(勝於娼物)이라. 태우 비록 실성광패(失性狂悖)하였으나, 일단 총명달식(聰明達識)은 부형여풍(父兄餘風)이라. 양소저의 열렬한숙(烈烈寒肅)한 숙녀(淑女) 방향(芳香)을 겻지엇다가483) 성씨를 보매 천지 사이는 앙망(仰望)이나 할지니, 소양(宵壤)이 불모(不侔)484) 함은 숙맥불변(菽麥不辨)485)이라도 거의 짐작할지라. 심중에 가장 천루

---

478) 삼오청춘(三五靑春) : 열다섯 의 젊은 나이.
479) 느껍다 : 어떤 느낌이 마음에 북받쳐서 벅차다.
480) 현마 : 설마, 차마.
481) 미좇다 : 뒤미처 좇다.
482) 교언영색(巧言令色) : 아첨하는 말과 알랑거리는 태도.
483) 겻짓다 : 짝짓다. 동행하다. 더불다.
484) 불모(不侔) : '가지런하지 않다'는 말로, 차이가 크다는 뜻을 나타냄. 소양불모 (宵壤不侔); 하늘과 땅처럼 큰 차이가 있음.

히 여겨 정색하고 가로되,

"그대 멀리 임사(姙似)를 배우지 말고 원군(元君) 양씨를 본받으라. 양씨의 백행(百行) 숙덕(淑德)은 그대의 높은 스승이 되리라."

언파에 몸을 일어 나가니, 성씨 태우 양씨 칭선함을 들으매 투심(妬心)이 더욱 불 일 듯하나, 언어로 그 마음을 농락(籠絡)지 못할 줄 알고, 시녀 춘교로 동심하여 일야 간계를 생각하더라.

이 때 월앵을 집장하던 태한이 죽었음을 일컬어 시신을 끌어내는 체하고, 제 집에 데려와 지극히 구호하여 생도(生道)를 얻으매, 태한이 월앵을 옮겨 성내 양부로 데려가되, 태우 마침내 알지 못함이 된지라. 앵이 그 몸이 벗어남을 깃거하나, 소저의 위태함을 슬퍼 가만히 글을 올려 생존하였음을 고하고, 이따금 변복하고 취운산 행각에 왕래하여 소저의 평문을 알고 가되, 감히 부중에 이르러 노주 반김을 얻지 못하고, 태우의 광망(狂妄) 무례(無禮)함을 골돌하여 주인의 신세를 근심함이 발분망식(發憤忘食)하기에 이르렀더라.

소저 월앵의 살았음을 크게 깃거하나, 변복(變服)하고 자주 왕래하여 제 몸에 유해할 줄 일러 오지 말라 하되, 앵이 주인 위한 정충(貞忠)이 제몸을 돌아보지 않는지라. 소저를 잊지 못하여 밖으로 자주 와 소저의 평부(平否)를 알고 가대, 요행 태우에게 들키지 않더라.

화표, 어시에 장사 적거죄인(謫居罪人) 평장사 화무의 부인 주씨가, 취중(取重) 과애(過愛)하던 서랑 윤광운을 경사로 보낸 후, 여러 일월이

---

485) 숙맥불변(菽麥不辨) : 콩인지 보리인지를 구별하지 못한다는 뜻으로, 사리 분별을 못하고 세상 물정을 잘 모름을 이르는 말.

되도록 일자 음신(音信)을 통할 길이 없고 풍편(風便)으로도 소식을 들을 길이 없는지라. 주주야야에 경사를 첨망하여 울울(鬱鬱) 비결(悲缺)[486]한 심사를 지향치 못하여, 화공이 혹 경사인을 만난즉 윤광운의 부명과 거주를 혹 아는가 물은즉 다 모름으로써 대하여 알 이 없으니, 화공이 서랑의 자취 대해(大海)에 평초(萍草) 같으며 추풍에 낙엽 같아서, 찾기 어려움을 크게 우민하여, 관리 등이 경사로 왕래하는 편에 두 봉 서간을 윤부에 부쳐, 일봉은 남창후에게 서랑의 거처를 묻고, 일봉은 윤생에게 부쳐 한 번 올라간 후 성식(聲息)[487]이 끊겼음을 일컬어, 가득이 결연(缺然)함을 베풀어 간곡한 정의(情誼) 범연한 옹서와 다른지라, 뉘 도리어 정숙렬이 여화위남(女化爲男) 하여 그 동상(東床)이 되었던 줄 알리오.

화공이 윤부에 서간을 부치고 답간(答簡)을 기다리더니, 문득 경사로 좇아 사명(赦命)이 내리고 추밀부사(樞密府使)로 징소(徵召)하시는 영광이 적소에 미치니, 본읍 태수와 향당 사유(士儒)들이 일시에 모여 화공의 애매한 죄루(罪累)를 신백(伸白)하고 쾌함이 청현대작(淸顯大爵)으로 돌아갈 바를 치하하니, 화공이 좌수우응(左酬右應)에 흔연(欣然) 사사(謝辭)하더라.

사명(使命)과 추밀원 하리 내려오되, 서랑의 척자(隻字)[488] 고문(顧問)이 없으니, 괴이하고 의아함을 마지않고, 자기 누얼을 신백한 자를 물으니 이 곳 평북공 정병부라 하는지라, 심리의 혜오대,

"윤생이 돌아갈 때의 나를 해한 자를 묻거늘 위현과 임박이라 일렀더

---

486) 비결(悲缺) : 슬프고 서운함.
487) 성식(聲息) : 소식이나 소문.
488) 척자(隻字) : 한 글자. 또는 짧은 자구.

니, 정천홍이 나를 위하여 누설(縷絏)을 쾌히 벗게 하니, 아지못게라!
윤생과 정천홍이 친척이 되어 청함이 있던가? 그렇지 않은 즉 정병부
어찌 나를 신백함이 이다지도 누누(屢屢)하리오489). 연이나 어찌 일자
서(一字書)로 우리 안부를 물음이 없는고? 가히 측량치 못할 일이라. 빨
리 상경하여 애서(愛壻)의 거처를 듣보리라490)."

의사 이에 미처는, 돌아갈 뜻이 더욱 살 같으니, 즉시 행리(行李)를
수습하여 부인과 자녀를 거느려 황성으로 향할 새, 지나는 바의 주현과
자사가 멀리 와 영접하여, 누얼을 신백하여 즐거이 환쇄함을 치하하고
위의를 도우니, 왕래에 비환(悲患)이 내도하여 노상의 영광이 비길 데
없더라.

차시 남경 포정사 남공이 여러 일월을 사환(仕宦)에 분주하여, 집을
떠난 지 삼년이로되 임의로 돌아갈 의사를 못하고, 위녀의 사나움이 희
주를 간계로 데려가 공연히 실산함을 듣고, 분완 통해한 가운데, 여아의
외로운 자취 어느 곳에 표락(飄落)491)하였음을 알지 못하니, 천륜 자애
의 지극함으로써 참연 통할함이 칼을 삼킨 듯, 신석(晨夕)에 체루(涕淚)
를 드리워 잊지 못하니, 공자 주야 곁에서 위로하더니, 홀연 남경으로
좇아 하리 이르러 강공의 서간과 희주의 서간을 함께 올리니, 강공의 서
찰을 먼저 피열하니 대개 여아를 기특히 만나 남경으로 데려감을 베풀
었고, 소저의 상서에는 금평후 장녀 윤원수 부인의 구활 대은을 입어 삼
년을 한가지로 있다가, 표숙을 만나 남경으로 왔음을 고하였으니, 남공

489) 누누(屢屢)하다 : 자세하다. 말 따위를 여러 번 반복하다.
490) 듣보다 : 듣기도 하고 보기도 하며 알아보거나 살피다.
491) 표락(飄落) : 표령(飄零). 신세가 딱하게 되어 안착하지 못하고 이리저리 떠돌
아다님.

이 견필에 환행 쾌열하여 다시 여아의 사생을 여념(慮念)치 아니하나, 위씨의 간흉을 다스리지 못함을 신석(晨夕에의 우분(憂憤)하더니, 여아 의 생존을 들은 지 수순(數旬)이 넘지 못하여 문득 사명(詞命)492)이 계 사, 남경 포정사로써 공부상서 설영으로 배(拜)하시고, 자기는 태상경 (太常卿)을 배(拜)하시어 바삐 환조(還朝)함을 재촉하시니, 남공이 작위 점점 높음을 깃거 아니하나, 위녀의 죄를 발각할 일을 기뻐하여, 포정사 인수(印綬)를 설공에게 전하고 바삐 돌아올새, 일수(日數) 잠깐 더딤을 민망히 여기나, 위녀의 간정을 알고자 하여 남으로 가는 배를 잡아타고 장사(長沙) 고택에 이르니, 위녀 벌써 남공의 돌아올 줄을 지기(知機)하 고 저의 간모(奸謀) 발각된 즉 살길이 없음을 헤아려, 금은보화를 거두 어 준마 십여 필에 싣고 밤을 당하여 가만히 도망할 새, 최낭중의 서자 최호를 유정(有情)하여 한가지로 달아나니, 그 간 바를 알지 못하게 된 지라.

차고(此故)로 남공이 집에 돌아오매 위녀의 그림자도 없고, 조선 능침 과 사묘(祠廟)에 제향을 폐한 지 오래다 하는지라, 남공이 선릉 수호할 노복을 정하여 살게 하고, 다시 장사의 내려와 살지 못할 형세인 고로, 목묘(木廟)493)를 모셔 경사로 올라오다가, 길에서 공교히 위녀를 만난 바 되니, 남공이 절치 통한하던 바에 어찌 용서하리오. 즉시 쇠를 달궈 그 일신을 지져 전전악사를 물으니, 위녀 비록 대간대악(大奸大惡)이나 능히 견디지 못하여, 강부인과 다섯 자녀를 죽임이 다 저의 수단이요, 희주와 창징이 오히려 남았음을 한하여 희주를 간계로 데려다가, 오세

---

492) 사명(詞命) : 임금의 말이나 명령.
493) 목묘(木廟) : 목주(木主). 죽은 사람의 위패(位牌). 대개 밤나무로 만드는데, 길 이는 여덟 치, 폭은 두 치가량이고, 위는 둥글고 아래는 모지게 만든다.

웅에게 보내고자 한즉 순히 듣지 않거늘, 동산 앞에 가 짓두드려 죽이려 하더니, 홀연 신선 같은 소년 남자가 구하여 가던 바를 일일히 직초(直招)하니, 남공이 듣는 말마다 차악 경해하여, 만심이 서늘함은 이르지 말고, 강부인과 아까운 자녀를 다 흉인의 독수에 마침을 헤아리니, 새로운 비회와 참통함이 오내(五內)를 끊는 듯, 경각에 위녀를 촌참(寸斬)코자 하되, 고쳐 생각건대, 위녀의 문벌이 심상치 않고 그 악사가 범연치 않으니, 스스로 남모르게 죽여 없애기 어려운지라. 상경하여 법부(法部)에 고하고 명정(明正)이 다스리려 함으로, 위녀의 일신을 긴긴히 결박하여 말에 실어 급급 상경하니, 최호는 위녀의 금은을 다 가지고 쥐 숨듯 도망하니, 남공이 구태여 최호는 찾으려 않더라.

남태상과 화추밀이 공교히 한 날 상경하니, 화부는 청선항이요, 남부는 미화항이라. 남태상은 처첩이 없는 고로 오직 시녀 등과 창징으로 하여금 사묘를 모셔 고택으로 가게 하고, 화추밀은 내권(內眷)을 청선항에 안둔하고, 인하여 궐하에 사은할 새, 일수(日數)를 헤아리건대 화추밀이 먼저 상경하였음 직하되, 자연 행거(行車)가 가볍지 아니하니 도로에 여러 날 지체하고, 또한 부인과 이녀(二女)가 원로행역(遠路行役)에 고됨을 이기지 못하여, 천금옥보(千金玉寶)같이 여기는 여아의 유질함을 인하여, 윤생을 바삐 보고자 하던 마음을 잠깐 늦추어, 타인의 일일 행할 것을 화공은 삼일이나 행하는 연고요, 남공은 거나린 내행(內行)이 없고 오직 창징으로 더불어 천리마(千里馬)를 채처, 일삭을 행하여 장사를 다녀오되, 더딘 일이 없더라.

남공이 또한 궐하에 숙사(肅謝)하매, 상이 남·화 양공을 인견하시어 사주(賜酒)하시고, 남공은 여러 해를 외직에 분주케 함을 위로하시고, 또 화공을 면유(面諭)하시어 간당(奸黨)의 참언을 신청(信聽)함을 뉘우쳐 천의 간곡하시니, 남·화 양공이 백배 고두 사은하고 이윽히 편전의

모셨더니, 남공이 피석하여 위녀의 죄상을 고주(告奏) 왈,

"신이 더러운 가변을 가져 용전(龍殿)에 진달(進達)하오미 외람하오대, 위녀의 천교만악(千狡萬惡)494)이 구비(具備)하오니, 성주의 벌죄(伐罪)하심을 바라는 바로소이다. 수연(雖然)이나, 위녀가 전후 살인이 무수하오니, 살인자(殺人者) 대살(代殺)495)은 한고조(漢高祖)의 약법삼장(約法三章)496)에도 든 바라. 위녀를 베어 수족(手足)을 이처(離處)하고자 하나이다."

시의 천의(天意) 가장 통해(痛駭)하시어 가라사대,

"차는 살인뿐 아니라, 자녀는 지아비 골육이거늘, 제 혈육이 아니라 하여 죽인 뜻과 적국(敵國)을 함살(咸殺)함이 만고에 위녀같이 요음찰녀(妖淫刹女)는 없으리니, 빨리 정위(廷尉)497)로 하여금 위녀의 죄를 사핵(查覈)하여 진적(眞的)함이 있거든 처참(處斬) 효수(梟首)하여 후인을 징계하라."

하시니, 남공이 희행(喜幸)함을 이기지 못하더라.

날이 저물매 남·화 양공이 퇴하여 각각 집으로 돌아올 새, 친붕고구(親朋故舊)가 서로 손을 이어 반김이 측량없어 남·화 양부로 다투어 모

---

494) 천교만악(千狡萬惡) : 더할 나위 없이 교활하고 악랄함.
495) 대살(代殺) : 살인자를 사형에 처함. 늑대명(代命).
496) 약법삼장(約法三章) : 중국 한(漢)나라 고조(高祖; 제1대 황제) 유방(劉邦)이 진(秦)나라 군사를 격파하고 함양(咸陽)에 들어가서 지방의 유력자들과 약속한 세 조항의 법. 곧 ①사람을 살해한 자는 사형에 처하고, ②사람을 상해하거나 남의 물건을 훔친 자는 처벌하며, ③그 밖의 모든 진나라의 법은 폐지한다는 내용이다.
497) 정위(廷尉) : 중국 진(秦)나라 때부터, 형벌을 맡아보던 벼슬. 구경(九卿)의 하나였는데, 나중에 대리(大理)로 고쳤다.

이는지라. 화추밀이 집에 돌아오매, 낙양후 진공이 찾아 이르니 크게 반겨 담화할 새, 화공 왈,

"윤광운이란 사람을 아나냐?"

낙양후 소왈,

"형이 찾아 무엇 하려 하느뇨?"

화공 왈,

"윤광운은 소제의 서랑(壻郞)이라. 바삐 찾고자 하노라."

낙양후 대소 왈,

"형이 금평후 정윤보의 딸을 보냐?

화공이 대경 왈,

"소제 어찌 후문 규수를 보리오. 형언이 실시의외(實是意外)⁴⁹⁸⁾로다."

휘 쾌소(快笑)하고 곡절을 해비(賅備)히 전하고, 윤광운은 서생(書生)이 아니요, 임성각이 숙렬의 행사를 천문(天門)에 고하여, 윤광천으로 화씨를 취하여 정숙렬의 어진 뜻을 저버리지 말라 하신 유지(諭旨)와, 화공의 환쇄(還刷)도 숙렬이 힘씀인 줄을 이르니, 화공이 어린 듯이 낙양후의 말을 들으매 놀랍고 괴이히 여겨, 자기 부부 무식하여 여자인 줄 꿈에도 모르고, 정숙렬로써 군자라 하여 동상을 삼아 두고, 지극히 사랑하던 일이 가소로울 뿐 아니라, 숙렬이 자기 집에 삼년을 있으되 희미하게도 여자인 줄을 나타내지 않고, 여아의 현미함을 알아보아 남창후에게 천거하여 백년 동렬(同列)의 정을 맺으려 한 주의(主意)인 줄을 헤아리매, 기특하고 비상함을 이기지 못하여 무릎을 치고, 탄지(歎之) 칭선하여 왈,

"천고에 숙렬 철부(哲婦)를 의논하매, 임강(姙姜)⁴⁹⁹⁾ 마등(馬鄧)⁵⁰⁰⁾

---

498) 실시의외(實是意外) : 실로 뜻밖의 일임.

에 지날 이 없으되, 영질녀(令姪女) 숙렬부인의 재모지략(才謀智略)과 숙덕성행(淑德聖行)이 진실로 만대의 무쌍한지라. 소제 연무중(煙霧中)에 있어 남녀를 분변치 못하여, 영질녀를 당당이 남자인 줄 알고 불초 여식으로써 그 건기(巾器)를 소임케 하고 옹서(翁壻)의 의(義)를 맺으매, 사랑하는 정이 부자에 감(減)치 않되, 다만 그 위인이 단엄 예중하여 삼 년 동안에 한 조각 희롱된 일이 없고, 행사 공맹안증(孔孟顔曾)501)의 성 덕을 효칙하니, 속인과 크게 다른지라. 소제 써 하되 불초 여식의 일생 이 영화로움을 신명께 사례하여 기대(期待) 공경(恭敬)할 뿐이러니, 뉘 평생 애서(愛壻)가 그릇 변하여 숙렬 부인이던 줄을 알았으리오. 소제 택서의 수고를 허비치 않아서 윤청문을 사위 삼는 영광이 있게 되니, 이 는 다 숙렬 부인 은덕이라. 감격함이 협골(浹骨)하니 서어(齟齬)히 말할 바 아니로되, 다만 윤사원의 뜻을 알지 못하니, 날 같은 용우박녈(庸愚薄劣)한 사람의 미약한 여식을 신취(新娶)치 않을까 염려(念慮)로다."

진공이 소왈,

"사원은 한 낫 풍류영준(風流英俊)이라. 절색 숙녀를 열이라도 사양치 않을 위인이니, 하물며 위로 성주(聖主)의 명이 계시고, 아래로 질녀가 극진히 주선(周旋)하니 어찌 영녀를 취치 않으리오."

화공이 낙양후의 말을 옳이 여기나, 서랑이 바뀌어 윤청문의 원비 됨 을 생각하니 심사 홀연하고502) 세간사(世間事)가 이렇듯 우스운 일이

---

499) 임강(姙姜) : 중국 주(周) 문왕(文王)의 모친 태임(太姙)과 주(周) 선왕(宣王)의 비(妃) 강후(姜后)를 함께 이르는 말. 모두 어진 덕으로 유명하다.

500) 마등(馬鄧) : 중국 동한(東漢) 명제(明帝)의 후비 마후(馬后)와 동한(東漢) 화제(和帝)의 후비(后妃) 등후(鄧后)를 함께 이르는 말. 둘 다 후궁 가운데 덕이 높았다.

501) 공맹안증(孔孟顔曾) : 유학의 네 성현인 공자, 맹자, 안회, 증삼을 아울러 이르는 말.

많음을 탄하여 측량없이 여기더라.

진공이 화공과 한가지로 밤을 지내고, 명일에 돌아가니 화공이 낙양후를 보내고, 내당에 들어가 부인을 보고 윤광운이 남자가 아니요, 정숙렬인 줄 전한대, 주부인이 놀랍고 서운함을 이기지 못할 뿐 아니라, 여아의 전정이 아무리 될 줄 모르니 차악함을 진정치 못하는지라, 공이 위로 왈,

"정숙렬이 결단하여 여아의 신세를 괴로이 아니하리니, 화복(禍福)을 임의로 못하거니와, 자기 마음의 정한 바는 아녀를 윤광천에게 천거하여 백년을 동렬(同列)코자 함이요, 윤광천이 세대(世代)의 영준호걸(英俊豪傑)로 처의 수(數) 많음을 구태여 해(害)로이 여기는 바 없다 하니, 여아의 용화기질이 남의 아래 있지 않은지라. 윤가(尹家) 안고(眼高)함이 무산(巫山)과 월궁(月宮)을 보았다 일러도 나무랄 것이 없으니, 부인은 여아의 혼사를 이뤄 그 팔자 되어 감을 보고, 무익히 근심치 말지어다."

정언간의 시녀 고 왈,

"전일 윤상공의 서동(書童) 홍선이 변복하여 일개 청의로 일봉서를 받들고 이르러 부인께 현알함을 고하나이다."

화공 부부 크게 깃거 즉시 부르라 하니, 홍선이 청하에 다다라 화공과 부인께 배알하고 부인의 봉서를 드린데, 주부인이 개간하니, 하였으되,

"소첩 정씨는 부끄러움과 기망(欺罔)한 죄를 무릅쓰고, 주부인 좌하에 미세한 회포를 아뢰나이다. 첩이 명도 기박하여 사람의 당치 못할 역경을 당하매, 몸 위에 살인 누얼을 실어 장사의 찬적하매, 불인 극악한 무리 첩의 적소도 보전치 못하게 해코자 하는 고로, 구구(區區)히 목숨을 잇고자 하매, 형세 마지못하여 음양을 변체(變體)하고 운교역에 잠깐

---

502) 홀연하다 : 후련하다. 답답하거나 갑갑하여 언짢던 것이 풀려 마음이 시원하다.

머물매, 상공이 보시고 첩의 잔약 누질을 그릇 남자로 아시어, 동상을 정코자 하시거늘 황황(惶惶)함을 이기지 못하여 사양하나, 득지 못하고 말씀이 간절하기에 미치시니, 첩이 어린 뜻에 생각건대, 가부 명문자제로 재화(才華) 기질(氣質)이 하등(下等)이 아니라. 비록 여러 처실이 있으나 영아 소저의 초군(超群) 특이(特異)함을 들으매, 외람한 의사 백년동렬(百年同列)503)로 화복고락(禍福苦樂)을 일체로 하고자 하는 뜻이 있어, 첩이 윤가의 성씨를 비러 상공의 후의를 받듦이, 일자(一者)504)는 첩이 의지(依支)를 얻어 환쇄 전 존부의 머물고자 함이요, 이자(二者)505)는 영아 소저 같은 숙녀명염(淑女名艷)으로 하여금 차마 타문의 돌아 보내지 못함이요, 삼자(三者)506)는 상공의 남다르신 충렬로써 원억한 누얼을 실어 장사 수천리에 찬적하시매, 택서(擇壻)하시는 도리, 마음과 같지 못하신 고로, 첩 같은 우용천질(愚庸賤質)로 동상을 유의하시니, 첩의 가부(家夫)는 설사 남에서 낫지 못하나, 첩의 위인으로 비컨대 가장 여러가지 나음이 있는 고로, 영아 소저의 평생이 헛되지 아니키를 위함이라. 어찌 돌아올 때 가부를 좇아 상경함을 고치 않으리까마는, 상공과 부인이 오히려 첩의 마음을 채 알지 못하시고, 영소저의 신세를 위하여 망단(望斷)507)이 여기실까 미리 염려를 끼치지 못하여, 여러 가

---

503) 백년동렬(百年同列) : 한 남자와 결혼하여 같은 아내의 지위를 갖고 함께 살아 가는 여자들을 이르는 말.
504) 일자(一者) : 하나. 또는 첫째. 어떤 사물, 일, 현상 따위의 여러 구성요소나 원인들 가운데 첫 번째임을 이르는 말
505) 이자(二者) : 둘. 또는 둘째. 어떤 사물, 일, 현상 따위의 여러 구성요소나 원인들 가운데 두 번째임을 이르는 말
506) 삼자(三者) : 셋. 또는 셋째. 어떤 사물, 일, 현상 따위의 여러 구성요소나 원인들 가운데 세 번째임을 이르는 말
507) 망단(望斷) : 바라던 일이 실패하였거나 바람이 끊겨 마음이 몹시 상함. =실망(失望).

지로 기망함이 되니 생각할수록 참황수괴(慙惶羞愧)함이 낯을 깎고자
하나 미치지 못할지라. 첩이 영아 소저를 남씨만 같지 못하게 알아 가
부의 제사부실(第四副室)로 천거코자 함이 아니라, 운교역에서 상공을
만나지 않은 전에 남씨를 만나, 이미 결약자매(結約姉妹)하고 윤군의 제
삼부실로 천거할 뜻을 비쳤음으로, 언약을 저버리지 못하여 상공이 구
혼하실 때에 삼취까지 정한 곳이 있음을 아뢰었던 바라. 남씨 또 존부
후은을 입어 삼년을 존부 의식을 허비하였고, 첩이 존부 곳 아니면 능히
보전치 못하였으리니, 은혜 크고 덕이 중함이 생세에 다 갚지 못할지라.
가부의 재실 진씨는 첩의 표제(表弟)요, 영아 소저에게도 이종(姨從)이
니, 비록 이름이 적인(敵人)이나 동기와 다름이 없는지라, 소저가 윤문
에 속현하시는 날이라도 서어(齟齬)한 일이 없으리니, 부인은 일분도 염
려 마시고 혼사를 이뤄, 영소저에게 난안지사(赧顔之事) 없이 영화를 누
리는 날에, 첩의 전후 당돌한 죄를 사(赦)하시고 만사 천의(天意)임을
생각하소서."
  지말(紙末)에 또 소저에게 두어 줄, 글을 부쳤으니, 비록 서사(書辭)
가 많지 않으나 간곡한 정성이 나타나는지라.
  화공 부부 견파(見罷)의 반갑고 아름다움을 이기지 못하나, 자기 부부
전일 남의 집 부녀(婦女)로써, 분명한 남자로 알아 서랑을 삼아 두고,
기경애대(起敬愛待)하던 바를 생각하니, 일장 실소함을 면치 못하여 서
로 웃고, 홍선더러,
  "숙렬부인의 의기현심(義氣賢心)이 여아의 일생을 고렴(顧念)하여, 남
창후의 제사부실로 천거코자 하시니, 감격함이 이 밖에 없는지라. 어찌
서어한 언어로 다 이를 바리오.
  홍선이 대왈,
  "주인이 노야(老爺)와 부인의 애휼하시는 은혜를 받음이 중하나, 감히

내력을 고치 못하여 기망하신 허물이 깊으시니, 경사에 올라오신 후 더욱 불안(不安) 절민(切憫)하시어, 소저로 하여금 윤부에 이르시게 할 도리를 생각하심이 궁극(窮極)하기의 미처 계시더니, 천은이 빛을 더하시어 노야의 찬배(竄配)를 푸시니, 이제는 혼사를 성전(成全)하실지라. 주모(主母) 작일에 노야의 상경하심을 들으시고 즉시 보내어 문후코자 하시되, 주군의 혼사 결단하심을 알지 못하시므로 자저(趑趄)508)하시더니, 금조(今朝)에 북공 노야 옥누항에 이르시어, 주군의 허락을 받으시매, 비로소 봉서(封書)를 올리시더이다."

화공 부부 그 성심을 감사하고, 홍선을 반김이 극하여 주찬을 갖추어 선을 대접하니, 소저는 모친 곁에 숙연 단좌하여 일언을 아니하나 정소저의 필적을 보매, 중심의 반가움을 이기지 못하더라.

이윽고 주부인이 답간을 일워 선을 돌아 보내고, 부부 대하여 남창후의 풍신 용화와 재화 위덕이 천고의 무적(無敵)함을 헤아리매,

"여아 그 사취(四娶) 되나 속자(俗者)의 원비(元妃)도곤 낫지 아니랴."

하여, 흔희(欣喜) 쾌열(快悅)하더라.

차시, 남태상이 위녀를 정위(廷尉)509)로 보내고 그윽이 베임을 죄더니, 위녀 정위에 나아가 제 전전죄악을 다 직초(直招)하니, 형부상서 천문에 초사(招辭)를 아뢰고 처참할 바를 결단하여, 남공으로 이이절혼(離異絶婚)하고 위녀를 내어다가 머리를 베니, 남공이 노복을 보내어 그 배를 따고 오장을 헤치며 수족을 이(離)하여, 부인과 다섯 자녀 죽인 원수

---

508) 자저(趑趄) : 자저(趑趄). 머뭇거리며 망설임. 늑주저(躊躇)
509) 정위(廷尉) : 중국 진(秦)나라 때부터, 형벌을 맡아보던 벼슬. 구경(九卿)의 하나였는데, 나중에 대리(大理)로 고쳤다.

를 갚으니, 원래 위녀는 태학사 위한의 매(妹)니, 윤부 위태부인 종질(從姪)이라.

이때 정숙렬이 남·화 이공의 상경함을 듣고, 가만히 북공을 보채여 남·화 양부로 다니며 혼인을 의논하여 중매 되고, 호람후와 창후의 허락을 얻게 하니, 북공이 매제의 어진 뜻을 받아 호람후께 고하고, 창후를 권하여 숙녀(淑女) 명염(名艶)을 사양치 말라 하니, 호람후는 숙렬의 현심 의기를 기특히 여겨 일언에 쾌허하고, 창후는 본디 숙녀 미희로 집을 메워 옥동화녀(玉童花女)를 쌍쌍이두고자 하는 마음이로되, 짐짓 빗새와510) 이르대,

"소제 용우하여 두 아내도 거나릴 덕이 없는 고로, 진씨는 반하여 친정의 숨고 오지 않으니, 규녀의 현불초(賢不肖)511)는 자세히 알 길 없으니, 행혀 진씨 같은 여자를 또 얻어 만난즉 어찌 불행치 않으리오. 결단하여 남·화 양가의 입장(入丈)치 못하리로다."

북공이 소왈,

"내 사원으로써 쾌활한 장부라 하였더니, 오늘 하는 말을 들으니 그 심정이 가장 험피(險詖)512)하고 호의(狐疑) 많은 남자로다. 표매(表妹) 지금 돌아오지 못함이, 그 신상에 병이 떠나지 않은 연고(緣故)거늘, 어이 험상(險狀)한513) 말을 하느뇨? 네 표매를 갈구(渴求)하여 취코자 하던 일을 그 사이 잊었관데, 이제 이런 말을 하나냐? 남·화 두 소저는 매제 자세히 아는 바니, 숙녀 철부 아니면 어찌 천거하리오."

호람후 소왈,

---

510) 빗새우다 : 비싸게 굴다. 핑계하다. 구실을 삼다. 토라지다.
511) 현불초(賢不肖) : 어짊과 못남. 또는 어진 사람과 못난 사람을 아울러 이르는 말.
512) 험피(險詖) : 사람됨이 음험하고 사특하다.
513) 험상(險狀)하다 : 모양이나 상태가 거칠고 험하다. 늑험상(險狀)궂다.

"남·화 양인 취함은 제 비록 싫어도, 내 이미 허하였으니 다시 고치지 못할지라. 창백은 힘써 중매 되어 하주(賀酒)나 먹으라. 북공이 사례 왈,

"합하의 명이 이 같으시니 사원이 뜻 같지 못하여도 사양치 못하리니, 소생이 윤·남·화 삼가로 다녀 중매 수고를 당하니, 합하는 연석에 호주 성찬으로 정표(情表)하소서."

호람후 소왈,

"그 무엇이 어려우리오. 당당이 수고한 공을 이루면, 숙렬 질부에게 사례 없지 않으리니, 광천이 제 스스로 당하리라."

좌우 다 웃고 정숙렬이 답간을 기다려 홍선이 돌아오니 역시 반가움을 이기지 못하여 쉬이 행례함을 권하니, 남공이 이 곡절을 자세히 알고 감은(感恩)함이 극의라. 어찌 창후 같은 기특한 신랑과 윤가 같은 문벌을 천하의 두루 구한들 얻기 쉬우리오. 불감청(不敢請)이언정 고소원야(固所願也)라. 제삼부실을 혐의치 않아 쾌허하고, 여아를 데리러 창징 공자를 바삐 남경으로 보내고, 돌아올 일수(日數)를 헤아려 택일하니, 삼사삭이 가렸고, 화부에서 또 택일하여 윤부에 고하니, 공교히 남부 택일과 한 날이더라.

북공이 남·화 양부와 옥누항에 왕래하여 이미 택일까지 하매, 매제의 소원을 쾌히 이룸을 깃거하고, 창후 한 조각 수고를 허비치 않아서 양미숙녀(兩美淑女)를 취케 됨을 일컬어, 자기 매제의 덕이라 하여 보챈즉, 창후 거짓 호화에 뜻이 없음을 일러 신취(新娶)가 기쁘지 않음을 답하더라.

어시에 광동 참정 석준이 국사를 선치(善治)하며 백성을 애휼(愛恤)하고 결옥치정(決獄治政)이 명쾌특달(明快特達)하니 안찰사 계문(啓聞)514) 에 크게 찬(讚)하였으니, 상이 아름다이 여기사 상태우(上大夫) 영능후

를 봉하여 바삐 돌아오라 하시니, 석준이 광동에서 여러 일월을 사친지회(思親之懷) 간절하던 바로써 급급히 환경하여 궐하의 사은하고, 녈후(列侯) 복색을 갖추어 친전에 봉배(奉拜)하니, 석추밀 부부의 반김이 비길 데 없는지라. 한갓 손을 잡고 떠났던 정을 이르더니, 말이 윤씨에게 미처는 통한함을 이기지 못하니, 추밀부부 지금 후정에 가두었음을 이르고, 위·유 양부인 악사 발각한 곡절을 세세히 이르니, 영능후가 놀라지 않고 이연(怡然)이 대왈,

"위·유 양인의 흉사 발각함은 조보(朝報)로 좇아 알았거니와, 윤씨의 요악 간흉함은 전혀 모풍(母風)이라. 소자 실성(失性)하여 그 암밀(暗密) 사특(邪慝)함을 알지 못하고 데려와, 하마 가내에 대변을 일으킬 번 하오니, 뉘우치나 미치리까? 윤추밀이 교지로서 돌아 왔다 하오니, 저를 구태여 수고로이 다스리지 말고 윤가로 좇아 보내면, 호람후의 처치 명정(明正)하리이다."

석추밀 부부 그리 여겨 경아를 윤부로 보내려 하더니, 윤공이 영능후의 돌아 왔음을 듣고 즉시 석부에 이르러, 추밀 부자를 볼새, 호람후 영능후의 손을 잡고, 추연 왈,

"내 너로 더불어 옹서의 정이 부자에 감치 않더니, 불초녀의 무상 간악한 연고로 옹서지의를 끊게 되었으나, 너와 내 연치 부적(不適)할지언정 지기(志氣)인즉 서로 합(合)하는지라. 네 마침내 나를 대접하던 정을 변치 말라."

능후 배사 왈,

"소생이 비록 불인무상(不仁無狀)하오나, 악장의 지우(知遇)[515]하심

---

514) 계문(啓聞) : 조선 시대에, 신하가 글로 임금에게 아뢰던 일. =계품(啓稟).
515) 지우(知遇) : 남이 자신의 인격이나 재능을 알고 잘 대우함.

을 알지 못하고, 영녀의 불인간교(不仁奸巧)함을 통한(痛恨)하여 악장을
우러르던 하정(下情)을 변하리까?"

호람후 탄식함을 마지않더니, 날호여 석추밀을 향하여 가로되,

"소제 어질지 못하여 여식을 잘 가르치지 못한 연고로, 형의 집을 어
지럽히고 오부인께 화를 끼치니, 생각할수록 참괴함이 형을 대할 낯이
없는지라. 차고(此故)로 형이 소제를 찾으나, 소제는 자한의 옴을 기다
려 욕녀(辱女)를 처치코자 하는 고로, 즉시 와 형을 회사(回謝)치 못한
것이라."

언필의 소매로 좇아 누런 환약을 내어 앞에 놓고 죄녀(罪女) 보기를
구한대, 석추밀이 가로되,

"소제 형의 여아를 후정(後庭)에 수계(囚繫)함이 실로 형의 안면을 돌
아보지 못하였는지라. 찾는 때를 당하니 심히 참괴하거니와, 영녀 한갓
적인(敵人)을 해할 뿐 아니라, 지아비의 자식을 제 자식이 아니라 하여
죽이려 함이, 사람의 못할 악사(惡事)라. 무사히 둔즉 다시 작악함이 있
을까 하여 깊이 두었더니, 돈아 돌아와 존부로 보내고자 하니, 그 말이
옳은지라. 정히 거마를 차려 보내려 하더니, 형이 이르러 보기를 구하니
잠깐 후정의 가 반김이 어떠하뇨?"

호람후 즉시 몸을 일어 후정으로 향할 새, 영능후와 어사 인도하여 이
르니, 경아 빛 없는 자리에 머리를 베개의 던지고 주야 호읍(號泣)하니,
옥용이 초고(憔枯)516)하고 화질(花質)이 섬섬(纖纖)하여517) 경각에 진
할 듯, 위태한 거동이 전일 비록 십악대죄(十惡大罪)를 지었다 일러도,
부형지심(父兄之心)에 자닝할 바로되, 호람후 일호(一毫) 비척(悲慽)한

---

516) 초고(憔枯) : 애를 태워 몸이 수척하고 마름.
517) 섬섬(纖纖)하다 : 가냘프고 여리다.

사색이 없어, 석부 시녀로 하여금 한 그릇 물을 떠 오라 하여, 약을 갈아 앞에 놓고, 다만 이르되,

"골육상잔(骨肉相殘)이 고금의 변이요, 시호(豺虎)도 자식을 사랑하니, 네 아비 무슨 사람이라 천륜지정(天倫之情)을 베어 너를 죽이고자 하리요마는, 네 죄악이 천지에 관영(貫盈)하니 살았음이 죽음만 같지 못하여, 긴 세월에 능히 견디지 못하리니, 모름지기 이 약을 먹고 쾌히 세상을 잊으라."

경아 체읍행류(涕泣行流)하여 가득한 슬픔에 심장이 미어지는 듯할지언정, 감히 원억(冤抑)하며 애매(曖昧)하다 하지는 못할지라. 다만 공순이 약 그릇을 붙들어 마시려 하니, 영능후는 그 사생 간의 요동할 마음이 없는 고로 묵연정좌(黙然正坐)로되, 석어사 대경하여 호람후께 여러 번 불가함을 간하되, 듣지 않아 왈,

"만생이 비록 어질지 못하나 천륜(天倫)의 정과 혈맥의 당기는 뜻이 만물지중(萬物之衆)의 부자(父子)같이 중한 것이 없음을 모르지 않되, 제 죄상이 능히 살지 못할 것이요, 문호를 첨욕(添辱)함이 많으니 오늘날 쾌히 죽여 그 시신을 공산(空山)에 안장(安葬)하고 돌아감이 나의 정한 뜻이라."

이리 이르며 경아의 앞에 나아 앉아 어서 약을 마시라 재촉하니, 석어사는 인현화홍(仁賢和弘)한지라. 목전의 사람의 참혹히 죽음을 바로 차마 보지 못하여, 나는 다시 약 그릇을 앗아 땅에 엎쳐 버리고, 호람후를 향하여 사죄 왈,

"소생이 합하의 뜻을 거스려 약완(藥碗)을 땅에 엎침과, 수수(嫂嫂)의 곁에 나아가미 가치 아니하오나, '아자미 물에 들매 아자비 건지는 것'이 성교(聖敎)의 허하신 바라. 수수의 급하신 것을 보매 미처 예를 차리지 못함이니, 합하는 소생의 당돌한 죄를 사하시고, 그윽이 돌려 생각하

심이 마땅한지라. 수수 비록 합하의 따님이시나, 소생의 집에 속현(續絃)하시매 이 곳 남의 집 사람이니, 유죄 무죄를 논정(論定)하여 처치(處置)함이 소생의 집에 있을 듯하고, 합하께 있지 아니하니, 원컨대 합하는 사제(舍弟)로 하여금 수수를 처치케 하소서."

공이 석어사의 말이 옳음을 깨다를 뿐 아니라, 석어사 지성(至誠)으로 경아를 살리려 함을 감사하여, 추연 탄식 왈,

"부녀지정(父女之情)을 베어 오늘날 죽이려 하매 아심(我心)이 어찌 편하리요마는, 간악 요물을 살려두었다가 존부에 다시 어지러옴을 이루지 않으려 쾌히 죽이고자 하였더니, 현계(賢契) 이렇듯 말려 약 그릇을 엎질러 버리니, 어진 뜻을 감사하나 요녀(妖女)를 죽이지 못하여 이후의 일이 어떻게 될 줄을 모를지라. 적지 않은 근심이니 자한은 내 말이 그르지 않음을 헤아려 간녀(奸女)를 바삐 없이 하라."

정언간(停言間)에 윤이부(吏部) 조당(朝堂)으로서 나와 석부에 이르러 석추밀을 배견하고, 부친과 영능후 다 후정에 들어감이 결단하여 좋지 않은 일이 있음을 헤아려, 경황함을 이기지 못하여 석추밀노 더불어 후정에 이르니, 영능후와 석어사는 연망이 하당하여 부친을 맞고, 총재는 당에 올라 야야의 반일 존후를 묻잡고 저저를 보매, 그 형용이 환탈하여 한 날 촉루(髑髏)518) 되었는지라. 차악 비절하여 누수 떨어짐을 깨닫지 못하니, 원래 이부 환경한 지 여러 달이 되었으되, 이곳에 와 저저를 보지 못함이 대인 명이 엄하여 영능후 상경하기 전은 석부의 가지 말라 한 연고(緣故)러라. 석어사 부친께 호람후가 제수(弟嫂)를 죽이려 하던 경색(景色)을 고하니, 석공이 크게 놀라, 윤공을 향하여 갈오대,

"영녀 비록 유죄하나 죽이기에 미칠 바 아니요, 돈아(豚兒)가 용우하나

---

518) 촉루(髑髏) : 해골.

제 아내를 제 처치하리니, 형과 소제가 아른 체 할 일이 아니라. 하물며 골육상잔(骨肉相殘)이 그 어떤 대변이관데, 형이 차마 놀라운 거조를 하려 하느뇨? 개과천선은 성인의 허하신 바라. 영녀 만일 전자의 과악을 버리고 인도(仁道)의 나아간즉 소제의 부자가 어찌 감동치 않으리오."

호람후 추연 탄식하여 묵연이 말이 없고, 영능후 또한 일언을 아니하더라.

윤총재(總裁) 그 저저의 거처와 의복이 사람의 견디기 어려운 일임을 참연하여, 이에 석추밀에게 고 왈,

"아매(我妹)의 과악이 호대하오나, 합하의 호생지덕이 인명의 중함을 돌아보시어 죽이지 않으실진대, 살 도리를 명하심이 더욱 감은할 바라. 아매(我妹)의 형용 거처가 은연이 대리시(大理寺)[519] 죄인의 거동과 다름이 없사오니, 소생이 동기지정(同氣之情)으로써 참절(慘切)함을 이기지 못하여 세쇄한 회포를 아뢰나니, 옥누항에 돌아 보내지 않으신 즉, 원문(園門)을 열어 주실진대, 소생이 자주 왕래하여 누의를 보아, 그 위태함을 구하고자 하나이다."

언파에 봉안에 맑은 누수 금포(錦袍)에 떨어짐을 면치 못하니, 석공이 크게 감동하여 또한 낯빛을 고치고 가로되,

"현계(賢契) 이리 이르지 않아도 우리 부자가 바야흐로 의논하여, 식부를 옥누항으로 보내려 하였나니, 금일이라도 거교(車轎)를 차려 데려다가, 만일 회과책선 함이 있으면 즉시 내 집으로 데려오리라."

윤이부 이에 사사(謝辭)하더니, 호람후 준절이 막잘라[520] 왈,

---

519) 대리시(大理寺) : 고려 시대에, 형옥(刑獄)을 맡아보던 관아. 성종 14년(995)에 전옥서를 고친 것으로, 문종 때에 다시 전옥서로 고쳤다.
520) 막자르다 : 함부로 자르거나 끊다. 사정없이 막다.

"소제 간녀(奸女)를 오늘날 쾌히 죽이지 못함은, 영랑이 간구할 뿐 아니라 자한의 처치를 보고자 함이거늘, 돈아가 사정을 참지 못하여 제 누이를 데려가려 하나, 소제의 비위 결증521) 겨워522) 일택에 두지 못하리니, 인형(仁兄)523)은 인명을 아끼거든, 일간 누옥(陋屋)을 빌려 맥반속죽(麥飯粟粥)524)으로 목숨이나 이어가며 그 죄값을 치르게 할 것이니, 어찌 돈아의 망녕된 말을 좇으리오."

석공이 웃고 그렇지 않음을 일러 노기를 풀려하나, 벌써 뜻이 완정(完定)한지라. 영능후를 보아 왈,

"자한이 아심(我心)을 알리니, 수고로이 이르지 않아 짐작하려니와, 유씨 요물(妖物)이 근간은 두문불출(杜門不出)하여 대인(對人)치 않으매 아직 흉계를 못하거니와, 여식을 데려가면 흔흔(欣欣)하여 다시 불측간악(不測奸惡)525)하리니, 자한이 불초녀를 죽이지 않으려거든 이곳에 일간 누옥(陋屋)을 주어 머물게 하고 내집으로 보내지 말라."

능후 궤신(跪身) 왈,

"악장(岳丈)의 성덕으로 실인 같은 악류(惡類)를 낳으심은 요순지재(堯舜之子) 불초(不肖)함이라. 생이 실인의 간모(奸謀)를 생각한즉 어찌 살리고자 하리까마는, 소생이 치발(齒髮)이 채 길지 못하여 절로 더불어 결발대륜(結髮大倫)을 정하매, 세재(歲在) 하마 십년이라. 비록 옛 사람

---

521) 결증 : 몹시 급한 성미 때문에 일어나는 화증.
522) 겹다 : ①정도나 양이 지나쳐 참거나 견뎌 내기 어렵다. ②감정이나 정서가 거세게 일어나 누를 수 없다.
523) 인형(仁兄) : 주로 편지글에서, 친구 사이에 상대편을 높여 이르는 이인칭 대명사.
524) 맥반속죽(麥飯粟粥) : 꽁보리밥과 좁쌀로 쑨 죽이라는 뜻으로, 식량이 없어 끼니를 잇기 어려운 사람이 연명을 위해 먹는 거친 음식을 말한다.
525) 불측간악(不測奸惡) : 간사한 악행을 헤아릴 수 없을 만큼 많이 저지를 것임.

이라 이를 것이 없으나, 신인(新人)이라 일컫지 못 할 것이요, 악장의
소생 사랑하심이 사빈 등의 감치 않은 바를 헤아리매, 소생이 차마 악장
의 지우(知遇)를 저버리지 못 하옵나니, 영녀(令女)를 옥누항으로 데려
가려 하시거든 데려 가시고, 어려이 여기실진대 후당에 머무름이 무엇
이 어려우리까? 원문을 열어 두리니 사빈의 왕래란 마음대로 하라 하소
서, 동기 위한 정을 막지 않으리이다.”

호람후 영능후의 과격 엄렬함으로도 이 말이 가장 의외라. 이에 탄식 왈,
“자한이 비록 관인후덕(寬仁厚德)을 힘쓰나 간녀(奸女)의 회심자책(回
心自責)할 길이 없으니, 어찌 통한치 않으리오. 내 이미 저희 모녀를 죽
이지 못하고, 저의 형모(形貌)를 대하고자 아니하나니, 그만하여 나갈
것이라.”

언필의 동신(動身)하여 밖으로 나감을 청한대, 석추밀 부자가 한가지
로 일시에 나오고, 총재(總裁)는 머물러 저저를 붙들고 실성체읍(失性涕
泣)함을 마지않으니, 경아 오히려 악심(惡心)이 채 풀리지 아니하였는지
라. 총재를 대하매 미운 듯, 부끄러운 듯, 측량치 못하니, 한갓 오열유
체(嗚咽流涕)할 뿐이러라.

총재 영능후의 허락을 얻었음으로 석부 원문(園門)을 열고, 자기 하리
노복 등으로 후원의 어지러운 초목을 없이 하고, 옥누항에 가 좋은 자리
를 가져 오라 하여, 시녀 열섬으로 하여금 방중을 쇄소(刷掃)하여 그 거
처(居處)를 편케 하고, 좋은 사색(辭色)으로 매저(妹姐)를 천만 위로하
여, 지난 일을 생각지 말고 새로 어진 덕을 닦아, 부행(婦行)을 어기지
말 것을 당부하니, 경아 부끄러워 능히 일언을 못하더라.

날이 늦은 후 총재 돌아갈 새, 열섬을 엄칙하여 소저를 조심하여 모시
라 하고, 하직 왈,
“차후 소제 원문으로 좇아 날마다 와 뵈오리니, 저저는 만사를 파탈

(擺脫)526)하고 심려(心慮)를 안온히 하소서."

경아 다만 타루(墮淚)하여 죽기를 바야527)더라.

이부(吏部) 밖에 나와 야야를 모셔 옥누항으로 돌아갈 새, 영능후 호람후를 공경함과 이부를 사랑함이 지극하여, 전일과 조금도 다름이 없으니, 가히 장부의 기상이러라.

호람후 간녀(奸女)를 죽이지 못하고 부중에 돌아와, 그 초초한 형용과 참참(慘慘)한 의복 거처를 생각하매, 차라리 목전에 죽여 공산의 묻지 못함을 탄돌(歎咄)하나, 태부인께 차사를 고치 아니하더라.

화설 윤통재 날마다 석부의 왕래하여 저저(姐姐)를 보더라.

---

526) 파탈(擺脫) : 어떤 구속이나 예절로부터 벗어남.
527) 바야다 : 재촉하다. 서두르다.

ଚ

명주보월빙 권지칠십팔528)

차설 윤총재 날마다 석부의 왕래하여 저저(姐姐)를 보며, 자기 녹봉을 옮겨 저저의 양미(糧米)를 삼고, 찬선(饌膳)과 의복을 옥누항에서 이워 그 의식지절(衣食之節)에 군핍함이 없게 하고, 창후 또한 경아를 자주 가보되, 전일 악악하던 바를 생각지 않고 그 신세를 위하여 슬피 여기니, 경아 창후 형제를 볼 적마다 참안 수괴함이 더하고, 그 정성이 지극함을 보매 일분 감사한 의사 있어, 악심이 잠깐 풀리는 듯하더라.

---

528) 78권은 결권인데 이를 '박순호본'으로 복원하였다. 이 복원의 타당성 여부를 밝히면, 위에서 볼 수 있는 것처럼 '낙본'은 77권 끝 문장이 "화설 윤총재 날마다 석부의 왕래하여 저저를 보더라."인데, 박순호본은 이 문장이 "차설 윤총재 날마다 석부에 왕래하여 저저를 보며 자기 녹봉을 옮겨 저저의 양미를 삼고…" 로 되어 있다. 또 '낙본' 권79는 "설화 남창후 잠깐 노기를 풀고 진씨를 보니 수심을 띠었으매 기려절승한 태도 더욱 봄직 한지라."로 시작하고 있는데, '박본' 권29의 시작은 "화설 남창후 잠깐 노기를 풀고 진씨를 보니 수심을 띠었으매 기려절승한 태도 더욱 봄직 한지라."로 되어 있어, '낙본'과 문장이 같음을 볼 수 있다. 따라서 '낙본' 78권에 해당하는 내용은 '박본' "차설 윤총재 날마다"(28권108쪽6행)로부터 29권 시작부분 "화설 남창후 잠깐 노기를 풀고"의 앞, 곧 28권 끝("어찌 된고 하회를 남할지어다.")까지 임을 알 수 있다. 그 서사분량은 총 15,267자로, 금번 이를 발굴·전사하고 교정까지를 마쳐, 이 교감본과 현대어본을 편찬함으로써 권78의 복원이 완료되었다. 이로써 이제 '낙본'은 낙질본이 아닌 완질본의 새로운 지위를 갖게 된 것이다.

·

이때 이부총재 초후를 노함이 중심에 가득하니, 깊이 치부(置簿)하여 하부인께 노를 풀고자 함으로, 여러 일월을 지내도록 씩씩 숙엄하여 하씨를 대한 즉, 열일(烈日) 엄숙(嚴肅)함이 추천(秋天)이 음애(陰靄)를 지으며 상풍(霜風)이 늠름함 같으니, 하부인이 지은 허물이 없으되 그윽이 불안 수괴함이 깊은지라, 총재의 위인이 비록 심리에 불안한 일이 있어도 구태여 언두(言頭)에 이르지 않고, 규내(閨內)의 세쇄한 일을 알려함이 없으며, 언소의 드묾이 존당 부모의 희열하실 바를 돕지 아니하면, 종일 입을 열지 않되, 승안열친(承顔悅親)529)을 위하여 존당 면전에서는 형제 환소(歡笑)하여 노래자(老萊子)530)의 반의(班衣)를 사양치 않되, 사실에 돌아온 즉 침연(沈然) 위좌(危坐)하여 주순(朱脣)이 함묵(含黙)하고 위의 삼엄하여, 예(禮)와 법(法)을 잡음이 공맹(孔孟)을 모심 같고, 하천(下賤) 삼척동(三尺童)을 대하여도 교오(驕傲)하며 시험(猜險)함이 없으되, 자연한 위의(威儀) 일신을 둘렀으니, 사람이 바라보기 송연(悚然)한지라.

호람후 총재의 마음을 알지 못하고, 가내에 다시 근심이 없는 고로, 일삭에 망일(望日)은 총재의 침구를 옮겨 칠팔일(七八日)씩 하·장 양소 저의 숙소에서 밤을 지내라 하매, 총재 하씨를 미안하여 내루에 거처를 돈절할 뿐 아니라, 부모의 불화하심을 크게 비절(悲絶)하여, 부모 상면치 않은 전은 자기 부부 일실에 즐기지 않으려 결단하였는지라. 비록 하·장 등의 처소에 가 밤을 지내라는 명을 받자오나, 부친을 시침치 않은 날은 소서헌에 나와 잘지언정 내당에 숙처(宿處)치 않으니, 공이 처음은

---

529) 승안열친(承顔悅親) : 어버이의 얼굴빛을 따라 때에 맞게 마음을 기쁘게 해드림.
530) 노래자(老萊子) : 중국 춘추 시대 초나라의 은사(隱士). 70세에 색동옷을 입고 어린애 장난을 하여 늙은 부모를 위안하였다고 한다. 저서에 ≪노래자≫ 15편이 있다.

알지 못하더니 일월이 오래매 자연 앎이 되어, 일일은 총재를 면전에 꿇리고 무고히 박처(薄妻)함을 수죄(數罪)한데, 이부 문득 추연이 낯빛을 고치고, 머리를 두드려 가로되,

"불초자 무상하오나 일분 사람의 마음이라. 부모의 화(和)치 못하심을 뵈오매 주야 촌장(寸腸)이 찢어지는 듯하오니, 어느 겨를에 처실로 더불어 화락함을 뜻하리까? 소자 엄전(嚴前)에 사죄를 받자올지언정, 자모로 상면치 않으신 전은, 소자 역시 처실을 대면치 못 하리소이다."

공이 청필에 대로하여 서안을 박차고 진목 질왈(叱曰),

"발부를 죽이지 못함은 여부의 풀어지고 흐림이거늘, 네 나의 용우(庸愚)함을 업신여겨, 이제는 유가 요녀의 얼굴을 대하라 권하여 금슬지정(琴瑟之情)을 유련(留連)531)케 하고자하니, 어찌 해연(駭然)치 않으리오. 여부 찰녀(刹女)로 불화함을 인하여, 네 또 하·장 양 식부를 대치 않겠노라 저히니, 부부 사정은 하늘같은 위엄이라도 임의로 못하리니 아무려나 하려니와, 차후 네 나를 아비라 하여 다시 얼굴 볼 의사를 말라."

언파에 좌우를 호령하여 총재를 등 밀어 내치라 하니, 창후 황황하여 체읍 간왈(諫曰),

"희제 존명을 거역하오미 죄 중하오나 저의 도린즉 당연이 옳사온지라. 계부(季父)와 숙모의 상면치 않으시는 일이 적은 불행이 아니오니, 인자지심(人子之心)에 어찌 처실을 대하여 흔흔(欣欣)히 즐기고자 뜻이 있으리까? 원컨대 대인은 가내 화열(和悅)할 도리를 생각하시고, 숙모의 개과책선(改過責善) 하시는 덕을 돌아보시어, 숙모를 존당(尊堂) 중 회중(衆會中) 예사(例事)로이 나다니게 하소서."

공이 머리를 흔들어 가로되,

---

531) 유련(留連) : 머물고 있거나 머물게 함.

"네 아무리 일러도, 유녀의 간흉극악을 생각하면 심골이 경한(驚寒)함을 이기지 못하나니, 어찌 악인을 대하여 비위(脾胃)532)를 상해오고, 단명(短命)할 징조(徵兆)를 하리오."

이리 이르며 이부를 구박하여 문밖에 내치라 하니, 창후 황황함을 이기지 못하여 재삼 간하되 공이 듣지 않으니, 이는 이부 유부인 위한 정성을 통한이 여기미라.

총재 부친의 노기 열화(熱火) 같으심을 보고 감히 머물지 못하고, 문외에 잠깐 나와 조모께 글을 올려, 야야(爺爺)의 노기를 돌이키시게 함을 애걸하니, 위 태부인이 이부의 글을 보고 공의 고집을 돌이키기 어려옴을 근심하더니, 창후 들어와 조모께 뵈옵고 왈,

"계부 희천을 여차여차 책하시고 내치시니, 이는 숙모께 아주 매몰함을 뵈심이라. 태모 주선(周旋)치 않으시면 계부의 마음을 돌이키기 어려울 것이니, 원컨대 혼정(昏定)에 계부 들어오시거든 여차여차 계부대인을 격동하소서."

태부인이 점두하고 혼정 때를 기다리더라.

석식 후 공이 창후를 데리고 들어와 모친께 뵈올 새, 태부인이 소매로 낯을 가리고 누어, 흐르는 눈물이 천항(千行)이요, 느끼는 소리 기운이 막힐 듯하니, 공이 가장 경황하여 상하에 나아가 묻자와 가로되,

"자정이 무슨 일로 이다지도 비척하시어 성체를 상해 오시나이까?"

태부인이 길이 한숨지며 가로되,

"아무리 생각하여도 나의 전전 과악이 하늘 아래 다시없는533) 사나움이라. 너의 숙질 부자의 대효로 받듦을 입어 일신이 편하나, 때때 지난

---

532) 비위(脾胃) : 어떤 음식물이나 일에 대하여 먹고 싶거나 하고 싶은 마음.
533) 다시없다 : 그보다 더 나은 것이 없다.

일을 생각하면 마음이 서늘할 뿐 아니라, 실로 살고자 뜻이 없고, 유씨
응휘각 가운데 두문불출(杜門不出)하여 전일을 부끄러워하고 새로 어진
덕을 닦아, 도금(到今)하여는 인사에 온순함이 한 곳 미진함이 없으되,
네 언언(言言)이 유씨 요물(妖物)을 일컫고, 교지(交趾)534)로서 돌아온
지 사오 삭이 되었으되 얼굴을 대치 않으니, 일택지상(一宅之上)에 부부
서로 보지 않으려 정하매, 노모 불평(不平) 난안(赧顔)함을 어찌 다 이
르리오. 네 위인자(爲人子)하여 차마 노모의 극악을 이르지 못하나, 마
음에 나를 궁흉(窮凶)히 여김이 유씨에게 내림이 있으리오. 노모 명완
(命頑) 무지(無知)하여 붕성지통(崩城之痛)을 품고 여러 세월에 무궁한
악사를 행하되, 능히 부끄러운 줄을 알지 못하고 지금까지 살았음을 천
신이 오지(惡之)할535)지라. 차라리 폐식(廢食) 잠와(潛臥)536)하여 가내
불평한 경상을 보지 말고, 구천(九泉)에 돌아가 선군(先君)을 만나 죄를
청하고, 현을 보아 뉘우치는 뜻을 이르리라"

공이 모친 말씀을 들으매 불승경황(不勝驚惶)하여 낯빛을 고치고, 소
리를 부드러이 하여 가로되,

"소자의 불초 무상함이 한 일도 자정의 희열하실 바를 이루지 못하고,
이렇듯 성의를 번뇌하시어 회과자책(悔過自責)하심이 과도하시어, 자손
의 차마 듣지 못할 말씀을 하시어, 소자의 마음이 황황(遑遑)하여 부지
소향(不知所向)537)케 하시나이까? 유씨의 두문불출(杜門不出)함을 성심
에 거리끼실진대 또한 어찌 자의를 거스리까? 금일이라도 자정 좌하

---

534) 교지(交趾) : 중국 한(漢)나라 때에, 지금의 베트남 북부 통킹, 하노이 지방에
　　　둔 행정 구역. 전한(前漢)의 무제가 남월(南越)을 멸망시키고 설치하였다.
535) 오지(惡之)하다 : 미워하다.
536) 잠와(潛臥) : 말없이 가만히 누워 있음.
537) 부지소향(不知所向) : 가야 할 곳을 모름. 어찌해야 할 바를 알지 못함.

에 봉시(奉侍)하게 하리니, 원컨대 성심을 번뇌치 마소서."

위 태부인이 비로소 일어나 앉아 누흔을 영엄(令掩)하고538) 가로되,

"너의 효순함이 어미 뜻 받음이 이 같으니 비록 노모 악(惡)하나 족히 써 조선과 선군께 속죄하리로다."

공이 재삼 위로하여 깃거하심을 요구하고 인하여 석반을 진하심을 보고, 물러 중당(中堂)의 나와 조부인께 고왈,

"자정이 악인에게 사랑을 쏟으심이 과도하시어 별이(別異) 하시고, 희천이 악인을 위한 정성이 이상(異常)하여 제 위에 소생이 있음을 알지 못하고, 소생이 악인을 상견치 않음을 근심하니, 소생이 증분(憎憤)을 이기지 못하여 저를 문 밖에 내쳤더니, 자정(慈庭)이 이 일을 아시니이까?"

조부인이 대왈,

"숙숙(叔叔)이 희천 내치심은 비로소 처음 듣잡나니, 존고 또한 몰라 계시니이다"

공이 일마다 자기 마음과 같지 못하여, 유씨를 평석(平昔)539)같이 중회 중 나다니기를 정하매, 분하고 통해함이 비할 곳이 없으되, 자정의 뜻을 거스르지 못하여, 이에 시녀를 명하여 총재를 불러오라 하니, 수유(須臾)에 총재 계하에 복명하니, 공이 명하여 오르라 하나 울울불락하여 탄식함을 마지않더니, 날호여 이르되,

"자정이 유가의 두문불출함을 큰 우환으로 아시어 성심을 상해오시니, 마지못하여 사(赦)하나. 내 실로 저를 대함이 사갈(蛇蝎) 같아서 놀라움이 심한골경(心寒骨驚)하되, 자위의 근심하심을 돕삽지 못하여, 내 함분잉통(含憤忍痛)하고 유씨를 중회 중 나다니게 하나니, 일마다 네 뜻

---

538) 영엄(令掩)하다 : 엄적(掩迹)하다. 흔적 따위를 없애다. 지우다.
539) 평석(平昔) : 보통 때. 평상시. 평시(平時). 평소(平素).

을 맞히는지라. 네 또 일분이나 인심이 있을진대, 내 뜻을 돌려 생각하
여, 내당에 숙식을 예사로이 하여 괴거(怪擧)를 부리는 일이 없게 하라.”

이부(吏部) 복수청교(伏首聽敎)540)에 환행(歡幸)함을 이기지 못하나,
대인이 유부인 대함을 괴로이 여기시거늘 자기 또 그 뜻을 세움이 많은
지라. 출천대효로써 부모의 화열하실 바를 궁극히 계교하나, 능히 화평
할 도리를 생각함이 쉽지 않고, 야야의 함분인통(含憤忍痛)541) 하심이
점점 더하여 심화 성(盛)하실 바를 생각하니, 중심에 절박함이 무궁한지
라. 또 어찌 그 명을 거역하리오.

이에 복수 대왈,

“대인이 위로 대모의 근심을 더시어 희열하실 바를 이루시고, 아래로
해아(孩兒)의 황민(惶憫)한 정사를 살피시니, 가중에 이 만한 경사가 없
사온지라. 아해 또 어찌 감히 훈교(訓敎)를 저버려 위월(違越)하리까?”

공이 무언 탄식이러라.

혼정을 파하고 이부 응휘각에 들어가 모친께 뵈옵고 명일부터 존당
중회 중 나다니심을 고하니, 유부인이 눈물을 뿌려 왈,

“존고 불초부(不肖婦)의 깊이 들었음을 매양 심우(心憂)하시니, 어찌
존전(尊前)에 시봉함을 매양 폐하리요마는, 부끄러운 낯을 들어 일가지
인(一家之人)과 네 대인을 대(對)치 못하리니, 오아는 모름지기 이런 말
을 이르지 말라”

총재 망단(望斷)하여 또한 체읍 고 왈,

“태태 매양 이곳에 문을 닫고 움직이지 않으시니, 소자의 심장이 주야
에 끊는 듯 하온지라. 바라건대 기거를 평상이 하시어, 위로 태모 성의

---

540) 복수청교(伏首聽敎) : 엎드려 어른의 말씀을 들음.
541) 함분인통(含憤忍痛) : 분을 품고 그 분한 마음을 참음.

를 받드시고, 아래로 소자의 정리를 생각하소서"

부인이 다만 체읍할 뿐이요, 말이 없더니, 문득 구파 이르러 명일부터 신혼정성(晨昏省定)에 참례하고 중회 중 나다님을 이르니, 유부인이 또한 감히 사양치 못하니, 얼굴이 피곤하였으나, 인물이 순평하고 마음이 어질기는 완연이 다른 사람이 되었으니, 이부의 슬퍼함을 보매 감동하여 몽롱이 존당 명을 준봉할 바를 회주하나, 부끄러온 낯을 깎고자 하더라.

이부 모친의 취침하심을 보고 소서헌에 나와 밤을 지내고, 새매 바로 응휘각에 들어가니 벌써 하·장 등이 모여 존고의 의상을 받들어 기침(起枕)하심을 기다리는지라. 이부 모친께 고왈,

"자위 금일 신성부터 대모께 문후를 폐치 못하시리이다. 비록 수고로우시나 잠깐 침석을 물리치사 기침하심을 바라나이다."

유부인이 한없는 부끄러옴을 이기지 못하고 죄루를 무릅써, 안연이 무사히 나고자 뜻이 없으되, 이부의 지효를 아니 돌아보지 못하여 날호여 몸을 일어 소세하고, 자부를 거느려 원양전에 들어가 태부인께 신성지례(晨省之禮)를 이룰 새, 조부인이 정 숙렬과 구파로 더불어 모이는지라. 유부인의 손을 잡고 흔연 왈,

"부인이 금일 존당 좌중에 나옴을 보니 아심(兒心)을 적이542) 위로하리로다. 환난 후 처음으로 안항(雁行)을 차려 존고를 모시니 어찌 기쁘지 않으리오."

유부인이 추연 대왈,

"소제의 죄악이 천지에 관영한지라. 진실로 중인공회(衆人公會)에 나가기를 부끄러워하더니, 위로는 존명이 계시고 아래로 희아의 지성이 아니 미친 곳이 없는 고로, 낯가죽543)을 두껍게 하고 이에 나왔나이다."

---

542) 적이 : 조금. 꽤 어지간한 정도로.

 태부인이 위로 왈,

"노모의 과악은 그대에서 세 번 더함이 있으나 오히려 부끄러움을 참고 견디나니, 그대는 지난 일을 다시 이르지 말고 행지(行止) 처신(處身)을 평석(平昔)과 달리 말라"

 유부인이 배사 하더니, 문득 공이 들어와 모친께 야래(夜來) 존후를 묻자올 새, 유부인이 공을 대하매 면홍(面紅)544)이 자저(自著)하여545), 경각에 땅을 파고 들고자 하나 능히 미치지 못하고, 황구(惶懼)하여 정히 아무리 할 줄 모르는지라. 태부인이 가장 자닝히 여겨, 공을 향하여 왈, "너희 부부 결발대륜(結髮大倫)546)을 정한 지 이제 하마 삼십 년이라, 피차 대하매 서의(齟齬)할 일이 없으되, 노모의 불인 무상함이 유씨를 그릇 만들어 허다 과악(過惡)에 빠트린바 되니, 전혀 노모의 탓이로되, 너의 유씨를 책망함이 일편 되니, 유씨 너를 보매 시호(豺虎)같이 여기니, 모름지기 가내 화열하며, 노모와 희천 부부의 마음이 편키를 위하여 괴이한 경색(景色)이 없게 하라"

 공이 유부인을 멀리서 얼핏 보매, 새로이 통완함이 잊었던 일을 다 생각하여, 분기를 이기지 못하나, 모친 심회를 더하지 못하여 천만 강잉하여 유부인을 향하여 장읍(長揖)하매, 유씨 연망(連忙)이 답배하나, 참안(慙顔) 수괴(羞愧)한 거동을 이기지 못하되, 호람후 눈을 들지 않고 분기 흉격(胸膈)에 가득하매 면색이 자연 다르고, 또 능히 악인을 대하여 오래 앉아있을 마음이 없어, 즉시 일어나 나가니, 총재 부친 기색을 알아보고 절박한 근심을 풀 날이 없으되, 유부인이 알면 더욱 슬퍼할 바를

---

543) 낯가죽; 염치없는 사람을 욕할 때 그런 사람의 얼굴을 이르는 말.
544) 면홍(面紅) : 얼굴이 붉어짐. 또는 그러한 얼굴.
545) 자저(自著) : 저절로 나타남.
546) 결발대륜(結髮大倫) : 혼인의 큰 도리.

민망하여 좋은 듯이 모셨더라.

　차후 유씨 출입지제(出入之際)에 전일과 다름이 없으되, 공근(恭謹) 비약(卑弱)547)함과 이연유열(怡然愉悅)함이 한 조각 모진 기운이 없으되, 너무 강단(剛斷) 없기에 가깝고, 흐리눅고548) 풀어져 창후 부부와 총재 부부를 본즉 두굿기니, 호람후 모친의 개과책선 하신 기쁨은 능히 적은 경사로 이르지 못할 바거늘, 유씨마저 회과자책하여 인도(仁道)에 돌아왔음을 그윽이 살피매 심중에 환열하되, 당초 과악을 생각하매 오히려 그 심폐를 비치듯이 알기 어려운 고로, 그 측량치 못할 사나움549)이 결단코 무슨 흉계를 도모코자 이렇듯 뉘우치는 체하는가, 염려 번다하여 식음이 달지 않고 침수 편치 않아, 주야 울울불락한 빛을 감추지 못하니, 이부와 창후의 절민함은 유부인이 응휘각에 두문불출한 때에서 다름이 없더라.

　또 총재의 양부인 향한 정이 박(薄)한가 염려하여 하·장 등의 숙소에 자주 들여보내고 구파로 하여금 그 부부간 사어를 탐청하되, 이부 하·장 이 부인 침소에 들어가면 즉시 상요에 나아가 잠을 깊게 들었다가, 계초명(鷄初鳴)에 일어나 정당에 신성하려 나오니, 희미한 언어도 듣지 못할 뿐 아니라, 하부인 침당에 들어간즉 더욱 사색(辭色)이 씩씩하여 부부의 정이 있지 않음 같으니, 구파 더욱 의심하고 괴이히 여겨, 이부(吏部) 하부인 침소에 들어간 날인즉 아니 규시하는 날이 없더라.

　일야는 이부 존당부모 취침하심을 보고 물러 하부인 숙소에 이르니, 부인이 촉하에서 아자를 어루만져 가차하다가, 이부를 보고 천연이 일

---

547) 비약(卑弱) : 자신을 낮추고 모자란 것처럼 함.
548) 흐리눅다 : 흐리게 눅다. 일이나 행동 따위가 아주 모호하여 분명하지 못하고 강단이 없다. *눅다; 무르다. 물렁하다.
549) 사오납다 : 사납다. 나쁘다. 열등하다.

어 맞아 동서 분좌하매, 창린이 이부가 저를 가차함이 없으되 따르기를
이상이 하는지라. 빨리 부친 무릎 아래 나아가 이르대,

"백부는 소자 등을 사랑하시되, 야야는 어찌 매양 성낸 사람 같으시니까?"

이부 아자의 교영출발(喬英出拔)550)함과 영민특이(英敏特異)함을 깃거
하나, 본성이 아해를 가차치 못할 뿐 아니라, 하부인을 미흡해하는 마음
을 풀지 못하였으므로, 정색하고 창린을 물려 앉히니 아해 모친 앞에 나
아가 묻되, 부친은 벙어리도 아니건마는 우리 방에 들어오시면 한 말을
않고 저리 성을 내시는고? 괴이하니, 모친은 그 곡절을 아시나이까?"

소제 민망하여 역시 해아를 물리치니, 창린이 다시 이부 곁에 나아가
성낸 곡절을 지리히 물으니, 그 거동이 사랑스럽되, 이부 조금도 웃는
빛이 없어, 유모를 불러 창린을 데려 가라 하고, 창린을 꾸짖어 왈,

"나이 수(數) 세를 넘지 못한 것이 말 많고 뻔질뻔질함이551) 제 표숙
(表叔)의 뒤를 따를지라. 모름지기 그만하여 빨리 가라!"

유모 창린을 데려가려 한즉, 닌아가 모친 곁에 앉아 움직이지 않고,
하부인도 아해를 꾸짖어 내어 보낼 의사 없어 묵연이 말을 않는지라. 상
서 그 모친의 거동을 보매 애경(愛敬)하는 정이 무궁하나 사색치 않고,
재삼 꾸짖어 유모를 맡겨 내어 보내니, 닌아가 울기를 마지않더라.

날호여 상요에 나아가니 하 부인이 만사 천연한 고로, 이부 비록 자기
를 미안이 여기나 자기 대단한 허물이 없으니, 중심에 경황(驚惶)한 일
이 없고, 또 동방(洞房)의 신부 아니라. 자기 침금(寢衾)에 입은 채 누우
니, 상서 촉을 멸하고 부부 다 잠드는 듯하니, 구파 날이 새기를 그음하
여 셨더니, 하소저 홀연 적상(積傷)한 병이 발하여, 피를 토하고 정신이

550) 교영출발(喬英出拔) : 풍채가 헌걸차고 포부가 커 특출하게 빼어남.
551) 뻔질뻔질하다. 성품이 매우 뻔뻔스럽고 유들유들하다.

혼혼(昏昏)하여 인사를 차리지 못하니, 상서 대경하여 야명주(夜明
珠)552)를 내어 놓고, 단의침건(單衣寢巾)553)으로 앉아 맥을 보고, 낭중
에 환약(丸藥)을 내어 삼다(蔘茶)에 화(和)하여 연속하여 떠 넣으니, 가
장 오랜 후 소저가 정신을 수습하거늘, 이부 문왈,

"부인이 어찌 불의에 엄홀(奄忽)하여 인사를 모르더뇨?"

소저 기운이 아득하고 일신이 아픔을 이기지 못하여, 겨우 희미하게
대왈,

"첩의 이 병이 삼년 째라, 비록 보기 위급하나 수삼 일만 지내면 쾌소
하니 대단치 않으니이다."

이부 소저의 통세 비경함을 보고, 함분(含憤)턴 마음이 없어 낯빛이
화(和)하여 왈,

"부인이 비상화난(非常禍亂)에 몸이 상한지라. 어찌 적상한 병이 없으
리오마는, 생성(生性)554)함이 기괴(奇怪)한 지경(地境)에, 존당과 자위
실덕(失德)을 원망하여, 생이 온 후도 본부에 있기를 즐기고 우환(憂患)
을 염려치 않으니, 부도(婦道)에 어긋났거늘, 초후를 시켜 자위와 생을
욕함이 아니 미친 곳이 없으니, 내 비록 용우(庸愚)하나 초후를 구겁(懼
怯)할 바리오마는, 생은 본디 남을 겨뤄 언힐(言詰)555)을 즐기지 않고,
또한 저저의 안면을 보아 무궁한 욕을 좋은 말 듣듯 하였거니와, 나를
업신여기고, 또한 내 집 은혜를 저버려, 한갓 자위를 수욕(數辱)할 따름
이 아니라, 매저를 못 견디도록 조르며 욕하던 바는, 윤사빈이 생세(生
世)에 풀리지 않을 노(怒)함이라. 만일 자전(慈殿)과 저저를 위한 효우

---

552) 야명주(夜明珠) : 어두운 데서 빛을 내는 구슬. =야광주(夜光珠).
553) 단의침건(單衣寢巾) : 속옷과 잠잘 때 머리에 쓰는 두건.
554) 생성(生性) ; 성품을 타고남.
555) 언힐(言詰) : 말로써 트집을 잡아 따짐.

(孝友)가 있을진대, 생이 부인으로 더불어 아주 부부지의(夫婦之義)를 끊어 초후에게 한을 풀고자 하되, 생이 스스로 임의치 못하는 바는, 대인이 부인을 연애(憐愛)하심이 친생 여아에 넘으시고, 우리 부부간 화열키를 이르심이 간절하시어, 세쇄지사(細瑣之事)를 아니 염려하시는 곳이 없으시니, 인자지도(人子之道)에 친의(親意)를 어기지 못하여, 시러금556) 부인을 대접하며 부부륜의(倫義)를 온전히 하니, 초후는 세권(勢權)을 믿어, 니 같은 암열우용지인(暗劣愚庸之人)557)이 자기를 두려워하는가 여기려니와, 윤사빈도 또한 사람의 마음이라, 어찌 남의 무단한 질욕을 감수하리오. 악장이 겉으로 초후를 책하는 체하나, 그 실은 욕하는 바를 가장 두굿기시니, 자제(子弟)558)를 교훈하시는 도리 어찌 그러하실 수 있으리오. 우리는 부형이 공근겸퇴(恭謹謙退)를 힘쓰시니, 혹자 분노한 일이 있어도 방자히 질욕치 못하는 품도(品度)라. 부인이 혹 기승(氣勝)한 부형을 따라 호승(好勝)559)을 부리고자 할지라도, 사빈의 졸직(拙直)함을 돌아보아 양미토기(揚眉吐氣)560)하는 거조나 없게 하소서"

설파의 사기 엄숙하여 오래 함분(含憤)하던 설화를 펴매, 성음이 유열하고 난모(暖貌) 춘양(春陽) 같고, 삼엄(森嚴) 정대(正大)한 예절(禮節)이 일신을 둘렀으나, 부인이 진실로 초후의 과격지설(過激之說)을 자세히 알지 못하거늘 상서의 말이 이 같고, 자기의 온순(溫順) 효우(孝友)함이 출천(出天)하거늘 교오(驕傲) 호승(好勝)키로 치는 것을 보매, 여

556) 시러금 : 이에, 능히
557) 암열우용지인(暗劣愚庸之人) : 사리에 어둡고 뒤떨어지며 어리석고 용렬한 사람.
558) 자제(子弟) : 남을 높여 그의 아들을 이르는 말.
559) 호승(好勝) : 남과 겨루어 이기기를 좋아하는 성미가 있음.
560) 양미토기(揚眉吐氣) : '눈썹을 치켜뜨고 기를 토한다'는 뜻으로, 기를 펴고 활개를 치는 것을 이르는 말.

러가지 분원(忿怨)함이 있으되, 사사에 여자 됨이 괴롭고 한(恨)할 따름
이요, 외모에 나타내지 않아, 천연이 대왈,

"첩이 비록 불초무상(不肖無狀)하나, 동기(同氣)를 시켜 존고와 군자
를 욕하라 할 인사(人士)561)이리까마는, 군자 억견(臆見)으로 이같이 책
하시나, 첩의 애매함이 신명(神明)에 질정(質正)하여도 부끄럽지 않을지
라. 다만 첩의 허물이 존당과 존고 환후 위중(危重)하신 때를 당하여,
미(微)한 정성을 펴지 못한 죄 적지 않은지라. 존문이 죽음을 명하여도
감히 한(恨)치 못 하리로소이다."

언파에 일신을 괴로이 자통(自痛)할 뿐이요, 다시 말씀에 뜻이 없으니,
상서 그 맥후(脈候)로 좇아 적상(積傷)한 증세(症勢)가 비경(非輕)함을 염
려하며, 그 위인의 온순함과 청아(淸雅)함을 흠복(欽服)하여 누월 미안
(未安)이 여기던 뜻이 춘설(春雪) 스러지듯 하여, 잠깐 웃고 가로되,

"부인이 초후의 질욕함을 영영 모르노라 하니, 생이 또한 다 알지 못
하거니와, 영형(令兄)을 보아든 부질없는 세염(勢焰)562)을 자랑치 말라
이르소서."

인하여, 부인의 옥수를 잡고 은근(慇懃) 위곡(委曲)563)한 언어와 견
권(繾綣)하는 정이 비길데 없으되, 그 가운데 단엄(端嚴) 침위(沈威)하
여 음일(淫佚) 경박(輕薄)한 거조가 없고, 부화처순(夫和妻順)함이 극진
하여, 군자 숙녀 화락이 무흠하니, 구파 이 거동을 보매 인간의 희귀(稀
貴)한 일로 알아 두굿겁고 기특함을 이기지 못하되, 하소저 토혈하는 증

---

561) 인사(人士) : ①사회적 지위가 높거나 사회적 활동이 많은 사람. ②'사람'을 낮
잡아 이르는 말.
562) 세염(勢焰) : 기세(氣勢).①기운차게 뻗치는 형세. ②남에게 영향을 끼칠 기운
이나 태도.
563) 위곡(委曲) : 자상(仔詳)함.

세와 일신을 고통함을 우려하여, 계명에 원앙전에 돌아가 그 부부의 문
답 설화와 하씨의 적상한 병이 깊음을 태부인께 일일이 고하니, 태부인
이 크게 두굿겨 조·유 이부인이 신성에 모이매, 구파의 규시한 말을 옮
겨 전할 새, 상서의 남다른 효성이 초후의 말을 노(怒)하여, 하씨에게
유감한 뜻을 품으니, 그 성정의 어려움과 위인의 아름다움을 일컬으니,
조부인은 구태여 말이 없으되, 유부인은 일마다 두굿기고 말마다 기특
이 여겨, 총재 부부 사랑하기에 다다르는 인사를 잃으니, 어찌 전후에
다른 사람이 아니리오. 이윽고 창후와 총재 존당 부모께 신성할 새, 구
파 웃고 왈,

"상공 형제 매양 신성이 계초명(鷄初鳴)564)이러니 금일은 어찌 늦으
니까?"

창후 대왈,

"소손은 계부께 시침하였더니 계부 새도록 접목치 못하시어 글을 지
으라 하시거늘, 칠율(七律)565)을 아까 작필(作筆)하여 드리노라 늦었고,
사제는 계명에 외헌에 나와 계부를 모셨다가 형제 함께 들어오니이다"

구파 상서 더러 문왈,

"정당 이 소저는 신성에 들어오시되 하소저는 어찌 신성을 불참하시
니까? 상공은 한가지로 밤을 지내어 계시니 모르지 않으실지라, 무슨
병이 있더니이까?"

상서 대왈,

"하씨 감기 있는가 싶으더이다"

---

564) 계초명(鷄初鳴) : 새벽에 첫닭이 우는 때.
565) 칠율(七律) : 칠언율시(七言律詩). 한시(漢詩)에서, 한 구가 칠언으로 된 율시.
　　모두 8구로 이루어진다.

구파 왈,

"토혈은 않으시며 상공이 진맥이나 하여 보시니까?"

상서 본디 눈을 들어 살피는 일이 없는지라. 구파의 말을 채 알아 듣지 못하고 다만 대왈,

"혹 감기 이신들 토혈하도록 하리까? 그만 병에 진맥하여 무엇 하리까? 소손이 의술을 모르는 고로 사람의 맥후를 보아도 아무런 줄 모를러이다"

구파 소왈,

"상공이 천연(天然)하여 표피(表皮) 한가진가 알았더니 작야 거동과 금조 말씀에 다다르는 간사(奸邪)하시이다"

상서 비로소 구파의 규시함을 깨달아 잠소 대왈,

"세강(歲降) 속말(俗末)에 진정 군자 없으니, 소손의 간사하긴들 괴이하리까?"

구파 대소왈,

"그대의 간사함을 노신이 이미 보았음으로 발명치 아니하거니와, 창린을 질퇴(叱退)하며 하부인을 그대도록 미워할 제는 무슨 마음이요, 하소저의 토혈하고 엄홀키에 당하여는, 창황 초조함이 간담을 베는 듯하여 부인의 손을 붙들고 울고자 하는 뜻은 무슨일고? "

상서 함소 무언이러니 날호여 가로되,

"조모는 춘추 육순을 지나 계시되, 부지런하고 다사하심이 이상하여, 남은 다 자는데 조모 홀로 침수를 폐하시고, 남의 사실을 엿보아 부부간 후박과 소배(少輩)의 허물을 살피려, 체모(體貌)를 잃고 창외의 새도록 서 계시니, 가장 단정치 못하신지라. 소손이 수도(修道)하는 고승이 아니니 혹 부부간 친근함이 괴이치 않거늘, 조모는 사람의 음행(淫行) 실절(失節)함을 잡은 듯이 분분(紛紛)이 서두르시니566) 가소로움을 이기

지 못하리소이다."

창후 소왈,

"나 같으면 조모의 규시하시는 때를 당하여 한 번 크게 놀래어 자빠지게 할 것을, 사제 너무 공근하여 조모의 엿보시는 대로 두어, 부부간 사어를 두루 전파케 하니 어찌 분치 않으리오."

구파 꾸짖어 왈,

"그대 정숙렬 부인 침소에서 하는 거동이 어찌 측량하리요마는, 언어간의 능히 다 일컫지 못함으로 아예567) 이르지 아니하나니, 내 몇 번을 규시한 동 알리오마는 그대 아무런 줄도 모르고, 전흥(全興)이 발양(發揚)하여 부인의 침묵 단정함을 괴로이 여기니 어찌 우습지 않으리오."

창후 다시 대답고자 하더니, 공이 들어오니 상서로 더불어 하당 영지하여 태부인 침전에 들어가매, 공이 모친 야래 존후를 묻잡고 인하여 시좌할 새, 태부인이 희열함이 이날 같은 적이 없으니, 공이 환행하여 구파를 향하여 왈,

"자정의 흔희(欣喜)하심이 근간 처음이라. 무슨 좋은 일이 있으니까?"

구파 웃고 작야 상서 부부간 사어(私語)를 전하니, 공이 만면의 춘풍이 화란(和暖)하여 두긋김을 이기지 못하되, 하씨의 적상한 병이 깊음을 우려하여, 상서를 당부하여 왈,

"하현부의 지란(芝蘭) 같은 약질이 차마 사람의 견디지 못할 화액을 겪었음으로 고질이 되었는지라. 지금까지 그 명맥을 이었음이 천신의 부조(扶助)함이라. 그 적상함을 어찌 측량하리오. 모름지기 의약을 착실히 하여 병근(病根)을 없애고 토혈하는 증(症)을 고치게 하라"

566) 서두르다 : 일을 빨리 해치우려고 급하게 바삐 움직이다.
567) 아예 : 일시적이거나 부분적이 아니라 전적으로. 또는 순전하게.

상서 배사 수명하더라.

공이 날호여 이부를 데리고 하씨를 문병코자 하여, 소저 누운 곳에 들어가 맥후를 살피며 의약을 착실히 하니, 하소저 엄구의 우려하심을 더욱 황공하여 강질(强疾)568)하려 하나, 적상지질(積傷之疾)569)이 복발(復發)한즉 가장 비경한지라. 칠팔일이나 신음하다가 향차(向差)하니 합가(闔家) 대열하더라.

이러구러 납월(臘月)570) 초순이 되고 남·화 양가 길일이 십여 일씩 격(隔)하니, 태부인이 진씨를 데려와 길석(吉席)에 참례(參禮)케 하고자 하되, 진실로 참안수괴(慙顔羞愧)571)하여 진씨를 청치 못하고 생각하는 정이 간절하니, 공이 모친의 뜻을 알고 거교를 차려 취운산에 보내어, 진씨의 돌아옴을 명하니, 진부에서 낙양후는 내당에 있고 진평장 등이 외루에 있다가, 거교를 보고 분완하여 서로 의논 왈,

"위가 노흉(老凶)이 또 매제를 데려다가, 참혹한 누얼을 무릅씌워 박살하는 악사 없지 않으리니, 아등이 일매(一妹)를 어찌 용담호혈(龍潭虎穴)에 보내어 자닝히 마치게 하리오. 교부 왔음을 매제 들으면 반드시 가려 할 것이니, 매제더러 이르지 말고 보내리라."

하고, 진평장이 남창후에게 글을 부치고 공거(空車)를 환송(還送)하니, 이 때 위 태부인이 진씨의 돌아오기를 기다림이 간절하여, 앉으락일낙하여572) 능히 마음을 진정치 못하더니, 공거(空車)를 메워 헛되이 돌아오니, 태부인이 낙막(落寞)함을 이기지 못하여, 체읍 왈,

568) 강질(强疾) : 병(病)을 참고 무리하여 거동함.
569) 적상지질(積傷之疾) : 오랫동안 마음을 썩여 고질병(痼疾病)이 되어버린 병.
570) 납월(臘月) : 음력 섣달(12월)을 달리 이르는 말.
571) 참안수괴(慙顔羞愧) : 염치가 없어 얼굴을 보이지 못할 만큼 몹시 부끄럽다.
572) 앉으락일낙하다 : 누군가를 기다리느라 자꾸 앉았다 일어났다 하며 밖을 살핌.

"노모와 유식부 과악이 쌓을 곳이 없거니와, 진소부 공거를 환송하고 다시 오지 않으려 함은, 노모와 유씨 개과책선하였음은 알지 못하고, 깊이 의심하여 또 저를 데려다가 해할까 염려함이라. 노모의 뉘우치는 뜻을 능히 비칠 길 없으니 애달도다."

공이 낯빛을 고치고 모친을 화열이 위로 왈,

"진씨의 오지 않음이 반드시 진가 소년 등의 막음이니, 거교를 다시 보내어 데려오리이다."

고 하나, 진씨를 짓두드려 죽이려 할 때는 자기 교지(交趾)573)로 가지 않았을 때였지만, 능히 질부의 환난을 구치 못하고 상성실혼(喪性失魂)한 사람이 되었던 줄을 생각하매, 이 다 유씨의 극악 간교한 탓인 줄을 더욱 분해하여, 질부를 보내라 할 낯이 없는지라.

이에 진평당의 글월을 찾아보니, 하였으되,

"소매 잔약 약질로 백행이 무일가취(無一可取)574)라. 아시부터 군자의 관관(關關)575)한 호구(好逑)576) 아닌 줄 알되, 연고 없이 폐륜지인(廢倫之人)을 만들지 못하여, 가친이 사원의 영풍준골(英風俊骨)을 사랑하시고, 천연(天緣)의 매인 바를 역(逆)지 못하여 그대의 재실을 삼으니 외람한지라. 열운 복이 과하여 존문의 미임을 받으니, 망측한 재앙이 일어나 기괴한 죄루에 빠지니, 몸이 마치기도 예사롭지 않아, 옥중 아사를

---

573) 교지(交趾) : 중국 한(漢)나라 때에, 지금의 베트남 북부 통킹, 하노이 지방에 둔 행정 구역. 전한(前漢)의 무제가 남월(南越)을 멸망시키고 설치하였다.

574) 무일가취(無一可取) : 한 가지도 취할 만한 것이 없음.

575) 관관(關關) : 『시경(詩經)』〈국풍(國風)/주남(周南)〉의 '관저(關雎)'편 "관관저구(關關雎鳩; 까악 까악 우는 저구 새)"에서 따온 말로, 암수가 서로 서로 정답게 지저귀는 저구 새의 울음소리를 흉내 낸 의성어. 여기서는 '서로 화락하는' 정도의 의미로 쓰였다.

576) 호구(好逑) : 좋은 짝.

겨우 면하매, 사원이 큰 힘을 다하여 박살하는 환을 당한지라. 왕사를 제기할 바 아니로되, 사원이 팔척장부로 숙녀미희를 모으려 할진대, 거재두량(車載斗量)577)이라도 불가승수(不可勝數)라. 구태여 잔미(屐微) 병약(病弱)한 소매를 찾아 무엇 하리오. 이미 웅닌을 데려다가 부자의 정을 펴니, 소매는 화란지시(禍亂之時)에 죽었음으로 알아 부질없이 거교를 보내어 부르지 말라."

하였더라.

공이 견필에 참괴함이 더하여 말을 못하더니, 창후 나갔다가 들어와 존당, 숙당에 뵈올 새, 공이 진평당의 서간을 창후에게 던져 왈,

"자정이 진씨 돌아오지 않음을 크게 결연하여 하시는 고로 거교를 차려 취운산에 보냈더니, 진영수 공거(空車)를 환송하고 이 서찰을 부쳤으니, 우리집 허물이 호대(浩大)한지라. 어찌 진가를 그르다 하리오."

창후 취운산에 거교(車轎) 갔던 줄을 알지 못하였다가, 계부의 말씀을 좇아 진평장의 글월을 보매 분개함이 열화(熱火) 같아서, 견파에 서간을 찢어버린 후, 미우(眉宇)에 설풍(雪風)이 은은(殷殷)하고 노기등등(怒氣騰騰)하여, 고 왈,

"진영수의 무상함이 진씨의 사오나온578) 탓이라. 유자(猶子)579) 진씨 아니라도 환거(鰥居)할 리 없사오니, 그 요인을 찾아 무엇 하리까? 진씨 일편 인심이 있으면 대모와 숙모 위악한 질환을 지냈으니, 비록 기별치 않으나 일차 고문(叩門)함이 인심에 당연한데, 종시 오지 않고 유자 상

경 반년에 종시 구가를 거절하니, 대모 부질없이 부르신 연고로 진영수
의 욕을 취함이니이다."

공이 사리로 책왈,

"오가(吾家)에 허물이 없고 진영수 여차즉 그르거니와, 유씨 작악으로
여차하니, 어찌 한탄스럽지 않으리오마는, 낙양후는 대체를 숭상하는
화홍당부(和弘丈夫)라. 설사 분노함이 있으나 외색(外色)580)에 불출(不
出)하고, 진영수 일찍 불평함이 없더니, 금일 진씨 보내라 하기에 당하
여, 일매(一妹)를 다시 액화(厄禍)에 참예(參預)케 할까 하여 이러함이
니, 사세(私書) 괴이치 않거늘, 너의 노기 여차하여 내 앞에서 서간을
찢고 언사 여차하니, 평일 너를 믿던 바 아니라. 군자 정실(正室) 대접
함을 예로써 할 것이거늘, 한갓 우기(愚氣)를 비양(飛揚)하여 되지 못한
말로 책망하니, 모름지기 차후는 이런 거조가 없게 하라."

창후 청교에 황공 전율하여 사죄하매, 조부인이 말을 이어 책왈,

"진씨 너의 남행 시의 당부를 잊지 않았을 뿐더러 환쇄(還刷) 전, 하
루도 여모(汝母)를 떠나지 않고, 범사에 받드는 도리 너와 희천이라도
더할 길이 없을지라. 네 만일 나로써 어미라 할진대 진실로 진씨를 고자
(顧玆)581)치 않으랴?"

창후 대왈,

"자교(慈敎) 마땅하시나, 소자 환쇄하여 자정께 현알코자 하여 옥화
산에 나아간즉 벌써 귀녕하였는지라. 어이 삼년지내(三年之內)에 자정
슬하를 이측(離側)지 않았다 하리까?"

조부인이 왈,

---

580) 외색(外色) : 밖으로 나타난 얼굴색.
581) 고자(顧玆)하다 : 돌아보다. 돌보다.

"원간 너는 무슨 일컬음직한 일이 있다 하고 처실을 일편 되게 책망하느뇨? 여자 됨이 괴로운 연고로 정현부로부터 진·하·장 등에 이르기까지 너희 형제에게 기괴(奇怪)히 책망을 받으니 가히 원억치 않으랴?"

창후 함소 대왈,

"하·장 이수(二嫂)는 숙녀시라. 희제 책할 바 없으려니와, 소자는 비록 남에서 낫지 못하오나 위인을 정·진 등에게 비교하면 천층(千層)이나 아니 나으리까?"

구파 내달아 창후 형제의 없는 허물을 주출하여 이르고, 정·진·하·장 등의 기특함을 칭찬하여, 창후와 이부 내조(內助)의 공을 입어 행세에 허물이 없음을 이르니, 창후와 이부 재좌(在坐)하여 구태여 대답지 않으나, 미미히 웃을 따름이더라.

조부인이 진소저에게 서찰을 부쳐 존당의 생각하시는 정을 베풀고 공거를 환송하매, 크게 낙막(落寞)히 여기시니, 지금 돌아오지 않음이 크게 도리에 어긋남을 갖추 베풀어, 웅린의 유모로 하여금 진부에 보내니, 진소저 구가로 나아가고자 뜻을 두지 않으나, 공거를 환송함은 실시려외(實是慮外)라. 태부인의 낙막하심과 합사(闔舍)582)의 미안이 여김을 헤아려, 불평절민(不平切憫)함을 이기지 못하여, 즉시 부모께 하직하고 옥누항으로 돌아가기를 청하니, 낙양후 평장을 불러 거교 왔던 줄 물어 알고 대책하고, 소저를 명하여 명일로 가라 하니, 진씨 수명하고 존고께 상서를 올려 자기는 거교 왔던 줄 알지 못하여, 즉시 응명치 못하고 천질(賤疾)이 몸에 떠나지 않아 오래 물러 있음을 청죄하고, 명일 현알할 바를 고하였으니, 조부인이 진씨의 상서를 태부인께 뵈옵고, 명일 진현(進見)할 바를 고하니, 태부인이 모양 없이 깃거 공의 부자 숙질을 대하

582) 합사(闔舍) : 온 집안. 또는 온 집안사람들

여 이르고, 진씨의 서사를 옮겨 칭찬하며 밤이 어서 새기를 바라니, 공과 이부 깃거하나 창후는 진평장의 서찰을 분완하여 쾌히 설치코자 함으로, 묵연히 말을 않고 모셨더니, 서헌에 물러와 하리 십여 인을 명하여 왈,

"명일 취운산 진부인이 이곳으로 돌아오리니, 여등이 진부인의 행거(行車) 양지(兩地)에 십오 리씩 격하여 반노(半路)에 다다르거든 내 말을 전하고, 행거를 돌려 가라한 즉 반드시 좇지 않고 나아오리니, 모름지기 쇠방패와 큰 매로 교부와 시녀 등을 일변 짓두드리고 교자는 길가에 버리고 오라. 만일 나의 명을 일호나 준행(遵行)치 않은 즉 사죄(死罪)를 영(領)하583)리라"

하되, 복부 청령하고 운산 반노에 가서 기다리더라.

초야에 창후 숙렬비 침소에 들어가 아자 등을 유희할 새, 창후 왈,

"진가 완부(頑婦) 돌아온다 하니 그 행사 통완치 않으리오. 존당이 거장을 보낸 바를 불봉(不奉)하고 이제 무슨 뜻으로 오리오. 유가 음부(淫婦)와 다름이 얼마나 하리요."

정숙렬이 문득 옥면(玉面)이 척척(慽慽)하여 탄식 대왈,

"유녀의 자복(自服)584)을 이를진대, 명문지녀(名門之女)로 군자께 속현(續絃)하니, 그 행지(行止) 예사로우면 사람에 비하심을 어찌 노하리까마는, 제 벌써 배부난역(背夫亂逆)585) 찰녀(刹女)586)로 망측히 마침이 되었거늘 군자 표제로써 유녀에 비하여 욕함을 마지않으시니, '여우

---

583) 영(領)하다 : 받다.
584) 자복(自服) : 저지른 죄를 자백하고 복종함.
585) 배부난역(背夫亂逆) : 남편을 배반하고 나라에 반란을 일으킴
586) 찰녀(刹女) : 나찰녀(羅刹女). 여자 나찰. 사람의 고기를 즐겨 먹으며, 큰 바다 가운데 산다고 한다.

가 죽으매 토끼 슬퍼한다'[587] 하니, 첩이 표제로 더불어 일체지인(一體之人)이라. 실로 첩에게 욕이 미침 같아서 군자의 말씀이 과도하심을 탄하나이다."

창후 흔연 소왈.

"교아는 사람이오. 진씨도 사람이라 어이 비치 못하리오. 숙녀(淑女)나 발부(潑婦)나 가벌과 부형의 작위는 다 한 가지 재렬(宰列)이니, 천지(天地) 현격한 사이 아니로되, 교아는 마음이 대역인(大逆人)인 고로 그릇되고, 부인네는 어질기로 항복하니, 그리 알고 갈수록 선행 숙덕을 닦을 따름이라. 어찌 말 많음을 취하나뇨?"

설파에 웅닌을 데리고 상요(床褥)에 나아가니, 정숙렬이 진씨 지금 돌아오지 않음이, 욕을 취함인 줄 깨달아 그윽이 불평한 뜻이 있더라.

명일 진부인이 부모께 하직고 거장(車帳)을 차려 옥누항으로 나아갈새 위·유 두 부인의 과악을 언두에 감히 이르지 못하나, 그 회과책선함을 믿지 못하니, 또 용담호혈(龍潭虎穴)의 나아가 무슨 변고를 만날꼬? 그윽이 우려하니, 부모의 보내는 심사 더욱 차악하더라.

진소저 행하여 반로(半路)에 다다라는 남창후의 군관 엄석이 높이 소리하여 왈,

"우리 상공이 진부인 거교를 도로 본부로 가시게 하고, 옥누항으로 모시지 말라 하였으니, 모름지기 부인 행차를 진부로 모시라"

거교 뒤에 따르던 시녀 냉소 왈,

"우리 부인이 어찌 옥누항으로 돌아오고자 하시리오마는, 조태부인이 돌아오기를 재촉하시는 고로 명령을 거역지 못함이거늘, 엄군관이 어찌

---

587) '여우가 죽으매 토끼 슬퍼한다' : 여우가 죽으니까 토끼가 슬퍼한다. 같은 부류의 슬픔이나 괴로움 따위를 동정함을 비유적으로 이르는 말.

이렇듯 요란이 구느뇨?"

엄석 왈,

"내 어찌 부인 행차에 간섭하리요마는, 상공 명을 받자와 오미니, 여랑은 괴이히 여기지 말고, 도중에서 기괴한 변고를 면하시게, 취운산으로 돌이키게 하라"

시녀 교부 등이 일시에 답왈,

"부인의 행차에 어찌 그대 등이 이리 무례히 구느뇨? 반노(半路)의 와도로 가실 길이 없느니라."

하고 완완이 행하는지라. 엄석이 고성 왈,

"주군이 분부하시되 중노에 아등이 지켰다가 부인 행차를 막아 본부로 행치 못하시게 하고, 불연즉 거교(車轎)를 열파(裂破)하고 그대 등을 결박하여 부내(府內)로 대령하라 하시는 장령(將令)을 받자왔으니, '문장군지령(聞將軍之令)뿐 불문천자지죄(不聞天子之詔)라'[588] 어찌하리오."

하고, 시녀복부(侍女僕夫) 등을 제제(齊齊)히 결박구타(結縛毆打)하고 거교(車轎)를 열파(裂破)하는지라.

서로 크게 싸워 정히 위급하였더니, 홀연 멀리서부터 늘어진 벽제(辟除) 소리 나며 거기치중(車騎輜重)[589]이 전차후옹(前遮後擁)[590]하여 나아오니, 기상이 숙숙(肅肅)하고 위의 엄정하니, 이는 곧 윤총재 효문공이라.

추파(秋波)를 들어 짓궤는[591] 것을 보니 엄석과 제노(諸奴)가 진부인

588) '문장군지령(聞將軍之令) 불문천자지죄(不聞天子之詔)' : 장군의 명령을 들을 뿐 천자의 명령은 듣지 못한다.
589) 거기치중(車騎輜重) : 사람이 탄 마차(馬車)와 짐을 실은 수레.
590) 전차후옹(前遮後擁) : 여러 사람이 앞뒤에서 에워싸고 보호하여 나아감.
591) 짓궤다 : 지껄이다. 떠들다.

거교를 열파(裂破)하고 분분시비(紛紛是非)함을 보매, 차악경해(嗟愕驚駭)하여 즉시 수레에서 내려, 자기 하리(下吏)로 엄석 등을 결박하라 하고, 일변 장사마 부중이 가까운 고로 급히 하리를 보내어 거장(車帳)을 빌려오라 하고, 일변 진부 하리의 맨 것을 끄르라 하여, 진 부인을 구호하게 하고, 엄석 등을 꾸짖어 일변 다 결박하니, 엄석이 고하되,

"소인이 진부인 행차를 어찌 감히 이렇듯 하리까마는, 창후 노야의 분부 엄하시기로 능히 위월치 못하여 사죄(死罪)를 지었나이다."

이부 그 백씨(伯氏)의 명(命)임을 들은 후는 묶지 못하여 풀어 놓고, 다만 이르대,

"여등이 사죄를 지었으니 부중에 돌아가 엄치하리라."

이르며, 시녀로 하여금 수수의 기운을 묻자오니, 이 때 진부인이 도중에서 남에게 없는 변을 당하여 분노함이 경각에 죽고자 하나, 오히려 생각는 바 있어 통완함을 참더니, 이부를 만나매 영행(榮幸)이 무비(無比)하되, 자기 팔자 기박함을 설워 옥루(玉淚) 방방하더라. 이부의 문후(問候)함을 당하여 오직 무양(無恙)함으로써 답하나, 분함을 이기지 못하더니, 이윽고 노복 등이 장부에 가 거교를 빌어 부인을 거중에 모셔 옥누항으로 돌아오니, 이 날 대서헌에서 창후 계부를 모셔 종용이 말씀하는 가운데, 엄석 등이 진씨를 수욕(數辱)함을 생각고 가장 쟁그라워 심리에 미소하더니, 홀연 이부 진씨를 호행하여 들어옴을 보고, 그 설치를 못한가 통해하되, 계부 면전이라 사색치 못하더니, 공이 명하여 진씨의 거교를 바로 내청(內廳)으로 들이라 하고, 즉시 원양전으로 들어가니, 이부는 잠깐 날호여 들어가려 함으로 잠깐 머물매, 창후 계부의 들어가심을 기다려 이부(吏部)에 고왈,

"현제 어디로 갔다가 진가 괴물을 호행하여 오뇨? 내 작야에 엄석 등을 불러 여차여차 하라 보냈더니, 보지 못하였느냐?

이부 정색 대왈,

"형장의 하시는 바를 소제 감히 시비할 바 아니로되, 군전에도 면절정쟁(面折廷爭)592)이 있으니, 소제의 마음에 불사(不似)함을593) 아니 고치 못하나니, 부부지도는 군신지간 같으나 군자가 정실 대접을 예도(禮度)로 다 한 연후에야 위엄과 법령이 서거늘, 형장은 과급(過急)한 노기로 설치코자 하시니, 일이 크게 광패하고, 군관 하리 등이 철편 방패로 진수를 놀라시게 하니, 대로상 행인이 손가락을 가리켜 경괴(驚怪)치 않을 이 없으니, 이러므로 진수께 위엄이 설 길이 없는지라. 소제 관부(官府)로서 장사마를 잠간 보고 오다가, 그 경상을 보고 엄석 등을 결박하여 오려다가, 형장의 명임을 들으매 저희 죄 아닌 고로 놓았거니와, 그런 일이 어대 있으리까?"

창후 청파에 엄석 등이 진씨 엄책함을 알고 가장 쾌하여, 소왈,

"우형이 원래 교오(驕傲)한 여자는 죽이고자 하는 바를 현제 모르지 않거늘, 어찌 이 말을 하느뇨? 엄석 등이 진씨를 수욕(數辱)하고 행리(行李)를 다 상파(傷破)하였으면, 저 거교(車轎)를 어디서 얻어 데려오뇨?"

이부 장부에서 빌려옴을 고하고, 창후(侯)의 처사(處事) 만만(萬萬) 괴이함을 간하니, 창후 무언(無言)이러라.

이 때 조부인이 진소저의 거장이 내청(內廳)에 이름을 보매, 반갑고 깃거 주렴(珠簾)을 들고 소저를 붙들어 내라 하니, 진부 시녀 분완함을 머금고 붙들어 당상에 오르려 하매, 소저 설풍(雪風)594) 임한(淋汗)595)을 당한즉 적상지질(積傷之質)이 복발(復發)하거늘, 하물며 도중(道中)

---

592) 면절정쟁(面折廷爭) : 임금의 면전에서 허물을 기탄없이 직간하고 쟁론함.
593) 불사(不似)하다 : ①닮지 않은 상태에 있다. ②꼴이 격에 맞지 않아 아니꼽다.
594) 설풍(雪風) : 눈과 함께 부는 바람.
595) 임한(淋汗) : 땀 또는 땀이 흐름.

변고를 만나 몸이 피로하나, 강잉(强仍)하여596) 거교 밖에 나와, 중계
(中階)에서 부복하여 숙당께 죄를 청할 새, 공교로이 죽음으로써 핑계하
여 오래 머물러 있음과, 작일 공거(公車)로 환송한 죄를 일컬어 감히 당
에 오르지 못하니, 태부인이 급히 이르대,

"노모의 과악은 천하에 없는지라. 벌써 데려와 노모의 회과(悔過)함을
펴고자 하되, 부끄러움이 향전(向前)하여 능히 오라 말을 못하다가, 작일
거장을 보냈더니 공환하매 눈이 뚫어질 듯 현망(懸望)597)하다가, 현부는
미처 알지 못하고, 진평장이 중간에서 막자르는 서사(書辭)를 보내, 노모
의 마음을 더욱 부끄럽게 하니, 감히 청치 못하더니, 현부 이제 나아오니
영행함을 이기지 못하나니 어찌 청죄하리오, 빨리 당에 오르라."

공이 또한 오름을 명하니, 소저 비로소 원양전에 들어가 태부인과 존
고와 공의 부부께 배알하고, 정·하·장·우 사소저와 구파로 예필(禮
畢) 좌정에, 공이 탄 왈,

"현질을 보매 참괴한지라. 왕사를 생각한즉 전혀 우숙(愚叔)의 허물이
라. 연(然)이나 이미 엎친 물이니, 다시 제기하여 부질없고, 현질의 복
이 높아 화란 중에 방신을 보전하여, 웅닌 같은 아들을 낳아 오문을 보
전케 하니, 어찌 기특치 않으리오."

부인이 대치 못하여서 태부인이 붙들고 처연(悽然) 출체(出涕)하여 불
승(不勝) 골똘하니598), 진씨 그 회과함을 심히 깃거하더라.

진씨 오직 사죄하고 물러 연모하던 하정을 고할 새, 언사 부다(不多)
하나, 동촉(洞屬)한 효성이 나타나고, 동용(動容)이 안서(安舒)하여 온

---

596) 강잉(强仍)하다 : 억지로 참다. 또는 마지못하여 그대로 하다.
597) 현망(懸望) : 마음을 졸이며 간절히 바람.
598) 골똘하다 : 골똘하다. 골몰하다. 가지 일에 온 정신을 쏟아 딴 생각이 없다.

순(溫順) 비약(卑弱)하나, 신기(神氣) 불평함으로 사색(辭色)을 작위(作爲)치 못하니, 태부인과 공과 조부인은 무심하되, 유부인은 전일 표리(表裏) 특간(慝奸)[599]함으로 남다른 총명이라. 진씨의 기색이 화(和)치 못함을 괴이히 여겨, 자기 과악을 더욱 부끄러워하고, 조부인과 정·하·장 삼소저는 진씨의 거동을 깨달아 참잔(慘殘)[600]하더라.

진씨 종일 태부인과 조부인과 공의 부부를 모셨더니, 혼정(昏定) 때 창후 형제 들어오니, 진씨 예를 폐치 못하여 창후를 보고 분기 철골(徹骨)하여 일어서니, 공이 창후더러 왈,

"너희 부부 상별(相別) 삼년에 비로소 모드니, 피차(彼此) 화란 후 처음이라. 어찌 즉시 아니 보뇨?"

창후 자기 행사를 계부 모르시므로 각별한 사색을 짓지 않아, 진씨를 향하여 예(禮)하니, 소제 불승비분(不勝悲憤)하나 부득이 답례하니, 공이 흔흔(欣欣)이 깃거 웅·창 등 삼아를 슬상에 교무(交撫)하여 남은 근심이 없는 듯하되, 오히려 유씨 심정을 채 몰라 또 무슨 작변을 할까 은우(隱憂) 있는지라.

총재 진씨께 종일 대객(對客)으로 즉시와 문후치 못함을 일컫고, 웅아의 비상함을 사랑할지언정 도중(道中) 참변은 모르는 듯하니, 소저 구태여 사색치 않으나, 창후를 대하여 노분이 열화 같으니, 여러 가지로 분심(忿心)이 층출하여, 외면은 태연함을 지으나, 심중에 창후를 보매 어찌 마음이 평안하리오.

이윽고 소저 침소로 물러오매, 문득 적년(積年) 허다한 풍파(風波)에 적상(積傷)한 병이 일시에 발하여, 일신이 아니 아픈 곳이 없어 정신을

---

599) 특간(慝奸) : 몹시 간사함.
600) 참잔(慘殘) : 참혹하고 애처롭게 여기다.

지향치 못하고 혼절함을 자주하여 수습지 못하는지라. 시녀 유랑 등이 대경 망조(罔措)601)하여 소저를 붙들고 황황망극(遑遑罔極)함을 이기지 못하나, 감히 존당에도 고치 못하고 약을 쳐 구호하더니, 이윽고 소제 종시 진정치 못하여 더욱 위중하여 만분 위악하매, 유랑 시녀 급히 들어가 소제 위연(偶然)이 병이 위경(危境)의 이르렀음을 존당구고께 고하니, 호람후 대경하여 바삐 소저 침상에 이르러 병을 묻고, 조부인이 즉시 정소저를 데리고 진소저 침소로 가니, 공이 창후를 명하여 진씨의 병을 보아 진맥하여 의치를 잘하여 구호함을 이르고, 가장 경려(驚慮)함을 마지않고, 다시 이르되,

"진소부 기질이 약하니 명약(命藥)602)하여 구호하라."

하고, 이어 태부인이 유부인을 이끌어 진소저 침소의 이르러 기간 가감을 물으며, 호람후(侯) 창후를 머무르고 나갈 새, 이에 태부인이 시녀로 잘 구호함을 이르고 나가니, 이부는 공을 모셔 나가고 창후는 이에 머물 새, 진씨 기색이 찬재 같음을 보고 웃옷을 벗고 상요에 나가 잠드니, 어찌 소저를 몽리(夢裏)에나 구호할 생각이 있으리오.

정숙렬이 종야토록 구호하며 시녀에게 도중 변고를 들었으되, 곡직(曲直)을 묻지 않고 극진히 구호하나, 진씨 한 잠을 못자고 앓는지라. 효신(曉晨)에 창후 관세(盥洗)하고 나가대 문병치 않는지라.

시녀 등이 도중(道中) 설화를 서로 전하며 분누(憤淚)를 뿌리거늘, 진소저 말하는 시비를 꾸짖고, 태부인과 조·유부인이 야간 병세를 묻거늘 저기 나음으로써 고하더라.

---

601) 망조(罔措) : 망지소조(罔知所措). 너무 당황하거나 급하여 어찌할 줄을 모르고 갈팡질팡함.
602) 명약(命藥) : 약을 쓰게 하거나 약을 지어 줌.

창후 엄석 등을 불러 도중 봉착(逢着)하던 설화를 묻고, 기중 발악하
던 시비의 이름을 물어 알고, 정숙렬의 침소에 들어가 두어 준(樽) 술을
먹고 진씨 침소에 들어가니, 진씨 죽을 먹다가 비위 아니꼬워 물리고 창
후를 보매, 마음이 분한지라. 함구무언(緘口無言)하니, 말 부치기 가장
어렵되, 창후 뇌락(磊落)한 위엄으로 진소저의 강항(强項)603)한 예기
(銳氣)를 꺾으려 하더라.

소저는 눈을 들지 않으니 기색을 모르되, 창후 소저를 갈아 마실 듯하
더니, 이윽고 창호(窓戶)를 열치고 시녀를 명하여 시노(侍奴)를 불러오
라 하니, 시비 수명하고 나가더니, 아이오, 시노 등이 들어오는지라.

창후 영(令)을 내려 형위(刑威)를 갖추라 하고 진부인 유모와 시비 칠
팔인을 계하(階下)에 꿇리고, 먼저 유랑을 수죄 왈,

"네 주인이 비록 공후지녀(公侯之女)나 여자 종부(從夫)하매 백두종시
(白頭終時)604)에 뜻을 변치 않음이 옳거늘, 오가(吾家)에 속현(續絃)하
여 사소지액(些少之厄)이 관계팔자(關係八字)605)함을 모르고, 악심(惡
心)을 품어 존당을 원망함이 철골한지라. 여주(汝主)의 죄에 여등(汝等)
이 맞아보라."

하고, 사사에 꾸짖는 말이 다 진부를 절절이 공갈(恐喝)하며, '바삐 데
리고 가라' 하며 중형을 더하니, 한 매에 골부(骨膚) 미란(糜爛)하는지
라. 소제 심리(心理)에 냉소 왈,

---

603) 강항(强項) : 올곧아 여간하여서는 굽힘이 없음.
604) 백두종시(白頭終時) : 늙어 죽을 때까지.
605) 관계팔자(關係八字) : 타고난 운수에 매어 있음. *팔자(八字); 사람의 한평생
　　의 운수. 사주팔자에서 유래한 말로, 사람이 태어난 해와 달과 날과 시간을 간
　　지(干支)로 나타내면 여덟 글자가 되는데, 이 속에 일생의 운명이 정해져 있다
　　고 본다.

"돈인(豚人)이 원래 인명(人命) 살해하기를 숭상거니와, 한 번 죽으면, 두 번 베는 법이 없으니 무엇이 놀라우리오."

언파에 쌍안을 들어 창후를 보고 가장 미치게 여겨 냉안경멸(冷眼輕蔑)한 뜻이 있으니, 창후 유랑을 일차에 내리지 않으려 하더니, 진씨의 초준강직(峭峻剛直)함을 보매 심리(心裏)에 혜오대,

"내 진씨 위인을 알았거니와 나를 경멸함이 이렇듯 한악(悍惡)하리오. 내 살벌(殺伐)을 삼가더니, 이제 시녀와 유랑의 머리를 참하여 진씨의 앞에 던져 그 악심을 꺾으리라."

생각하매, 치기를 그치고 벽상(壁上)에 칼을 내어주며 유랑 시비 등의 머리를 베라 하니, 시노(侍奴)가 칼을 받아 들고 아무리 할 줄 모르거늘, 창후 호령이 벼락같아서 직각에 짓찌를606) 듯하고, 진씨는 백골(白骨)을 부술 듯이 중계에 밀어 세우라 호령이 생풍(生風)하니, 제시녀 위주 충심이 있으나 넋을 다 잃은지라.

소저에게 명을 전하니, 소저 못 듣는 듯, 그림같이 앉아있으니, 제녀 망극 초초하여 좌우로써 붙들어 일으키니, 소저 분노를 참지 못하여 고대 죽고자 시분지라. 부득이 중계에 내리매, 창후 취안(醉眼)을 비스듬히 뜨고, 대질(大叱) 왈,

"그대 살육(殺戮)이 적선(積善)이 아니라 하고, 날로 앙급절사(殃及折死)607)를 죄거니와 내 비록 용렬(庸劣)하나 그대 죽음을 보고 죽으리니, 어찌 간예(奸女)의 축원을 맞히리오. 합문(闔門)이 표악(剽惡)과 혹형(酷刑)을 숭상한다 하니, 누가 그리 하더뇨? 내 비록 어질지 못하나 진광만치는 행세하고, 자식을 나으면 진광처럼 못 낳아 그릇 가르치든 않으

---

606) 짓찌르다 : 무찌르다. 함부로 마구 찌르다.
607) 앙급절사(殃及折死) ; 앙화(殃禍)가 요절(夭折)하기에 미침.

리니, 그대 유모와 제시녀의 머리나 가지고 진광의 곳에 가, 내 흔단(釁
端)을 일러 마음대로 하라. 진광과 주씨더러 이르라. 아들은 영수요, 딸
은 그대니, 흉자 음녀를 두어 제집을 망하면 모르거니와, 달기(妲己) 같
은 딸로 내 집에 들여보내 나의 심화를 돋우는다? 날 같은 사위를 염려
말고 딸을 아무데나 개적(改籍)하라 이르라."

하고, 시녀 등을 베기를 재촉하더니, 문득 두어 시녀 촉을 들고 정숙
렬이 금련(金蓮)608)을 옮겨 나아오는 바에, 찬란한 광염(光焰)이 춘화
조일(春花朝日)609)이요, 중추망월(中秋望月)이라. 맑은 광채는 성자기
맥(聖姿氣脈)이오 일백화신(一百花信)이 혜풍(蕙風)에 웃는 듯, 만고절
대(萬古絶代)의 가인(佳人)이라. 나아와 진씨 곁에 서매, 창후 제시녀를 베
라 하며 재촉이 급하여, 부인을 살피지 못한지라. 숙렬이 말하기 난안(赧
顔)하되 제녀의 목숨이 수유(須臾)에 급함으로, 부득이 말씀을 열어 왈,

"첩이 군후(君侯)의 일을 알은 체함이 당돌하나, 표제(表弟)와 제시녀
무슨 대죄(大罪)니까?"

창후 방석을 밀어 오름을 청하여 왈,

"작일 도중에 군관을 보내며 진씨 행거를 취운산으로 환송하라 하였
는지라. 제시녀 방자히 위령(違令)하니 다스리므로, 진씨 언사가 괴상불
공(怪狀不恭)함이라."

한대, 숙렬이 당에 오르지 않고 화성유어(和聲柔語)로 간 왈,

"성후(聖候)를 범함이 아니라, 성인도 초부지언(樵夫之言)610)을 찰납

---

608) 금련(金蓮) : 금으로 만든 연꽃이라는 뜻으로, 미인의 예쁜 걸음걸이를 비유적
　　으로 이르는 말. 중국 남조(南朝) 때 동혼후(東昏侯)가 금으로 만든 연꽃을 땅
　　에 깔아 놓고 반비(潘妃)에게 그 위를 걷게 하였다는 고사에서 유래한다.
609) 춘화조일(春花朝日) : 봄에 핀 꽃과 아침에 떠오른 태양.
610) 초부지언(樵夫之言) : 미천한 나무꾼의 말.

(察納)하시어, 선용(善用)하고 고침을 자랑하였나니, 지자(知者)도 열 번에 한 번은 그름이 있고, 우자(愚者)도 잃고 얻음이 있거늘, 군후가 그를 통해하여 시녀를 목 베려 하시니, 만물지중(萬物之衆)에 인생이 최귀(最貴)611)라. 만승천자(萬乘天子)로도 일인을 죽이매 반포(頒布)하는 지라. 군후께 문무 중임이 있으니, 수하(手下)에 누만여중(累萬旅衆)612)을 두어 유죄무죄(有罪無罪)를 썩은 풀같이 여길지라도, 거가(居家)에 화열(和悅)이 으뜸이라. 미말천녀(微末賤女)나 인명(人命)이 중(重)하니, 만일 원사(寃死) 즉, 백년누덕(百年累德)이 되리니 군후의 성덕에 대흠(大欠)이요, 표제 앙화(殃禍)를 받을 죄오이다. 또 군후께 앙급절사(殃及折死)613)를 죄오다 하며 억료(臆料)614)하시나, 부영처귀(夫榮妻貴)는 천리상사(天理常事)라. 군후 부귀하시므로 첩 등이 내상(內相)에 거하여 외람한 영복(榮福)을 누림이, 여자의 마음이 소천(所天)을 위하여 만복축원(萬福祝願)함이 미(微)하나 제 몸을 위함이거늘, 차마 그런 패설(悖說)을 구두(口頭)에 올리시며, 표숙(表叔)은 연기 대인의 위로, 정히 공경하심이 옳거늘, 장유유서(長幼有序)로도, 휘자(諱字)를 들먹여 모욕하니, 실로 남이 알까 두려운지라. 원컨대 이 거조(擧措)를 그치소서."

언파에 진씨를 권하여 승당(昇堂)하라 하니, 창후 할 말이 없어 묵연한 데, 소저는 불승분노(不勝忿怒)하더라. 어찌 된고 하회를 석남(釋覽)할지어다.

---

611) 최귀(最貴) : 가장 귀함.
612) 누만여중(累萬旅衆) : 수만 명의 군사.
613) 앙급절사(殃及折死) : 앙화(殃禍)가 요절(夭折)하기에 미침
614) 억료(臆料) : 억측(臆測). 이유와 근거가 없이 짐작함.

명주보월빙 권지칠십구

　화설, 남창후 잠깐 노기를 풀고 진씨를 보니, 수심을 띠었으매 기려절
승한 태도 더욱 봄직 한지라. 중심에 연애(憐愛)하고 정 부인을 흠복애
경(欽服愛敬)함이 무궁하더라.

　이에 시노 등을 물리치고 진소저 시녀 등의 목숨을 사(赦)한 후 부인
을 오르라 청하여 왈,
　"생이 무식하나 무죄한 조강을 하당치 못하리니 어찌 괴로이 중계(中
階)의 서있으리오. 진씨의 초독한 얼굴과 괴강(乖强)[615]한 언사를 들으
매, 오히려 부인의 말을 좇아 시녀와 유랑을 사(赦)하고 금야지내(今夜
之內)로 박축(迫逐)하려 하던 뜻을 그치나니, 진씨의 교앙(驕昂)함은 일
로 좇아 더하리로다."
　숙렬이 유화히 손사하고 진씨를 권하여 방중으로 들어가니, 창후 구
태여 말을 않되 진씨의 노분(怒忿)은 풀릴 길이 없더라.
　숙렬이 진씨의 강렬하기로 그 신상에 유해함을 민망히 여기나, 창후
가 있음으로 여러 말을 않고 침소로 돌아가니, 창후 기동(起動)하여 부

---

615) 괴강(乖强) : 생각이나 행동이 사리에 어긋나고 억셈.

인을 보내고, 시녀를 다 물러 가라 한 후, 소저를 돌아보아 그윽이 연석
(憐惜)하는지라. 소제 표연(飄然)616) 단좌(端坐)하여 증분통절(憎憤痛
切)함이 죽기를 바야는지라. 창후 생각하되,

"제 성정이 초준하나, 심화가 비상(非常)한 난(難)을 겪어 그런가?"
이리 생각하니, 역시 잠을 이루지 못하더라.

차설, 호람후 윤공이 자질을 거느려 정당에 문안하고 합문(閤門) 제인
이 모이되, 창후의 지난 밤 일을 정숙렬밖에 알 이 없는 고로, 태부인과
공에게 고할 이 없으니 아득히 모르니, 창후 가장 깃거하더니, 홀연 운
산으로서 주영이 이르러 의열의 서간을 드리니, 공이 서간을 보고자 하
여 먼저 피봉을 떼어 보매, 대강 일렀으되,

"아등이 천지에 죄 얻음이 중하여 나이 유치(幼稚)에, 현제 양인은 미
처 세상의 나지 못하여서, 엄정을 여희오매, 궁천지통이 생세에 풀릴 길
이 없고, 겸하여 가변이 남이 알까 두려우니, 우리 세 낱 남매 사망지환
(死亡之患)을 면함은 선친이 명명중(冥冥中)에 보조(輔助)하심이나, 도
금(到今)하여 석사를 생각하매 심골이 경한(驚寒)치 않으리오. 현제 등
이 행신범백(行身凡百)을 남에서 낫게 하여 전일 부끄러움을 씻음이 당
연하거늘, 이제 문득 현제 과격한 성을 당치 않은 곳에 발하니, 차는 연
소지심(年少之心)에 위고금다(位高金多)함과 상총의 융융하심으로 근신
겸퇴(謹愼謙退)하는 도리 없으니, 우형의 바람 밖이요, 공후재상이야 그
런 광거(狂擧)를 어찌 차마 행할 바리오. 호협탕객(豪俠蕩客)이 동루(東
樓)에 취하고 서루(西樓)의 즐김이 무궁타가, 정처(正妻)를 만난즉 구욕

---

616) 표연(飄然) : 현실에 아랑곳하지 않고 거침없이 떠나거나 나타남. 태도가 초연
    (超然)하고 의연(毅然)함.

난타(攔辱亂打)하는 해거(駭擧)라. 네 스스로 부끄럽지 아니랴? 수연(雖然)이나 양소고(兩小姑)[617]의 명도(命途) 괴이하여 현제 같은 광부를 만났거니와, 작일 우형이 진부에 마침 나아가니, 주부인의 슬퍼 하심과 현제의 행사를 들으매, 경해함이 극하고 참괴함이 낯을 깎고 싶은지라. 한갓 현제를 위하여 애달을 뿐 아니라, 우리 부모 성덕으로 현제 같은 패려무행지인(悖戾無行之人)을 두심을 탄돌(歎咄)하나니, 현제도 생각하여 보라. 야야(爺爺) 화상을 봉안하옵고 조석에 배례(拜禮)하여, 동촉한 정성이 생시와 같을수록 행신을 조심하여, 한 허물도 없음이 가치 않으리오. 미친 화증을 나는 대로 하여, 대로상의 남자여인(男子女人) 가운데 군관노복을 보내어 돌과 철편을 들어 정실의 거교(車轎)를 깨치고, 휘장을 찢어 참욕이 아니 미친 곳이 없으니, 여자 됨이 가히 진제(弟)의 전후 망측한 화(禍)를 겪음과 같은 이가 또 어디에 있으리오. 청수약질(淸秀弱質)에 적상(積傷)한 병이 깊어 상석(床席)을 떠나지 못하고, 현제 돌아 온 후 즉시 돌아가지 못함은 유질한 연고니, 도시 우리 집 변난 연고라. 무슨 쾌한 말이 나더뇨? 거교를 환송함은 평장 숙숙의 동기를 위한 정이 지극하여 위태한 곳의 나아 가 다시 화를 만날까 함이니, 그 염려함이 인지상사(人之常事)거늘 무엇이 그다지 분하여 해참(駭慚)한 경색(景色)을 행하뇨? 나의 서사를 웃을 것이로되, 동기지정으로 알고 물시(勿視)치 못하여 적나니, 모름지기 수신섭행(修身攝行)하여 군자성덕(君子聖德)을 힘쓰고 힘쓰라."

하였으니, 호람후 견필에 차악경심(嗟愕驚心)하여, 좌우로 하여금 진소저의 유모 시아를 부르라 하고, 조부인으로 하여금 의열의 서간을 보

---

617) 양소고(兩小姑) ; 두 시누이. 광천의 두 아내 정혜주와 진성염은 내외종 자매간이기 때문에 윤명아에게는 둘 다 시누이가 된다.

소서 하고, 묵묵(黙黙) 색엄(色嚴)하니, 조부인이 대경하나 공이 잠잠하니 먼저 말을 않았더니, 진소저의 시아 등이 계하의 다다라 복명하나 유랑은 오지 못한지라. 공이 유랑의 오지 않은 연고를 물으니, 아시녀(兒侍女) 운소 짐짓 창후의 작야사를 고코자 하여 대왈,

"유랑은 중형(重刑)을 입어 지금 사생(死生)을 정치 못하나이다"

공이 더욱 경해하여 문왈,

"재작일(再昨日)의 네 소저 이리 올 때 노중에서 무슨 변을 만나며, 유랑은 또 무슨 일로 중형을 받으뇨?"

시녀 서로 돌아보아 말을 못하니, 공이 크게 꾸짖어 왈,

"바로 아뢰지 않은즉 사죄로 영(領)618)하리라."

하니, 제녀 마지못하여 제제히 고하니, 도도한 말씀이 창후의 광거(狂擧) 낱낱이 들어나니, 만좌가 해연함을 이기지 못하더라.

이 때 창후 자가의 해거(駭擧)를 가중이 모름을 그윽이 다행하더니, 매저(妹姐)의 준절한 서간과 운소의 유수 같은 말로 일일이 나타나니, 자참(自慙)함이 극한 가운데, 자기 계부를 섬김이 부형같이 하던 바로, 이제 차사의 다다라는 청문이라도 자개 부친이 아니 계신 고로 삼가는 일이 없다 할지라. 후회막급(後悔莫及)하니 충천장기(衝天壯氣)나 안색이 다름을 깨닫지 못하더라.

태부인이 눈물을 나리와, 왈,

"노모 석년의 조현부로부터 광천 형제 부부를 죽이려 온 가지로 모해하던 일을 생각하면, 심골이 서늘함을 이기지 못하니, 차후 일분도 불평지사(不平之事)가 없기를 결단하였더니, 광천의 광패지사(狂悖之事)가 노모의 뒤를 이어 진소부를 그토록 보챌 줄을 뜻하였으리오."

---

618) 영(領)하다 : 다스리다.

호람후 모친을 위로하고, 날호여 조부인을 향하여, 왈,

"선형(先兄)이 기세하신 후, 광천 등이 세상에 나매, 소생이 숙질의 정의로써 부자에 감치 않되, 다만 저희를 대한즉 참연비절 한 마음이 일어나 엄히 계책(計策)함을 잊을 뿐 아니라, 저의 천질(天質)이 용우함을 면하여 총명(聰明) 재학(才學)이 타류(他類)에 솟아나니, 소생 같은 용렬한 아자비 가르칠 일이 없어 한갓 두긋길 따름이요, 그름을 아득히 모르던지라. 광천이 소생의 용우함을 업신여기고 제 몸이 종장(宗長)의 중함을 가져, 일가의 족당을 엎누르고, 소생을 유무 간에 관중(款重)히 여기는 일이 없어, 광망한 해거를 온 가지로 행하여, 부형이 없는 사람으로 두려하며 거칠 것이 없는지라. 소생이 감히 제 아자비라 하여 저를 치책(治責)할 길이 없는지라. 제 또 가소로이 여길 바요, 소생은 유씨의 만악이 구비함을 알되, 능히 출거치 못하여 일택지상(一宅之上)에 안안무사(晏晏無事)히 머물거늘, 광천은 처실에게 호령이 생풍하고 위엄이 거룩하여, 호발(毫髮) 같은 일이라도 제 뜻에 불합한즉 대로상의 만인소시(萬人所視)에 참욕광거(慘辱狂擧)가 그 지경에 미치니, 진정 대장부의 위엄이라. 소생이 비록 수하(手下) 자질배(子姪輩)의 행사나, 그 처실에 각별한 호령이 있음과 생의 용렬무지(庸劣無智) 함을 비겨 생각건대, 참괴(慙愧)함이 치신무지(置身無地)라. 이제부터 광천이 가내(家內)에서 아무 해거(駭擧) 있어도 아는 체를 못 하리로소이다."

언필에 노기 가득하여 목자(目子) 진녈(瞋烈)[619]하고 두발이 상지(相指)하니, 원래 공이 성정이 엄준과격(嚴峻過激)한지라. 창후의 산악을 넘 뛸 호기로도 계부의 노색을 보고 그 말씀을 듣자오매, 황황송구(惶惶悚懼)하여 계부의 책죄(責罪)하심만 바랄 뿐이라. 조부인이 아자의 광망

---

619) 진녈(瞋烈) : 몹시 성을 내어 눈을 부릅떠 엄한 기색을 띰.

함을 통하하여 추연(惆然) 탄식 대왈,

"첩이 고인의 태교를 효칙지 못하여, 광천의 무상패려(無狀悖戾)함이 이 지경의 미치니, 이는 다 첩의 허물이라. 한갓 저만 책망하리까? 원간 무부지재(無父之子) 행실이 숙연(肅然)키를 미치지 못하거늘, 첩 같은 암렬지인(暗劣之人)이 맹모(孟母)의 삼천지교(三遷之敎)620)를 법(法)받지 못하고, 오직 자모의 약함으로써 구구(區區) 연애(憐愛)할 따름이요, 언행만사(言行萬事)를 숙숙의 가르치심을 입었더니, 숙숙이 과도히 자애하시므로 방일(放逸)한 아해 두릴 것이 없어 첩 같은 자모는 압두능경(壓頭凌輕)621)하고, 흉패과급(凶悖過急)한 성정이 처실에게 다다라는 미친 호령을 위주하니, 어찌 통해치 않으리까? 다만 숙숙이 저해 광패함을 치책(治責)지 않으시면 뉘 저를 계책(戒責)하여 정도의 이르게 하리까?"

호람후 허리를 굽혀 왈,

"소생이 아무리 광천을 계책(戒責)고자 한들, 제 가소로이 여긴 후는 이르는 말이 효험이 없고, 기괴히 여김을 더할 뿐이라. 이러므로 아예622) 무익한 순설(脣舌)623)을 허비치 않으려 하나이다."

설파에 일어나 밖으로 나아가니, 창후 금일 계부의 말씀을 듣자오매, 차라리 일백장책(一百杖責)을 받음만 같지 못하여, 경황전율(驚惶戰慄)하여 계부를 모셔 외헌의 나오매, 공이 엄석과 거장 깨친 시노 등을 차

---

620) 삼천지교(三遷之敎) : 맹자의 어머니가 아들을 가르치기 위하여 세 번이나 이사를 하였음을 이르는 말.
621) 압두능경(壓頭凌輕) : 억누르고 업신여기며 가벼이 여김.
622) 아이의 : 아예. 전적으로. 순전하게.
623) 순설(脣舌) : ①입술과 혀를 아울러 이르는 말. ②수다스러움을 비유적으로 이르는 말.

차 엄히 치죄하되, 마침내 창후더러 한 말이 없으니, 창후 감히 안연(晏然)이 승당치 못하여, 관영(冠纓)을 해탈하고 계하에 내려 죄를 청한대, 공이 본 체 않고 구태여 물러가란 말도 않으니, 차시 계동(季冬)이라. 북풍이 뼈를 불고 대설이 석하(碩下)하니624), 경각에 몸 위에 한 자가 량이나 내리는지라. 이부 절민초조하여 부전에 꿰고 왈,

"형이 비록 일시 과거를 행함이 있사오나, 대인이 다스리시고 즉시 사하시어 슬하의 시봉케 하심이 마땅한가 하나이다."

공이 질왈,

"너의 무상함이 광천으로 다르지 아니하여, 진씨의 노중(路中) 변(變)을 알고도, 노부를 기이기를 못미칠 듯이 하여, 흉패(凶悖)한 광천과 동심하니, 어찌 통완치 않으리오. 광천은 노부가 다스릴 묘리(妙理) 더욱 없고, 제 나를 아자비라 하여 청죄할 묘리 없어 패려함이 점점 더하니, 여부 비록 자정을 떠남이 절박하나, 마지못하여 저를 피하여 집을 떠날밖에 하릴없으니, 선형(先兄)의 성덕예모(盛德禮貌)로 광천 같은 탕자를 두었을 줄 알았으리요. 요순지자(堯舜之子)도 불초(不肖)하거니와, 광천의 패려함은 도시 나의 가르치지 못한 연고니, 일마다 구천타일(九天他日)에 선친과 망형을 뵈올 안면이 없도다."

이부 불승황공(不勝惶恐)하고, 창후 계부의 말씀을 듣자오매 참황축척(慘惶蹴踖)하여, 자기 남다른 결증과 출발(出拔)한 장기(壯氣)로써, 부디 위풍을 세우고 처실을 엄히 제어(制御)하여 여자의 교오함을 꺾고자한 것이, 문득 계부의 노를 만나 애달고 뉘우쁨625)이 무궁하여 가득이 두려워하나, 강인(强忍)하여 재배하고 척비(慽悲) 왈,

---

624) 석하(碩下)하다 : 땅에 가득 차게 내리다. 눈이나 비 따위가 펑펑 쏟아져 내림.
625) 뉘우쁘다 : 후회(後悔)스럽다. 뉘우치는 생각이 있다.

"계부대인은 유자(猶子)의 죄를 밝히 다스리시어 죽기로써 죄를 주시고, 여차 하교(下敎)를 마소서. 자질의 마음이 어찌 견딜 바리까? 바라건대 유자를 용납하시어 중치(重治)하소서."

공이 차게 웃으며 왈,

"내 어찌 너를 용납지 않으리오. 원간 너는 누대(累代) 종사(宗嗣)를 받들 중한 몸이라. 네 나를 아자비로 알지 말라. 내 집을 떠나리니 너는 자행자지(自行自止)하여 남의 이목을 가려 괴로운 대죄를 말지어다."

언파의 지게를 닫고 방중에 앉아 아는 체 않으니, 이부 차마 형장의 대설 중 석고(席藁)626)함을 보지 못하여, 역시 계하의 내려 풍설의 괴로움을 한가지로 겪으니, 호람후 창후의 충천장기를 아는 고로, 약간 장책은 모기 문 것만도 못할 줄 짐작하여, 견집(堅執)하여 그 마음을 꺾으려 하나, 풍설 중 계하의 대죄함을 그윽이 염려하여 병이 날까 근심하더라.

날이 저물 때에 하리 보왈(報曰),

"낙양후 노야 이르러 계시니이다."

호람후 즉시 들어옴을 청하니, 낙양후 대서헌의 이르러 창후 관영을 해탈하고 대설 가운데 부복(仆伏)하였으니, 그 일신에 백설이 한 자 정도나 쌓였음을 보고 대경대해(大驚大駭)하여, 또 상서를 보니 한가지로 대설을 무릅썼는지라. 낙양후 당에 오르기를 날회고, 창후의 곁에 나아가 그 몸 위에 눈을 떨고 손을 잡아 승당함을 청하되, 창후 움직이지 않아 낯을 들지 않으니, 진공이 하릴없어 창후의 손을 놓고 당의 올라, 호람후로 더불어 겨우 예필에 물어 가로되,

"사원 형제 이런 풍설 가운데 하죄(何罪)로 계하의 꿇었느뇨? 아지못

---

626) 석고(席藁) : 석고대죄(席藁待罪). 거적을 깔고 엎드려서 임금의 처분이나 명령을 기다리던 일.

게라! 형이 자질을 치죄할 사단이 있어 그리 하나냐? 보기에 경심(驚心)
하니 어찌 비인정(非人情)의 거조(擧措)를 행하느뇨?"

호람후 미우를 찡겨, 왈,

"소제 불명하여 자질(子姪)을 남같이 교훈치 못하여, 광천의 무지불식
(無知不識)함과 망단패려(妄斷悖戾)함이 광박자(狂薄者)의 행사라. 내
저의 부숙인 체를 아니하거늘, 능휼(能譎)한 거조로 짐짓 나를 꺾으려
함이요, 형이 광천으로 더불어 옹서(翁壻)의 의(義) 있으나, 저해 무상
(無狀)함이 영녀(令女)를 조르고 보채며, 형의 명호(名號)를 들놓아 욕
설함이 가히 인심이 아니라. 나는 숙질의 정이나 통원(痛寃)함이 죽이고
싶거늘, 형은 무슨 마음으로 저를 염려함이 이에 미치뇨?"

낙양후 청필의 한가히 웃으며 왈,

"자식을 잘 못 낳으매 그 부모 욕을 취함은 가장 예사라. 여식의 불민
누질(不敏陋質)이 사원의 좋은 짝이 아니라, 고산 같은 안견(眼見)에의
맞갖지[627] 아니하여 불호(不好)함이나, 이 불과 아배(兒輩)의 싸홈이라.
어른이 다 아른 체 함이 심히 다사(多事)한지라. 소제 평일 형이 휴휴장
부(休休丈夫)로 만사 훤칠한가[628] 하였더니, 자질에게 다다라는 가찰
(苛察)하[629]고 회곡(回曲)함[630]이 심하여 책망치 않을 일로 큰 죄를 삼
느뇨? 청컨대 사원을 사하여 한설(寒雪) 가운데 상치 아니케 하고, 소제
의 마음을 편케 하라."

호람후 정히 창후 형제를 염려하던 고로, 이의 흔연이 가로되,

"형이 광천의 무상함을 족가(足枷)치 않고, 도리어 소제를 인정 밖이

---

627) 맞갖다 : 마음이나 입맛에 꼭 맞다.
628) 훤칠하다 : 막힘없이 깨끗하고 시원스럽다.
629) 가찰(苛察)하다 : 까다롭게 따져가며 세세하게 살피다.
630) 회곡(回曲)하다 : 휘어서 굽다.

라 하니 가히 원통하고, 내 저더러 대죄(待罪)하라 함이 아니로되, 형의
지극한 염려를 보매 어찌 사(赦)치 않으리오."

이에 창후를 승당(昇堂)하라 하니, 창후 계부의 성음이 화열하심을 좇
아 노기를 잠깐 푸심을 불승환희하여 당에 오를 새, 대설이 몸에 화(和)
하여 빙수(氷水)가 떨어지니, 사지가 저려 능히 의관을 정돈치 못하니,
호람후 명하여 내헌에 들어 가 옷을 갈라 하니, 창후 돈수사죄(頓首謝
罪)하고 바삐 숙렬 침소의 이르러 옷을 갈아입고 빨리 나아오니, 이부
또한 개복(改服)하고 나아와, 형제 한가지로 진공께 배례하고 말석(末
席)의 시좌(侍坐)하니, 창후의 국궁(鞠躬) 전율(戰慄)함이 능히 낯을 들
지 못하니, 조심하는 모양과 두려워하는 거동이 호람후의 마음을 감동
케 하고, 완순(婉順)한 낯빛과 경근하는 예절이 갖추 기특하여, 생철(生
鐵)을 녹이고 석목(石木)을 요동할지라.

공이 심리(心裏)에 두굿기고 귀중함이 측량없으되, 그 준격한 마음을
꺾고자 하여, 짐짓 엄숙한 빛을 지어 진씨의 거교(車轎) 깨침과 허다 광
패지설(狂悖之說)로 정실을 구욕하고 무죄한 유모를 혹형함을 대언절책
(大言切責)하니, 위풍이 늠렬하여 요란히 장책하는 바에 더할 뿐 아니
라, 창후의 능변과 충천장기로도 말을 못하고 순순(順順) 청죄(請罪)할
따름이라.

진후 소왈,

"형이 자질에게 유엄(有嚴)하나, 처자를 질책하여 사실에서 쟁난(爭
亂)하는 것을 다 죄를 삼아 후일을 다 이르느뇨? 소제 금일 이름은 여아
유질(有疾)타 하거늘, 잠깐 보고 형으로 더불어 한가지로 밤을 지내고자
풍설을 피치 않고 왔더니, 어찌 남의 천금 서랑을 대한빙설(大寒氷雪)에
꿀리고 수죄(數罪)할 줄 알았으리요."

남후 미소왈,

"형은 천금애서(天金愛壻)라 하거니와, 광천은 흉패난설(凶悖亂說)노 형의 부녀를 욕하니, 무엇이 그리 귀중하리오."

진휘 우소(又笑) 왈,

"아무러하다631) 하여도, 소제는 그 위인을 심복하나니, 저희 부부 언힐(言詰)하는 때에 삼가지 못하는 말을 유심(有心)하랴."

남후 잠소무언(潛笑無言)이러라.

창후 형제 내당에 들어와 존당과 모친께 문안하니, 태부인은 다시 처실에게 광기(狂氣)를 부리지 말라 하고, 조부인은 절책하여 후일을 경계하더라.

석식을 파한 후, 호람후 창후를 명하여 악장을 인도하여 질부 침소로 들어가라 하니, 창후 불감위명(不敢違命)하여 낙양후를 인도하여 진씨 처소의 이르니, 진소저 창후를 진노(震怒)함이 철골(徹骨)하고 적상(積傷)한 병이 복발(復發)하여 식음을 거스르고, 침금에 몸을 던져 괴로이 신음할 뿐이러니, 야야의 들어오심을 보고 마지못하여 소두(搔頭)632)를 헤쓸고633) 금리(衾裏)를 밀고 일어나 맞으니, 진공이 여아를 보매 수일지내(數日之內)로 화용이 초췌하고 옥골이 수비(瘦憊)634)하여 표연(飄然)이 우화(羽化)할 듯한지라.

공이 극히 염려하고 여아의 기색을 보니, 소저 창후의 들어옴을 보고 팔자아황(八字蛾黃)에 냉렬(冷烈)한 노기를 띠고, 안색에 분연함이 일어나니, 초준(峭峻)635) 매몰하여636) 말 부치기 어려운지라. 낙양후 여아

---

631) 아무러하다 : 구체적으로 정하지 않은 어떤 상태나 조건에 놓여 있다.

632) 소두(搔頭) : ①비녀. ②머리를 긁음.

633) 헤쓸다 : 헤쳐 쓸다. *쓸다 : 헝클어진 머리 따위를 가볍게 쓰다듬어 가지런하게 하다.

634) 수비(瘦憊) : 몸이 파리하고 지쳐 있음.

를 곁에 앉히고 창후의 손을 잡아, 웃으며 가로되,

"노부 금일 여(女)와 서(壻)를 대하여 그 회포를 은닉치 않으리니, 모름지기 사원은 괴이히 여기지 말고, 부부 화동(和同)하여 차후나 불평지사 없게 하라. 여아의 위인(爲人)이 청결단아(淸潔端雅)하여 일분 비루함을 면하였으나, 마침내 질녀(姪女)의 흠 없이 너름과 한없이 깊은 것을 미치지 못하고, 영존당 태부인과 숙당부인 환후에 저의 도리를 다하여 구호치 못함은, 옥화산의 나아 가 영당 태부인을 시봉한 연고요, 사원이 돌아 온 후 즉시 나아오지 못함은, 제 한갓 유질(有疾)할 뿐 아니라, 우리 저를 권하여 보내지 못한 허물이라. 영수 등의 괴이한 탓이니사원이 노함이 어이 그르다 하리오. 공거(公車)를 환송함이 또한 제 뜻이 아니라. 영수가 동기를 사랑함이 도리어 그릇 해하기에 가깝게 된지라. 사원이 연소준급(年少峻急)한 노기를 주리잡지 못하여, 군관 하리로 거교를 깨치고 여아를 수죄하였으매, 노부조차 들놓아 수욕(數辱)함이 그 분심(忿心)을 쾌히 풀고자 함이나, 그윽이 생각건대, 여아가 상림(桑林)[637]의 천인이 아니라, 거교(車轎)를 탐이 범법이 아니거늘, 도중에서 천한 군관과 흉녕(凶獰)한 노복 등이 쇠망치[638]와 돌을 던져 욕함은 저의 허물에서 세 번 더한지라. 어느 겨를에 그 유모의 수형(受刑)한 것을 의논하리오. 연이나 여자는 복어인(伏於人)이라. 갈수록 손순유열(遜順愉悅)함이 옳거늘, 여아의 초강함이 사리를 모르고 사원을 본 적마다 잉분함노(忍憤含怒)함은 적지 않은 패행(悖行)이라. 사원이 크게 다스려

---

635) 초준(峭峻) : ①지세가 험하며 높고 가파르다. ②성질이 엄하고 급하여 아량이 없다.
636) 매몰하다 : 인정이나 싹싹한 맛이 없고 쌀쌀맞다.
637) 상님(桑林) : 상전(桑田). 뽕밭.
638) 쇠망치 : 쇠로 만든 망치.

한 조각 인정을 머무르지 않아도, 노부 실로 한(恨)치 않을 것이요, 여아 무죄한 바에 사원이 광거(狂擧) 있으면 애달을지라. 금번 거교를 도중에 깨침은 사원이 만만 잘 못한 일이나, 여자 강렬한 후는 백해무익(百害無益)함을 여아 오히려 깨닫지 못하니, 일공(一空)639)이 막혔는지라. 사원은 종용이 관대함을 주하고 여아는 유순화열함을 힘써, 상경상화(相敬相和)하며 부창부수(夫唱婦隨)하여 석년 화란과 금번 해거를 일장고사(一場古事)로 이르라."

소저는 머리를 숙여 말이 없고, 창후 허리를 굽혀 왈,

"악장의 명교 마땅하시니 소생이 어찌 받들지 않으리오. 영녀의 교우강악(驕愚强惡) 함과 오만방자함은 소생 같은 결증 있는 자로 하여금 대하매 심화가 일어나는지라. 분두(忿頭)에 말씀을 삼가지 못함은, 또한 큰 허물이라. 영녀의 괴독요사(怪毒妖邪)한 말을 들으매, 통완함을 이기지 못하여, 과연 악장의 휘자(諱字)를 들놓아 질언(叱言)함은 없지 아니하거니와, 악장이 아무리 관대하셔도 악모 만일 영녀같이 패악하시면, 악장이 친히 짓두드려 분을 풀고자 하시려니와, 오히려 일분 사정을 면치 못하시어 영녀는 가장 현숙한 여자로 아시고, 소생은 우패(愚悖)한 광객(狂客)으로 치우시거니와, 소생이 비상변고(悲傷變故)하여 사경(死境)을 지내고, 겨우 일명을 보전하여 입공환경(立功還京)하매, 부부지정에 영행(榮幸)하여 즉시 돌아와 봄이 여행(女行)에 옳거늘, 공교로이 칭병하고 소생이 악모께 배현할 때에는 깊이 있어 서로보지 않으니, 소생으로써 자기에게 현알하여 빌게 하고자 하는 뜻이니, 극히 천연치 못하고, 거짓 알지 못함을 핑계하여 가형으로 하여금 소생에게 욕 된 서간을 보내고 공거를 환송하니, 그 행사 통해한지라. 소생이 만일 편친(偏親)

---

639) 일공(一空) : 하늘 전체. 여기서는 일심(一心) 곧 마음을 뜻함.

과 사숙(舍叔)을 두려워하지 않으면, 오기(吳起)의 살처(殺妻)를 효칙지 않으리까? 도중에 거교(車轎)를 깨침이 그 죄대벌경(罪大罰輕)하나, 사숙과 편친이 영녀를 과애(過愛)하심으로, 소생을 치책(治責)하시니, 모숙(母叔)이 노하시는 바에 차마 안연치 못하여, 사죄(死罪)나 지은 듯이 석고(席藁)하기에 이르니, 차후 더욱 영녀는 교오방종(驕傲放縱)이 더하리로소이다."

낙양후 희연(喜然) 소왈,

"내 평생 사정을 멀리하고 공의(公義)를 크게 여기나니, 일녀를 위하여 현서를 우패(愚悖)히 알리오. 모름지기 제가(齊家)에 위덕(威德)을 병행한즉, 아녀 같은 괴독(怪毒)한 위인이라도 자연 감화하리라."

인하여, 소저를 경계하여 숙녀사덕(淑女四德)640)을 힘쓰라 하고, 숙렬을 불러 면전의 배현(拜見)하매, 흔연이 반겨 손을 잡고 왈,

"현질은 여중성인(女中聖人)이라. 여아의 조협(躁狹) 초강(超强)한 곳을 가르쳐 유순화평함을 경계하고, 군자로 더불어 쟁힐(爭詰)하는 불사(不似)함이 없게 하라."

숙렬이 대왈,

"표제의 성자아질(聖姿雅質)과 숙행성심(淑行聖心)은 소질의 바랄 바 아니오니, 무엇을 가르치리까?"

양휘 소왈,

"차언은 현질의 겸양(謙讓)함이어니와, 원간 여아의 용색(容色) 기질(氣質)을 하자(瑕疵)하는 것이 아니라, 우리 삼형제의 자질(子姪)이 이십인 가운데 딸은 저 뿐이니, 아시로부터 귀중할 따름이요, 가르침이 없

---

640) 숙녀사덕(淑女四德) : 부녀자가 갖추어야 할 네 가지 덕목. 마음씨[婦德], 말씨[婦言], 맵시[婦容], 솜씨[婦功]를 이른다.

으니, 그 교우(驕愚)함이 괴이치 않은지라. 모름지기 현질은 지극히 가
르치라."

하고, 여아의 맥을 보고 미우를 찡겨 왈,

"부질없이 심려(心慮)를 허비하여 적상(積傷)한 병이 복발(復發)하였
으니, 어찌 민박(憫迫)지 않으리오."

소제 나직이 고 왈,

"소녀 우연이 풍한의 상함이요, 구태여 심려로 남이 아니오니, 대인은
소려하소서."

낙양후 어루만져 왈,

"여아 노부의 염려를 덜고자 하거든, 한갓 병을 조리할 뿐 아니라 군
자를 승순(承順)함을 힘쓰라."

소제 배사수명 하고 다시 말 않더니, 이윽고 진후 밖으로 나아 갈새,
여아와 질녀더러 왈,

"노부 명효(明曉)에 돌아갈지라. 여등을 다시 못 보리니 결연하도다."

숙렬과 소제 몸을 일어 배별하더라.

차야의 진공은 호람후로 더불어 밤을 지내고, 창후는 진씨 침소에서
밤을 지낼 새, 비록 소제 즉시 돌아오지 않음을 미온하나, 일장 과거(過
擧)를 하였으되, 여산약해(如山若海)한 중정이야 변할 리 있으리오. 소
저의 수패(瘦敗)함을 보매 심리의 애련하나, 외모에 나타내지 않고 새배
신성 후 낙양후를 전송하니라.

호람후 연일 창후를 명하여 진소저 침소에서 밤을 지내게 하더니, 이
러구러 십여일에 진 소저 차경에 이르러, 존당 숙당의 신혼성정을 폐치
않더니, 일일은 창후 궐정에 들어가 용전(龍殿)에서 고금녁대(古今歷代)
와 제왕의 치란흥망(治亂興亡)을 의논할 새, 창후 언론이 금수(錦繡)를

드리운 듯 광활정대(廣闊正大)하니, 상이 새로이 총우하시어 옥배에 어
온(御醞)을 수없이 권하시니, 창후 연하여 받자와 거후르매 취기 몽롱하
니, 지척천위(咫尺天威)에 황공하여 물러 부중에 돌아오나 감히 존당에
취안(醉顔)을 뵈지 못하여, 서헌에서 잠깐 쉬고자 할새, 호람후 창후의
어주를 만취(滿醉)하고 돌아왔음을 듣고 서동으로 전어 왈,

"네 이미 어사(御賜)하신 술을 취하여 존당에 혼정도 못할 양이면, 진
씨 침소에 가서 몸을 쉬라."

창후 역지 못하여 관복을 벗지 않고 바로 소저 침소에 이르니, 소저
천연이 기동하여 맞거늘 창후 관복을 벗기라 하니, 소제 그 곁에 나아감
을 싫어하여 시녀를 명하여 벗기고자 하니, 창후 취안(醉眼)을 비스듬히
떠, 왈,

"그대는 내 옷을 벗김이 토심(吐心)저워641) 못 벗기느뇨?"

소저 그 취기를 보고 또 무슨 광거(狂擧)를 볼까 그윽이 괴로와 관복
을 벗기며 웃옷을 벗기나, 안모에 분기를 감추지 못하니, 창후 그윽이
우습게 여기고 베개를 취하여 누으며, 소저로 수족을 주므르라 하니, 소
저 갈수록 증분하나 마지못하여 그 손을 주무르니, 십지섬수(十指纖手)
의 매끄러움이 형옥(衡玉)을 다듬은 듯, 부부의 살빛이 상하치 않되, 다
만 대소는 다른지라. 이윽고 소제 혼정에 들어가려 하니, 창후 왈,

"금일 나의 취함이 스스로 즐겨함이 아니요, 계부 그대 곳의 가 쉬라
하여 계시니, 모름지기 나의 취후를 살펴주고, 금일 혼정을 않으나 존당
숙당이 허물치 않으시리라."

소제 또 우기지 못하여 앉아있으나, 사사에 여자 됨이 구차함을 탄하
더라.

---

641) 토심(吐心)저워 : 토심(吐心)겨워. 불쾌감이 지나쳐. *토심(吐心); 불쾌감.

야심하매 창후 선자를 들어 불을 끄고 소저를 이끌어 상요의 나아가고자 하니, 소제 이의 다다라는 냉담(冷淡) 강렬(强烈)함이 맺고 끊는 듯하여, 부부의 정을 조금도 유련(留連)치 않으니, 창후 분연하여 한 번 벌떡 일어나 소저를 붙들어 가벼이 나위(羅幃)로 나아가니, 소저 연연섬약함으로써 창후의 구정(九鼎)을 가벼이 여기는 용력을 미치리오. 이미 일침지하(一枕之下)에 은정을 펴매 무궁한 정흥(情興)이 산비해박(山卑海薄)한지라. 삼년 상리지심(相離之心)의 간절한 정이 일필난기(一筆難記)러라.

이때에 남·화 양부 택정(擇定)한 길일이 다다르니, 호람후 연석을 개장하고 친척을 대회(大會)하여 신랑을 보내며 신부를 맞을 새, 정·진·하·장 사소저 윤의열과 초국 부인으로 더불어 태부인과 조부인을 모셔 일제히 좌차를 정하매, 유부인이 과악을 추회하여 그윽이 자괴(自愧)하더라.

차시 위태부인이 전일 시험포려함을 다 버리고 평순하고 너그럽기를 위주하매, 어질고 순화하여 흉포한 거동이 있지 않고, 유부인이 책선(責善) 후는 인자온순한 덕을 기르매, 공근비약(恭謹卑弱) 함이 각별할 뿐 아니라, 염미(艶美)한 자색은 삼오(三五) 홍옥(紅玉)을 압두하고, 총명영오 함은 제부인 유(類)에 빼어나니, 만좌중빈(滿座衆賓)이 위·유 양부인의 개과천선함이 그렇듯 쉬움을 이상하고 기특히 여겨, 창후 부부와 총재 부처의 출천대효(出天大孝)가 토목심장(土木心腸)을 능히 감화(感化)함을 불승흠복(不勝欽服)하고, 정·진·하·장과 양(兩) 윤부인의 면모상광(面貌祥光)이 서로 바애니642), 어디가 고우며 무엇이 빛난 줄을 자세히 알아 고하를 정하리요마는, 이 가운데 윤의열과 정숙렬의 일

월명광(日月明光)과 추수정신(秋水精神)이 성자기맥(聖姿氣脈)이요, 천
지의 너른 양(量)을 가져, 취지여일(趣之如日)643)이오 망지여운(望之如
雲)644)하여 위의 정숙하고, 진·하·장 삼부인과 초국부인의 화월염광
과 빙옥기질이 청고쇄락 하여, 좌중 홍분(紅粉) 가운데 빼어나니, 그 인
품의 고하를 의논할진대 윤의열과 정숙렬이 진정 대두(對頭)할 성녀숙
완(聖女淑婉)이요, 하부인이 다만 정숙렬 아래 한 사람이거늘, 초국부인
윤씨는 사군자(士君子)의 기상으로 옥안(玉顔)이 풍영쇄락(豊盈灑落)하
여 춘풍이 화창한데, 금분(金盆)의 화왕(花王)이 성개(盛開)하며 일륜명
월(一輪明月)이 벽공(碧空)에 걸렸는 듯 어리롭고 어그러온지라. 그 소
고(小姑) 하씨로 방불하나 맑고 높음은 더하더니, 숙렬 의열의 창해지량
(蒼海之量)과 장소저의 상낭상활(爽朗爽闊)645)한 기상과 진소저의 청아
교결(淸雅皎潔)646)한 태도, 티끌을 씻으며 수정(水晶)을 닦은 듯, 옥
(玉)으로 무은647) 이마와 꽃으로 새긴 양협(兩頰)에 효성(曉星) 같은 눈
매와 초월(初月) 같은 아미(蛾眉)는 천지정화(天地精華)를 오로지 거두
었고, 단사앵순(丹砂櫻脣)과 백설호치(白雪皓齒)는 기기묘묘하여 연화
(煙火)648) 밖 사람이라. 높고 좋음이 하씨와 방불(彷彿)하되 잠깐 냉렬
(冷烈)함이 하씨의 유열(愉悅)함을 미치지 못하고, 장씨는 풍완호질(豊

---

642) 바애다 : 빛나다. 부시다. 빛이나 색채가 강렬하여 마주 보기가 어려운 상태에
   있다.
643) 취지여일(趣之如日) : 취향(趣向)은 해처럼 밝고 정대함.
644) 망지여운(望之如雲) : 바라는 것은 구름처럼 무심하여 세속에 얽매이지 않음.
645) 상랑상활(爽朗爽闊) : 시원시원하고 밝고 활달함.
646) 청아교결(淸雅皎潔) : 맑고 우아하며 밝고 깨끗함.
647) 무으다 : 만들다. 쌓다.
648) 연화(煙火) : 인가에서 불을 때어 나는 연기라는 뜻으로, 사람이 사는 기척 또
   는 '인가'나 '인간세상'을 이르는 말

婉好質)이 이슬을 머금은 꽃송이요, 보름 찬 명월이라. 화기 삼춘(三春) 같고 동용이 유법하여 소소아녀자(小小兒女子)의 무식용잔(無識庸孱)함이 없으니, 담소(談笑) 낭낭쇄연(朗朗灑然)하고, 유열한 기상이 사좌(四座)를 감열(感悅)하고, 씩씩 쾌활함이 계차군자(笄叉君子)[649]요 결군장부(結裙丈夫)[650]라.

만좌빈객(滿座賓客)이 홀홀(惚惚)이 넋을 잃어, 정숙렬과 윤의렬에게 눈을 쏘아 칭찬함을 마지않으니, 태부인과 조·유 이부인이 좌수우응(左酬右應)하여 두긋김을 이기지 못하는 중, 명천 공이 보지 못함을 슬퍼하고, 유부인은 경아의 불참함을 설워하니, 이부(吏部) 자위의 뜻을 받아 매저를 데려 오고자 하나, 호람후 경아의 개과(改過) 전은 데려오지 못하게 하니, 차일 경아 연석의 불참하니라.

날이 늦으매 호람후 자질 제친과 정병부를 거느려 내당에 들어오니, 중빈(衆賓)은 장내(帳內)로 들고, 절친(切親) 부인네만 볼 새, 이 날 정병부 들어오니 태부인과 유부인이 피치 못하여 서로 볼새, 병부 예를 맞고 염슬정좌(斂膝正坐)하여 존후를 묻자올 새, 그 상모(相貌) 기위(氣威) 준엄동탕(俊嚴動蕩)하여 진승상(晉丞相)[651]의 여옥지모(如玉之貌)와 두사인(杜舍人)[652]의 투귤지풍(投橘之風)[653]이 당당하니, 천승(千乘)을

---

649) 계차군자(笄叉君子) : 비녀 꽂은 남자.
650) 결군장부(結裙丈夫) : 치마 두른 장부.
651) 진승상(晉丞相) : 중국 서진(西晉)의 미남자 반악(潘岳). 자는 안인(安仁). 승상을 지냈고 미남자의 대명사로 쓰인다.
652) 두사인(杜舍人) : 중국 만당(晚唐)때 시인 두목지(杜牧之). 이름은 두목(杜牧). 중서사인(中書舍人)에 올랐고, 중국의 대표적 미남자로 꼽힌다.
653) 투귤지풍(投橘之風) : 투귤(投橘)은 귤을 던진다는 뜻으로, 예전에 두목지는 용모가 준수하고 글을 잘 지어 부녀자들 사이에 인기가 대단했는데, 그가 거리에 나서면 부녀자들이 앞 다투어 귤을 던저 그의 관심을 끌고자 했다 한다. 투귤지풍이란 이처럼 여자들이 귤을 던질 정도로 아름다운 남자의 풍채를 비

기필(期必)하여 위거국공(位居國公)654)하고 작차육경(爵次六卿) 655)하
여 문무중임(文武重任)을 일신에 겸하니, 체체한 위의와 존중한 거동이
자연 외모에 드러나는지라. 태부인과 유부인이 북공을 삼년만에 대하
니, 참괴함이 낯을 깎고 싶은지라. 고개를 들지 못하니, 병부 투목(偸
目)으로 양부인의 거동을 숙시(熟視)하고, 그 회과책선 함이 견정(堅貞)
함을 보니 창후 곤계(昆季)의 효를 감탄하더라.

호람후 창후를 돌아보아 왈,

"금일 남부에 가 일찍이 신부를 맞아 오고 또 화부의 가 화씨를 맞아
오라."

창후 수명하고 길의(吉衣)를 찾으니, 정·진 두 부인이 이미 길의를
이뤄 찾기를 기다리던 바라. 시녀 옥함에 관복을 받들어 좌중에 놓으니
제 부인이 정·진 이부인의 성행을 칭복한데, 호람후 왈,

"정·진 양질부의 덕행으로써, 투기 않으며 길의(吉衣) 이룸은 예사
라, 일컬을 것이 없으니, 어찌 시속 부녀의 용용무식(庸庸無識)함과 같
으리오. 질아가 남·화 등을 취함은 정질부의 주선함이라. 화씨를 먼저
취하여 광천에게 천거함은 위로 성주와 아래로 만조사서(滿朝士庶)가
모를 이 없는지라. 질아 그 엄안을 모르는 지통이 있는지라. 정·진 이
인은 저의 과람한 아내니 다시 번화를 취하리요마는, 정씨의 어진 뜻을
저버리지 못함이라. 남·화 이인의 아름다움은 정질부의 본 바거니와
광천이 이십 전 소년으로 만사 과람(過濫)하고, 여러 처실을 모으매 그
윽이 편치 않도소이다."

유적으로 이르는 말이다.
654) 위거국공(位居國公) : 지위가 상국(相國=재상) 공후(公侯)에 올라 있음.
655) 작차육경(爵次六卿) : 벼슬이 육조판서의 지위에 있음.

좌객이 제성(齊聲)하여 숙렬의 기특함을 경복하더라.

화씨를 먼저 취하고 남씨를 또 우귀하려 하니, 호람후 진씨를 돌아보아 왈,

"정 질부는 남·화 양인을 천거하여 어진 덕을 빛냈으니, 현질은 마땅히 길의(吉衣)를 입혀 부도(婦道)를 다하여 광천탕객을 화(和)케 하라."

진소저 계구대인(季舅大人) 명교를 역지 못하여 나직이 배사수명(拜謝受命)하고 길의를 받들어 일어서니, 창후 몸을 기동하여 옷을 입을 새 중목(衆目)이 한가지로 저 부부의 거동을 보니, 창후의 천일지표(天日之表)와 용봉지재(龍鳳之材)는 만고를 기울이나 둘 없는 풍신용화거늘, 진소저 기려절승(奇麗絶勝)한 태도를 짝지으니, 명월과 기화(奇花)가 서로 빛을 비양(飛揚)하는 듯, 부부의 기질이 상하(上下)치 않더라.

진소저 종용이 관복을 섬길 새, 골흠을 매며 띠를 두르기에 미처는, 창후의 손이 옷을 수렴할 때에 잠깐 부부의 손이 닿으매, 진소저 더욱 수괴하여 팔자춘산이 제제히 나직하고, 추파(秋波) 제제히 가늘어 기묘히 어여쁜 태도를 돕는지라. 창후 준열엄웅(峻烈嚴雄)한 성정으로도 애중흠경(愛重欽敬)함을 이기지 못하여, 봉안을 흘려 이따금 보매, 소저 길의를 다 섬기고 물러 좌의 든데, 동용이 한결같이 안상(安詳)하여, 각별 불평지색(不平之色)이 없고, 흔연히 즐기는 거동도 없어, 추수빙상(秋水氷霜) 같은 마음이라.

존당 숙당과 조부인의 두굿김은 이르지 말고, 제객이 심심칭복(深深稱福)하여, 아들을 두며 며느리를 두매 창후 곤계 부부같기를 바라더라.

창후 존당 숙당과 모부인께 하직하고 밖으로 나아올 새, 정죽청이 위요(圍繞)656)를 서657), 남부로 향하매, 차일 남태상 부중에서 대연(大

---

656) 위요(圍繞) : 혼인 때에 가족 중에서 신랑이나 신부를 데리고 가는 사람. 늑상

宴)을 개장하여 신랑을 맞으며 신부를 보낼 새, 내외 친척을 모아 주배(酒杯)를 날리며, 내당에서 소저를 단장하며 청중(廳中)에서 대례를 습례하매, 소저 백태이질(百態異質)이 선원(仙苑)의 봉황이요, 해상의 명주라. 친척 제인이 책책칭예(嘖嘖稱譽)하고 남공이 두굿김을 이기지 못하여, 부인의 보지 못함을 추연하니, 창징 공자와 소저의 지통(至痛)은 비할 곳이 없는지라. 전일은 오히려 모친이 독질(毒疾)에 기세함으로 알았더니, 도금(到今)하여 위녀의 간모 발각하매, 모부인이 비명(非命)에 흉인(凶人)의 독수(毒手)를 받아 원사함을 비로소 알고, 첩첩한 설움이 흉장(胸臟)을 끊는 듯 새로이 통완하니, 일가지친의 부인네 소저를 붙들어 위로하더니, 이미 신랑이 부문의 다다라 옥상에 홍안을 전하고, 천지에 예배를 마치매, 남 태상의 종질 상서 창협이 팔 밀어 좌에 들새, 창후의 동탕한 표치풍광이 이날 더욱 기이하니, 남태상이 조항간(朝行間)에 날마다 보는 바나, 금일 옹서지의(翁壻之義)로 대하매, 각별한 사랑이 무비(無比)하여, 신랑의 손을 잡고 죽청을 돌아보아, 왈,

"만생이 팔자 기박하여 여러 자녀를 수인(讐人)에게 마치고, 필경 일녀도 보전치 못하게 되었거늘, 영매 숙렬부인의 하늘 같은 의기로 여식의 위태한 목숨을 살려내고, 윤사원 같은 쾌서를 만나 광채를 더하니, 소망에 과의(過矣)라. 숙렬부인의 대은을 갚을 길이 없으니 오직 구천타일(九泉他日)에 함환결초(銜環結草)658)를 기약하나니 죽청은 이 말씀을

객(上客). 요객(繞客).
657) 서다 : 어떤 역할을 맡아서 하다.
658) 함환결초(銜環結草) : '남에게 입은 은혜를 꼭 갚는다' 의미를 가진 '함환이보(銜環以報)'와 '결초보은(結草報恩)'이라는 두 개의 보은담(報恩譚)을 아울러 이르는 말로, '남에게 받은 은혜를 살아서는 물론 죽어서까지도 꼭 갚겠다.'는 보다 강조된 의미가 담긴 뜻으로 쓰인다. 두 보은담의 유래를 보면, '함환이보'는 중국 후한 때 양보(楊寶)라는 소년이 다친 꾀꼬리 한 마리를 잘 치료하여 살려

영매에게 고하라."

북공이 허리를 굽혀 왈,

"소매 영아(令兒)소저의 특이하신 기질을 흠앙하여 타문에 보내기를 아끼는 고로, 사원에게 속현하여 백년동렬(百年同列)의 정을 펴고자 함이니, 어찌 은혜를 일컬으시어 소매의 마음을 불안케 하시나니까?"

남공이 함소하고, 이에 돌아 창후에게 여아의 평생을 부탁하매, 말씀이 간절하며 자녀를 위한 정이 타인과 다른지라. 창후 그 부녀의 천륜자애 각별함을 깨달아 흔연이 명을 받듦을 대하고, 날이 늦음을 일컬어 신부의 상교를 재촉하여 남소저 덩에 오르매, 창후 봉교함을 마치고 상마하여 부중에 돌아올 새, 명공후백(名公侯伯)이 위요(圍繞)가 되었으며, 신랑의 신채 일세에 독보하니 관시자(觀視者)가 책책(嘖嘖) 칭선하더라.

행하여 옥누항에 이르매 화촉하에서 교배할새, 남풍여모 (男風女貌) 발월하여 주옥이 고은 빛을 자랑하매, 보벽(寶璧)이 광채를 흘림 같으니, 좌객이 황홀하여 책책 갈채하니, 태부인과 조부인의 깃거함은 재기중(在其中)이요, 그 폐백을 받을새 좌객이 홀홀이 관경(觀景)하니, 신부 나아오는 바에 찬란한 명광이, 태양이 오르며 추월이 벽공에 한가한 듯, 녹파향련(綠波香蓮)이 취우(驟雨)에 잠겼으며, 효성이 징수(澄水)에 비추고 팔자춘산(八字春山)은 천태(天態)의 화평한 기운을 품수하여, 정정한 태도 숙녀지풍이라. 일척세요(一尺細腰)에 비봉양익(飛鳳兩翼)이며

보낸 일이 있었는데, 후에 이 꾀꼬리가 양보에게 백옥환(白玉環)을 물어다 주어 보은했다는 남북조 시기 양(梁)나라 사람 오균(吳均)이 지은 『속제해기』의 고사에서 유래한 말이다. 또 '결초보은'은 중국 춘추 시대에, 진나라의 위과(魏顆)가 아버지가 세상을 떠난 후에 서모를 개가시켜 순사(殉死)하지 않게 하였더니, 그 뒤 싸움터에서 그 서모 아버지의 혼이 적군의 앞길에 풀을 묶어 적을 넘어뜨려 위과가 공을 세울 수 있도록 하였다는 『춘추좌전』〈선공(宣公)〉15년 조(條)의 고사에서 유래하였다.

청운녹발(靑雲綠髮)에 성정무빈(星睛霧鬢)659)이 만고무비(萬古無比)하
니, 태부인이 바삐 신부의 옥수를 잡고, 왈,

"신부는 명문지녀라. 인연이 기특하여 손아의 배우 되니 기질과 용안
이 노모의 바람 밖이라, 어찌 아름답지 않으리오. 손아의 원비는 신부로
더불어 결의저매(結義姐妹)하여 정의지심(情誼之心)이 골육동기 같다 하
니, 화우(和友)함을 당부치 않아도 정 현부 아황(娥皇)660)의 덕을 닦고,
신부 여영(女英)661)의 온순정결(溫順貞潔)함을 효칙하려니와, 광천의
재실 진씨 또한 요조숙완(窈窕淑婉)이라. 모름지기 서로 화우하여 가내
춘풍 같기를 바라노라."

신부 수명하매, 호람후 만심환열하여 모친과 조부인께 크게 하례하
고, 사좌(四座) 중빈(衆賓)이 연성(連聲) 치하하니 자못 분분여류(紛紛如
流)하여 이루662) 응접(應接)지 못할러라.

차시 조부인이 연석지시(宴席之時)를 당하여, 심회 더욱 지향치 못하
여 누수 옷깃을 적시니, 의열 등이 좌우로 위로하더라. 호람후 창후를
재촉하여 바삐 화부의 나아가 신부를 맞아 오라 하니, 창후 배이수명(拜
而受命)하여 허다 위의를 거느려 화부의 이르니, 화추밀이 대연을 개장
하고 정히 신랑을 기다리더니, 창후 홍안을 안아 옥상(玉床)에 다다르
매, 화공이 서랑을 처음 봄이 아니로되 그 선풍옥골이 탈속(脫俗)하여
태을선군(太乙仙君)663)이 하강한 듯, 팔척경륜(八尺徑輪)의 가득한 선

---

659) 성정무빈(星睛霧鬢) ; 별 같은 눈동자와 안개가 서린 듯한 하얀 귀밑털.
660) 아황(娥皇) : 요임금의 딸로 동생 여영(女英)과 함께 순임금에게 시집가 서로
    투기하지 않고 화목하게 잘 살았으며, 순임금이 창오(蒼梧)에서 죽자 함께 소
    상강(瀟湘江)에 빠져 죽었다.
661) 여영(女英) : 순임금의 비(妃). 아황(娥皇)의 동생으로 자매가 함께 순임금을
    섬겼다.
662) 이루 : 도저히.

채(仙彩), 금당(金塘)에 일만 버들이 휘드르며664), 고운 용화는 춘원(春園)에 일백 화신(花信)이 무르녹음 같으니, 엄중한 기상과 준렬한 위의 구추상천(九秋霜天)의 높음과 중산의 무거움을 겸하고, 강하의 훤칠한 기상이며 천추영걸지풍(千秋英傑之風)이 세대무적(世代無敵)이라.

화공이 정숙렬을 서랑을 삼아 두고 만사에 기특히 여겨, 언언이 공맹(孔孟) 이후 한 사람이라 하여, 기대취중(期待取重)하되, 너무 단엄(端嚴) 예중(禮重) 하여 영준호걸(英俊豪傑)의 기습이 부족하기로 답답히 여기고, 그 위인이 과히 맑아 진애(塵埃)에 뛰어나니, 행혀 수복(壽福)에 해로울까 하더니, 금일 창후의 영준으로써 동상을 삼으매, 한 곳 미진(未盡)함이 없고 만사 바람 밖이라.

공이 만심대열(滿心大悅)하여 진평장 영수로 팔 밀어 신랑을 좌에 들게 하고, 신랑을 집수 쾌열 왈,

"장사 적소에서 사원을 볼 때에는 서랑 삼음을 몽중에도 생각지 아니하였더니, 스스로 반생 세간(世間)이 헛되지 아니하여, 청문 같은 대현(大賢)으로 종용이 담화하며 진정 사위로 알던 윤낭은, 정부인이 되어 사원의 조강(糟糠)이시고, 서랑의 친척으로 알아, 정남대원수로 위덕이 사해의 들레던 사원으로, 오늘날 내 집 동상(東床)을 삼으니, 근본을 이를진대 숙렬부인의 기이하신 헤아림과 비상하신 성덕이라. 생각할수록 감은(感恩)하거니와, 여식은 궁향(窮鄕)에서 우용(愚庸)이 자란 바라. 백행이 일컬음직 하지 않으니, 사원은 관대화홍(寬大和弘)함으로써 허물치 말라."

창후 몸을 굽혀 사사할 뿐이요, 구태여 긴 말을 시작하지 않거늘, 진평장이 웃고 화공을 향하여 왈,

"이제 숙부 초에 종매(從妹)로써 여자인 줄을 알지 못하시고 동상을 삼으심이, 사원 같은 광부를 만나 매제의 평생을 괴롭게 하려 하심이거니와, 또한 천연의 중함이라. 소질은 그윽이 보건대 숙부의 서랑이 한 조각 종요로운 마디 없으니, 가히 쾌서라 일컫지 못할지라. 숙렬 종매 기특한 연고로 소매와 종매까지 다 모아 광부(狂夫)의 내조를 빛내니, 으뜸은 숙렬의 덕이로되, 윤사원의 마음인즉, 제 풍신(風神)이 아름답고 재망(才望)이 높아, 천고의 무쌍한 숙녀를 갖추 두고 금일 내로 양처를 취하는 줄로 아나니, 숙부는 심사를 은닉치 마시고 저더러 바로 이르소서. 정매가 거리낀 혼사인 고로 싫으시나 마지못한 줄 이르소서. 저해 풍채는 주린 돝665)의 상 같아서 실로 볼 곳이 없음을 쾌히 이르소서."

화공이 대소 왈,

"현질은 사원으로 더불어 남매지의(男妹之義)를 맺아 정이 깊은 지 오랠 것이거늘, 어찌 이렇듯 찰찰(察察)이 나무라 허물을 드러내느뇨?"

진평장이 소왈,

"사원의 행신이 만사 무일가취(無一可取)라, 그러하니이다."

창후 소왈,

"진악장은 일찍 나를 기허(己許)하시어 볼 적마다 칭찬하시는데, 진형은 소견이 내도하여, 소제를 나무람이 못 미칠 듯하니, '유(類)가 유(類)를 좇고 물이 물을 따르나니'666), 악장이 주린 돝의 상(相)을 기특히 여

---

665) 돝 : 돼지.

666) 유(類)가 유(類)를 좇고 물이 물을 따르나니 : '같은 것은 같은 것 끼리 서로 따르고 물(水)은 물(水)을 따른다'는 뜻으로, 같은 무리끼리 서로 사귐을 이르는 말. =유유상종(類類相從).

기사, 언언이 칭지(稱之)하시는 데, 진형의 책(責)이 이 같으니, 가장 수
상하도다."

진평장이 크게 웃고 서로 꾸짖어 욕설이 그치지 않으니, 만좌중빈(滿
座衆賓)이 화공의 쾌서 얻음을 칭하(稱賀)하여 주객의 즐김이 무궁하고,
날리는 잔이 분분(紛紛)하여 사좌(四座)기 극취(極醉)하니, 창후 즉시
취하여 옥면에 주기(酒氣) 편만하니, 설산(雪山)에 홍도(紅桃)가 난만한
듯, 옥면봉목(玉面鳳目)의 광채 더욱 발월(發越)하니, 화공이 어린듯이
그 용화를 우러러 웃는 입을 줄이지 못하며, 잔을 들어 연하여 북공을
권하며 중매한 공을 사례하니, 북공이 흔연 사사(謝辭)하고, 부친이 옥
누항 연석에 와 계심을 일컬어 존전에 취색(醉色)이 불경(不敬)함을 사
양하여, 사오 배 밖은 넘기지 않으니, 더 권치 못하고, 날이 늦으매 신
부의 상교를 재촉하니, 화소저 덩에 들매 창후 봉교(封轎)하고 상마하여
부중의 돌아 올새, 생소고악(笙簫鼓樂)은 하늘을 들레고 부성(富盛)한
위의(威儀) 대로를 덮었더라.

행하여 본부에 다다르니 청중에 금련채석(金蓮彩席)과 기린촉(麒麟
燭)667)이 휘황한데, 양 신인이 독좌(獨坐)668)할새, 남채(男彩) 발월하
고 여모(女貌) 교교하여, 용린(龍麟)과 난봉(鸞鳳)이라. 양인이 교배(交
拜)할 새 황금백벽(黃金白璧)이 빛을 다투니 중객이 보는 이마다 황홀하
여 창후의 처궁이 유복함을 흠탄하더라.

예파(禮罷)에 신랑이 출외(出外)하고 신부 단장을 고쳐 존당 존고께
폐백을 헌할 새, 비봉양익(飛鳳兩翼669))에 홍금적의(紅錦翟衣)670) 찬란

---

667) 기린촉(麒麟燭) : 기린의 목처럼 굽은 막대기에 매단 등촉(燈燭).
668) 독좌(獨坐) : 독좌례(獨坐禮). 혼인례에서 대례(大禮)를 달리 이른 말. 즉 신랑
　　과 신부가 대례를 행할 때 각각의 앞에 음식을 차려 놓은 독좌상(獨坐床)을 놓
　　고 교배(交拜)·합근(合卺) 등의 의례를 행하는 것을 비유하여 쓴 말이다.

하고, 유지세요(柳枝細腰)에 금수나상(錦繡羅裳)을 끌어 팔배대례(八拜
大禮)671)를 행하매, 칠보(七寶)672) 그림자에 옥(玉)으로 무은673) 이마
는 반월(半月)이 오운(五雲)에 싸인 듯, 아황양미(蛾黃兩眉)674)는 원산
(遠山)이 희미한 듯, 추파양안(秋波兩眼)은 성덕이 나타나고, 단사주순
(丹砂朱脣)과 연화양협(蓮花兩頰)이 무르녹으니, 선연아질(鮮姸雅質)이
탈진애(脫塵埃)하니, 진퇴예배(進退禮拜)의 주선(周旋)이 영오(穎悟)하
고 동용안서(動容安舒)에 자유법도(自有法度)하니, 태부인과 조부인의
두굿김이 비길 데 없으되, 석사를 생각하여 타루(墮淚)함을 마지않고,
호람후 선형(先兄)의 보지 못함을 각골비통(刻骨悲痛)하여 모친과 수수
(嫂嫂)를 위로하며, 정·진·남·화 사인을 명하여 서로 보는 예를 이
루고, 어깨를 가룬675) 좌를 이루매, 사인(四人)의 색모염광(色貌艶光)이
한결같이 기이하여, 천화(天花) 네 송이 옥분(玉盆)에 꽂혀있는 듯, 명
월주(明月珠) 보광(寶光)을 머금어 광채 조요(照耀)하여 천지정맥(天地
正脈)이 머무는 중, 정씨는 취지여일(趣之如日)676)이요, 망지여운(望之
如雲)677)이라. 의열이 아니면 병구(幷俱)할 이 없는지라.

---

669) 비봉양익(飛鳳兩翼) : 나는 봉황새의 두 날개. 여기서는 봉황의 날개처럼 날렵
   한 두 어깨를 말함.
670) 홍금적의(紅錦翟衣) : 붉은 비단에 수를 놓아 지은 신부의 예복. 적의(翟衣)는
   나라의 중요한 의식 때 왕비가 입던 예복을 가리키는 말로 붉은 비단에 청색
   의 꿩을 수놓아 만들었음.
671) 팔배대례(八拜大禮) : 혼례(婚禮)에서 신부가 신랑의 부모께 처음 뵙는 예(禮)
   인 현구고례(見舅姑禮)를 행할 때 여덟 번 큰절을 올렸다.
672) 칠보(七寶) : 일곱 가지 주요 보배. 대체로 금·은·유리·파리·마노·거거·
   산호를 말한다.
673) 무으다 : 쌓다. 뭉치다. 만들다.
674) 아황양미(蛾黃兩眉) : 화장한 두 눈썹.
675) 가루다 : 자리 따위를 함께 나란히 하다.
676) 취지여일(趣之如日) : 취향(趣向)은 해처럼 밝고 정대함.

호람후 기쁨을 이기지 못하여 친히 잔을 들어, 정씨를 주어 왈,

"종부(宗婦)에게 가국(家國)의 흥망이 달렸나니, 여자의 덕이 호호(浩
浩)하면, 국가를 흥하고 집을 창하며 자손에 여영(餘榮)이 있고, 여자
악이 성하면 나라가 망하고 집이 멸하나니 가히 두렵지 않으리오. 현질
의 성행숙덕은 태사(太姒)의 남은 풍이 있어, 광천이 문왕(文王)의 덕이
없으되 현질의 내조함이 호대하여, 주선강후(周宣姜后)678)에 세 번 더
함이 있는지라. 남·화 같은 절색숙녀를 일시에 이르게 하여, 광아의 내
조를 빛내고, 갈담풍화(葛覃風化)679)의 옛일을 효칙하니, 이로 좇아 광
아의 백자천손(百子千孫)의 한없는 복록을 보지 않아 알지라. 으뜸은 우
리 선형의 적심충렬(赤心忠烈)과 수수(嫂嫂)의 인자성덕(仁慈聖德)이 널
리 흘러, 들어오는 여자 하나도 용우치 않음이요, 버거는 현질의 밝히
천거한 공이라. 풍상변액(風霜變厄)을 비상이 겪었으되, 출천대효 애자
(睚眦)의 원(怨)680)을 머금지 않고, 가부로 하여금 성녀숙완을 갖추 취
케 하니 어찌 아름답지 않으리오. 일배하주(一杯賀酒)로 현질의 덕행을
갚을 것이 아니로되, 우숙의 깊은 뜻을 표하노라."

정숙렬이 연망이 쌍수로 잔을 받잡고, 피석부복(避席仆伏)하여 듣잡
고 하석재배(下席再拜)하여 불감황공(不堪惶恐)함을 일컬으니, 옥성봉음
(玉聲鳳吟)은 천지의 화기를 이루고, 효순경근지례(孝順敬謹之禮)는 성
현유풍을 가졌으니, 갖추 기이한 자품을 불가형언이라. 의열이 곁에서

677) 망지여운(望之如雲) : 바라는 것은 구름처럼 무심하여 세속에 얽매이지 않음.
678) 주선강후(周宣姜后) : 중국 주나라 선왕(宣王)의 부인 강후(姜后). 위엄 있는
     풍모와 덕행을 갖춘 현부(賢婦)로 유명하다.
679) 갈담풍화(葛覃風化) : 갈담의 교화. 갈담은 『시경』〈주남(周南)〉갈담장(葛覃
     章)에 나오는 말로, 주나라 문왕비인 태사(太姒)의 덕을 길이는 말.
680) 애자지원(睚眦之怨) : 한번 흘겨보는 정도의 원망이란 뜻으로 아주 작은 원망
     을 말함.

웃고 숙렬을 권하여 왈,

"현제 본디 일작불음(一勺不飮)이나 계부의 주신 바니 아니 먹지 못할지라. 모름지기 진음(進飮)하라."

숙렬이 황공하여 겨우 접구(接口)만 할 뿐이러라.

호람후 밖으로 나아 와 정병부를 각별이 술을 권하여 중매의 공을 일컬으니, 북공이 사사하고 부친이 재좌(在坐)하심으로 주배를 통음(痛飮)치 않더라.

종일 진환(盡歡)하고 황혼에 내외 빈객이 취한 것을 붙들려 각귀기가(各歸其家)할새 금평후와 정국공이 함께 자부를 거느려 돌아가니, 조·뉴 양부인이 각각 여아를 훌훌이 보내고, 결연함을 이기지 못하더라.

호람후 양신부의 숙소를 정하여 보내고, 촉을 이어 태부인을 모시고 자질을 거느려 구파로 담화할새, 정·진·하·장 등은 좌하에 시좌하였는지라. 호람후 창후를 보아 이르되,

"금일은 남씨의 처소에 가 밤을 지내고 명일은 화씨의 곳에 가 밤을 머물라. 범사 차례 있을지라, 네 비록 연소 광패하나 작위 후백의 이르고, 가내에 여러 처실이 있어 만사 과의(過矣)라. 스스로 조심할 뿐 아니라, 제가(齊家)에 위덕(威德)을 병행하여 애증(愛憎)을 편벽(偏僻)케 말고, 가내 화열함을 생각하라."

창후 배이수명(拜而受命) 하니, 호람후 웃음을 머금고 숙렬더러 왈,

"질아가 한 몸으로써 두 신방을 다니지 못하리니, 차례 남씨의 숙소로 갈지라. 현질은 화씨의 침소에 가 전일 부부지의(夫婦之義)를 펴고 동렬의 정을 도탑게 하여, 백년안항(百年雁行)681)이 즐거이 지내라."

---

681) 백년안항(百年雁行) : 한평생을 두고 형제처럼 살아간다는 뜻으로 같은 남자와 혼인생활을 하는 여러 부인들을 이르는 말. *안항(雁行); 기러기의 행렬이란

숙렬이 재배수명(再拜受命)하고 옥면성모(玉面星眸)의 유연(悠然)한 수색(羞色)을 띠었으니 광염이 일배승(一倍勝)이라. 이는 호람후의 화씨 취한 사단을 일컬은 연고라.

태부인이 상요의 나아가심을 보온 후, 창후 계부를 뫼셔 외헌에 나와 취침하신 후, 남소저의 침소에 나아가니 소저 서연(徐然)이 일어나 맞으매, 창후 팔을 밀어 동서분좌(東西分坐)[682]하고 봉정(鳳睛)을 던져 신부를 살피니, 천향국색(天香國色)이 석목을 농준(濃蠢)[683]하며 금불(金佛)이 돌아설지라. 창후의 안총(眼聰)으로써 한갓 그 자색을 아름다이 여김이 아니라, 요라(姚娜)한 성행과 유한한 사덕이 외모에 나타남을 만심환열하여, 흔연이 두어 말씀을 펴매, 소저 수용정금(收容整襟)하여 대함이 없으나, 공경함이 현출하니, 창후 애경하는 정을 헤아리매 정히 여산약해(如山若海)하여 백년의 느꺼운 정이 있으되, 정숙렬을 향한 중정과 진소저를 애대함은 천지개벽(天地開闢)하여도 변치 않을러라.

효계창명(曉鷄唱鳴)하매 소저 일어나 소세하고, 신성(晨省)에 참예하니, 창후 또한 일어나 관소(盥梳)를 이루고 밖으로 나가니라.

어시에 정숙렬이 진소저로 더불어 화소저 침소의 이르러 한가지로 밤을 지낼 새, 화소저 정숙렬을 대하매 반가움이 가득하나, 전일 부부로 칭하던 바를 생각고 오히려 수괴한 중, 구가에 처음으로 이르러 숙렬이 비록 구면목이나, 저의 반기는 설화를 들을지언정 답함이 없으며, 진씨 비록 이종지간이나 좌우에 윤부 비배 등이 삼 서듯 벌여있는 고로, 진소저로 지친의 정의도 이르지 못하더라.

명조에 양신부와 정·진·하·장 사인이 존당에 모이니, 태부인과 호람후 면면이 애중하여 친녀와 다름이 없고, 구파의 황홀한 사랑이 비길 곳이 없는지라. 남씨는 동경서 돌아온 지 일순이 못하여 대례를 행하니, 약질이 잇붐이684) 무궁하나 숙렬 밖에 그 자비(滋憊)685)를 알 이 없더니, 구파 태부인께 차사를 고하니, 태부인이 옳이 여겨 남씨를 물러가 쉬라 하니, 숙렬이 잠깐 몸을 빼어 남씨를 찾아 별래(別來)를 이르니, 남씨 모부인이 독수(毒手)에 마침을 일컬어 눈물이 화시(花顋)를 적시니, 숙렬이 추연하여 위로하고, 범사에 정의(情意) 친밀함이 골육동기 같더라.

차야의 창후 화소저 침소의 이르니, 화씨 홍군취삼(紅裙翠衫)686)으로 서연(徐然)이 일어나 맞으니, 창후 팔 밀어 좌정하고 봉안을 들어 살피니, 화용이 청고쇄연(淸高灑然)하여 경국지색(傾國之色)이요, 숙녀지풍(淑女之風)이라. 스스로 처궁의 복 됨을 자부하여, 희연 잠소왈,

"자는 장사 수천리에 있고 생은 경사의 있는 사람이라. 인연을 맺을 길이 어렵거늘 연분이 기특하여, 정씨 장사에 죄적(罪謫)함을 인하여 기괴한 혼사를 이름하여, 오늘날 진정 부부로 일실(一室)에 대하니, 근본을 생각한즉 일장(一場) 실소(失笑)할 곳이로다. 생은 그윽이 다행하여 하나니, 자는 어떻다 하나뇨?"

화소저 청파에 옥면이 취홍(醉紅)하고 추파(秋波) 미미하여 수괴(羞

---

684) 잇부다 : 힘들다. 피곤하다.
685) 자비(滋憊) : 몸이 몹시 지쳐 고단하다.
686) 홍군취삼(紅裙翠衫) : 붉은 색 치마와 비취색 저고리.

愧) 만면(滿面)하니, 창후 대소하고 답언을 재촉하되, 신부 단연(斷然) 부답하니 이화일지(梨花一枝) 취우(驟雨)에 흔들리는 듯하더라.

창후 신부를 권하여 원앙금리(鴛鴦衾裏)에 나아가니 은애(恩愛) 산비해박(山卑海薄)하고, 정숙렬이 화소저의 평생을 제도(濟度)하매, 창후의 제가(齊家)가 무흠(無欠)함을 깃거 사랑하는 아우를 성혼함 같더라.

숙렬이 스스로 덕을 나타내지 않으나, 남·화·진 삼인을 동기같이 거느리니, 일가의 칭예와 창후의 중대 여천지무궁(如天地無窮)하고, 삼소저의 우러르고 바라는 정이 태산북두(泰山北斗) 같아서, 정숙렬의 행사를 보매 일동일정(一動一靜)을 그림자 좇듯 하더라.

일가 문중이 숙렬을 미루어 여사(女士)라 탄복하더라.

차시 창후의 유정하였던 창기 옥비·수월·취교·염낭·도화·설매·월향·채옥·수앵·가월 십 인이, 여러 일월 동안 타인을 좇지 않고, 창후를 위하여 수절하는 뜻이 열부(烈婦) 절녀(絶女)와 다르지 않으니, 동류 다 어려이 여기고, 경박소년(輕薄少年)들이 그 용화를 흠모하여, 금은보화(金銀寶貨)와 능라채단(綾羅綵緞)으로 그 마음을 깃기고 유정코자 하되, 십창이 한결같이 일제히 물리쳐 요동치 않고, 의식지절(衣食之節)이 간고하나, 창후의 찾음을 등대하고 타처의 금백(金帛)을 꿈같이 여기니, 북공이 그 절의를 아름다이 여겨, 일일은 조회 길에 옥누항에 들어가 창후를 보고 십창(十娼)의 절의를 일컬어 거둠을 이르더라.

명주보월빙 권지팔십

어시에 북공 정죽청이 일일은 조회 길에 옥누항에 들려, 창후를 보고 이르되,

"사원이 전자에 십창으로 더불어 철석같이 말하여 첩잉(妾媵) 항렬의 두기를 기약하였으니, 금차지시(今此之時)하여 옥비 등이 대월누에서 간고(艱苦)가 자심(滋甚)하되, 사원을 위하여 수절한다 하니, 장부일언(丈夫一言)은 천년불개(千年不改)요, 여자 함원(含怨)은 오월비상(五月飛霜)이라 하니, 옥비 등이 이름이 천창(賤娼)이나 절행(節行)이 고인을 따르는 후는, 전일 언약을 잊으면 사원이 실신무의(失信無義) 한 사람이 될 것이요, 적악(積惡)이 되리니, 쉬이 찾아 빈희(嬪姬)의 수를 채우라."

창후 청파에 민울(悶鬱)하는 빛이 없지 않아 침음하거늘, 북공이 그 뜻을 지기하고 호람후께 나아가 배현하고, 십창의 수절하는 연유를 밝히 고하여, 거두지 않으면 부적선(不積善)임을 일컫고 또 웃으며 왈,

"소생이 비록 동기를 위한 정이 박하나, 십창이 만일 간교하여 매제에게 해로우미 있을진대, 어찌 합하께 허하심을 고하리까마는, 개개히 양선(良善)하니 가내에 머물러도 해로움이 없을 것이요, 합하 비록 사원의 호색을 깃거 않으시나, 문왕(文王)이 성인이시되 태사(太姒) 같은 숙녀를 두시고, 삼천후비(三千后妃)를 갖추신 바를 헤아리사 허하소서."

호람후 북공의 말인즉 언청계용(言聽計用)687) 할 뿐 아니라, 창후의
위인이 처첩을 많이 두며 복록이 무량할 줄 아는지라. 다만 희희히 웃으
며 왈,

"창백이 매부의 호방을 도와 역권(力勸)하니, 내 질아의 번사를 깃거
않으나 창백의 권함을 좇아 십창을 허하나니, 차후 십창의 잘 못함이 있
으면 창백이 당하리라."

북공이 대소하고, 돌아와 옥비 등을 윤부로 보내니, 호람후 태부인과
조부인께 북공의 하던 말을 고하고, 십창을 불러 보니, 옥비 등이 계하
(階下)에서 배례하고 불감승계(不敢昇階)하니, 호람후 중계의 오름을 명
하고, 그 용모위인을 보건대, 개개히 절세묘려(絶世妙麗)하고 목자(目
眥) 순량(順良)하니, 호람후 창후의 처첩의 복됨을 행희하고, 옥비 등을
분부하여 적첩존비(嫡妾尊卑)를 명백히 이르고, 각각 당사를 정하여 주
어, 시녀 수인씩을 정해 주고, 정·진·남·화 사부인께 중계에서 배알
케 하니, 사부인이 구태여 성덕을 베풂이 없으나, 사기여화(辭氣麗和)하
여 춘풍 같으니, 차일로부터 옥비 등이 의앙(依仰)하는 마음과 두리는
뜻이 극진하더라.

조부인이 창후를 경계하여 왈,

"내 아해 연소부재(年少不才)로 외람이 위거후백(位居侯伯)하니 근신
겸퇴(謹愼謙退)하여 숙야에 긍긍업업(兢兢業業)하라. 만사 외람하여 처
첩 십사인을 거느리게 되니, 가내 화평키를 주하라."

창후 순순(順順) 배사수명(拜謝受命)하고 차후 더욱 제가(齊家)에 위
덕이 숙연하여, 애증(愛憎)이 고르고 법령이 엄숙하여 은위(恩威) 병행
하니, 숙렬 같은 성녀현비(聖女賢妃)라도 감히 마음을 놓지 못하니, 하

687) 언청계용(言聽計用) : 다른 사람의 말을 받아들이고 그 계책을 씀.

물며 기여(其餘)를 이르리오.

진씨 초준맹렬(峭峻猛烈)하여 가부의 위풍을 간대로 두려워함이 없더니, 점점 그 뇌정(雷霆) 같은 호령과 엄위한 기상을 어렵게 여겨, 스스로 뜻을 낮추어 화순함을 주하여 다시 곡경을 당치 않으려 하매, 천생품질(天生稟質)과 용화색태(容華色態)는 숙렬의 아래 일인으로 백행이 무흠(無欠)이요, 남·화는 성례함이 오래지 아니하니 더욱 서어(齟齬)하여, 존당 중회중(衆會中)으로부터 사침(私寢)에 대하나 매양 송연공경(悚然恭敬)하여 연소상애(年少相愛)[688]함이 없는지라.

창후 일삭에 삼일은 숙렬의 침소의 있고, 수일씩은 진·남·화 삼부인 침소의 처하고, 십일은 십창을 외헌에 직숙(直宿)하게 하여, 행혀도 제희당(諸姬堂)에 자취 임치 않고, 십일은 계부(季父)를 시침(侍寢)하여 형제 광금장침(廣衾長枕)에 힐항(頡頏)하는 정을 펴니, 공이 고당편친(高堂偏親)을 모셔 효를 다하고, 자질의 행사를 무흠이 두굿기고, 웅·창 등 삼아를 어루만져 재미를 삼으나. 숙렬의 아자 잃음을 각골비절(刻骨悲絶)함이 조부인 마음과 일반이러라.

이부(吏部)는 일삭에 오일씩 두 부인 침소의 머물러 은애진중(恩愛鎭重)하나, 위인이 종용하되 삼엄열숙(森嚴烈肅)하여 말 붙이기 어렵고, 성음이 나직하나 말씀을 발한즉 정금미옥(精金美玉) 같고 예법이 늠름(凜凜)하니, 하·장 양소저 조심함이 여림박빙(如臨薄氷)하더라.

차시 정태우 세흥이 성씨를 취하매 은애 날이 갈수록 황홀하여 수유불리(須臾不離)하니 사군찰임(事君察任)과 봉친(奉親) 여가에는 자취 성씨 방을 떠나지 않고, 주야 부잡설화(浮雜說話)와 희학(戲謔)이 그칠 때

---

688) 연소상애(年少相愛) : 나이어린 사람들끼리 서로 사랑을 나눔.

없으니, 성씨 천만교태로 은정을 낚음이 못 미칠 듯하고, 양씨의 없는
허물과 않은 말을 주출(做出)하여 참언(讒言)이 이음차되, 태우 성씨를
애중하나 일호(一毫) 곧이듣지 않아, 매양 부질없는 말을 말고 즐김을
이르니, 성씨 더욱 분완하여 하고, 혹자 태우 선삼정에 가는 날이면 양
씨 옥모 냉담하고 미우 씩씩하니, 태우 양씨를 대한즉 노기 발발하여 삼
킬듯하다가, 혹 화열한 빛을 지어 달래고 꾸짖어 상요의 나아간즉, 양씨
매몰함이 죽기로 거절하면, 광부(狂夫) 간간이 박차며 입에 담지 못할
말로 욕할 때도 있고, 운발(雲髮)을 잡아당겨 손의 감고 위력으로 의상
을 탈하여, 일침지하(一枕之下)의 나아 갈 때도 있으되, 부부의 거동이
불화(不和)하니 성씨 의괴하나, 구가 합문(閤門)의 기색이 저를 마지못
하여 한 구석에 두어 흔한 의식을 공궤하나, 심복 될 이 없으니 자세한
곡절은 모르고, 구고의 기색을 살피매, 존구는 태우를 볼 적마다 현현이
미워함이 태우의 양씨 미워함과 다르지 않고, 존당과 존고는 광인으로
미루고, 북공은 순순(諄諄)[689]이 꾸짖어 행실을 삼가라 하고, 직사와
공자 등은 삼형의 행사를 애달라 하는 기색이요, 존당 구고 양씨를 애중
하여 범사에 유념(留念)함을 친녀같이 하니, 성씨 대한(大恨)하여 일야
는 생으로 담소하더니, 그 즐기는 흥이 높음을 보고 홀연, 탄 왈,

"군자는 합문기색(閤門氣色)과 대인의 미안하시는 존의를 알지 못하
시관데, 거리낀 일 없이 즐기시느뇨?"

생이 문득 답왈,

"합문기색과 대인 존의는 그대 알지 못하리니, 어찌 이 말을 나더러
하느뇨?"

성씨 탄 왈,

---

689) 순순(諄諄) : 정성껏 타이름.

"첩은 신인이라 자취 서어하고690) 사고무친(四顧無親)하여 오직 군자
의 후대만 믿거니와, 그윽이 엄안을 보온즉, 일일 십이시에 군자를 보신
즉 미워하심이 죽이고자 하시고, 제숙이 다 실성한 사람으로 치워 동기
의 정이 몽리에도 없어 뵈고, 존당과 존고 또한 군자를 죄 없이 통해하
시는 기색이니, 상하노소가 하나도 정성된 이 없는지라. 첩이 군자를 위
하여 일생을 우러르는 마음에, 군자 친전과 곤계(昆季)에게 버려진 사람
이 됨을 각골토록 설워 하나이다."

태우 청파에 번연 불쾌하여 정색 왈,

"부자천륜은 중함이 만물에 비겨 의논치 못할 것이요, 동기는 수족(手
足)이라 일신에 다름이 없거늘, 그대 하마 인사를 알려든 차언을 하여
존당 부모와 동기 사이 흔극(釁隙)을 내니 어찌 괴이코 공교롭지 않으리
오. 세상 사람이 자식 곤계를 귀중치 않을 이 없으되, 우리 부모 자애와
동기 우공하는 정은 타인과 많이 다름이 있으니, 나의 행사 광패(狂悖)
하여 부전(父前)에 그릇 여기심이 예사라. 그대 그런 일을 암찰(暗察)하
여 애달라 함은 가장 불가하니, 모름지기 양씨의 천연단중(天然端重)함
을 효칙하고 다언암밀(多言暗密)한 정태를 없이 하라."

언필에 위의 씩씩하고 사기 엄숙하니, 성씨 가장 무류하여 낯을 붉히
고 머리를 숙여 말을 못하니, 생이 그 인물을 불쾌하여 차일은 소매를
떨쳐 밖으로 나왔더니, 수일 후 또 들어가니, 성씨 바야흐로 생의 아니
들어옴을 초조하여, 양씨 해할 흉계 궁극하여 시녀 춘교와 동심하고, 천
금을 주어 여러가지 요약(妖藥)을 얻어 오라 하니, 춘교 진심(盡心)하
고, 그 모(母親) 노씨 딸의 흉계를 도와 금백을 물같이 허비하여 요약을
구하고, 요승(妖僧) 묘화를 사귀어, 묘화 도봉잠 개용단을 도사에게 얻

690) 서의하다 : 서어(齟齬)하다. 서먹하다.

어 노씨께 드리니, 노씨 대열하여 만지장화(滿紙長話)를 딸에게 보내어 꾀를 지휘하고, 여러가지 요약을 보내니, 성씨 대열하나 태우 수일 불내(不來)함을 착급(着急)하더니, 문득 사창(紗窓)을 여는 곳에 태우 앙연(昂然)이 들어오니, 반가움이 황홀하되 수일 절적(絶迹)함을 노하여 울기를 마지않으니, 생이 가장 괴이히 여겨, 웃으며 왈,

"그대 뉘 부음(訃音)을 들었느냐? 어찌 이다지도 슬퍼하느뇨?"

성씨 흐느껴 왈,

"무슨 문부(聞訃)691)를 하였으리오마는 남의 수하가 되니, 괴롭고 설움이 한두 일이 아니라. 삼오청춘(三五靑春)이 느꺼움을 모르고, 세상을 버려 욕급부모(辱及父母)함을 모르고자 하나이다."

생이 소왈,

"그대 남의 수하됨을 이리 설워 할진대, 그대 집에서는 부모가 수하(手下)인 체하더냐?"

성씨 작색 왈,

"첩이 어찌 부모의 수하됨을 한하리오. 문지고하(門地高下)를 이를진대 하등이 아니로되, 남의 재취(再娶)되어 참욕누언(慘辱陋言)이 내 몸만 괴로울 뿐 아니라, 부모와 조선(祖先)에 미치니, 스스로 죽기를 원하나이다."

태우 정색 왈,

"생이 전후 이런 말을 한두 순(巡)692) 듣지 않았으되, 불과 상(常)없는693) 언사라 하여 언내(言內)694)를 알려 않았더니, 그대 슬퍼함을 보

---

691) 문부(聞訃) : 사람이 죽은 소식을 듣거나 그 부고를 받음.
692) 순(巡) : 차례. 일이 일어나는 횟수를 세는 단위.
693) 상(常)없다 : 상(常)없다. 보통의 이치에서 벗어나 막되고 상스럽다.
694) 언내(言內) : 말 가운데 담겨있는 속사정.

매 거동이 복 없고 불길하니, 내 그윽이 깃거 않으니, 여자는 유순화열함이 으뜸이라. 의열 백수(伯嫂)와 숙렬 저저 같기는 그대 십생구사(十生九死)하나 미치지 못하려니와, 양씨의 천연이 높기와 단숙침정(端肅沈靜)함을 열에 하나만 배워도 큰 허물을 면하리라. 생과 양씨 치발(齒髮)이 채 자라지 못하여 서로 만나, 세재(歲在) 사년이라. 취처 전 등과 함이 있으나, 유충(幼沖)하니 간간(間間) 해거(駭擧) 없지 않으나, 양씨 한 조각 미평(未平)함이 없고, 생이 방외(方外)695)에 성색연희(聲色宴戲)로 즐기나, 제 다만 호주성찬(好酒盛饌)을 대령하여 가부(家夫)를 승순할 따름이요, 일호 거리낌이 없어, 청정고결(淸靜高潔)함이 세속에 물들지 않아 너무 진태(塵態) 없으니, 생이 그 인물을 시험코자 거년으로부터 보챔이 아니 미친 곳이 없으되, 원언을 내지 않고 예를 잡음이 열일(烈日) 같아서 사군자(士君子)의 기상이라. 내 저의 기특함을 모르는 것이 아니요, 그대 저와 불급함을 밝히 알되, 인정이 자못 괴이하여 연소지심에 그대 낭연(朗然) 재기(才氣)로움을 대하면 떠나기 어렵고, 새로 들어 와 자취 서어함을 연석(憐惜)하여 대접하는 정이 양씨에게 더하니, 이름이 재실이나 가부의 애대함은 원비(元妃)에 지나고, 중궤(中饋)의 다사함이 없어, 괴로운 책망을 받을 일이 없고, 존당 부모의 인자관후(仁慈寬厚)하심이 지우하천(至愚下賤)에 이르도록 성덕을 베푸시나니, 하물며 자부 애휼하심에 이르리오. 양씨 비록 상원(上元)에 있으나, 그 사람 됨이 질투는 녹녹히 여길 바니, 아무리 생각하여도 그대를 참욕할 이 없으니, 아지못게라 여람백 내외(內外)696)를 뉘 욕하더뇨? 어려워 말고 욕하던 사람을 자세히 이르라."

---

695) 방외(方外) : 범위의 밖.
696) 내외(內外) : 부부.

성씨 청필의 통한하고 애달오나, 변심하는 약이 있으니 양씨 절제를 근심치 않는 고로, 눈물을 거두고 대왈,

"군자 첩의 말을 믿지 않아 이렇듯 책하시니 여자의 사정을 비출 바 아니라. 차후는 천만 가지 괴로움이 있어도 함분인통(含憤忍痛)하여 복록을 기르리이다."

생이 그 인물이 볼 것 없음을 모르지 않되, 은정이 무궁하니 깊이 치부하여 허물을 다시 말 않고, 밤을 지낼 새 생이 술에 상함이 많아 전같이 먹지 못하니, 성씨 생의 술 찾지 않음을 아는 고로 삼다에 도봉잠[697]을 화하여, 암축(暗祝) 왈,

"천지신명은 도우사 정생의 양씨 향한 마음이 변하여 원수같이 여기고, 첩으로 더불어 백년 금슬이 가즉하게 하소서."

하고 삼다를 나와 가로되,

"근간 군자의 신관[698]이 수패(瘦敗)하였으니 청컨대 보기(補氣)할 약을 나오시고, 삼다(蔘茶)를 연진(連進)[699]하여 용모 윤택케 하소서. 생이 웃고 삼다를 받아 마셔 왈,

"내 본디 소소한 병에 약을 아니 먹고 위력으로 하여도 팔십은 살 듯하거니와, 다만 깊이 든 병이 있으니 그것이 염려로다"

성씨 문 왈,

"군자 생어부귀(生於富貴)하여 장어호치(長於豪侈)의 영귀함이 제공자로 다름이 없으니, 무슨 깊이 상하신 질양(疾恙)이 있으리오. 비록 신양(身恙)이 있으나 의치(義齒)를 착실이 하여 병근을 없이치 않으시느뇨?"

---

697) 도봉잠 : 한국 고소설에서 악류들이 특정인의 마음을 변심시켜 자신들의 뜻대로 조종하기 위해 흔히 쓰는 소설적 도구.
698) 신관 : '얼굴'의 높임말.
699) 연진(連進) : 연속하여 먹거나 마심.

생이 소왈,

"그대 말이 옳거니와 병근이 비경함은 다른 연고 아니라. 겨우 십세를 넘으며 부질없이 창루에 다녀 유정(有情)한 자가 무수하니, 식반(食飯)을 실시(失時)하고 독주(毒酒)로 장위(腸胃)를 채우니, 이제는 술을 당하면 비위 거슬러 먹지 못하고, 기운이 간간 후러져700) 능히 일어나기 어려운 때 많되, 무고히 신혼성정을 폐치 못하여 강인하여 다니나니, 혹자 더치면701) 사지 못할까 하노라."

언파에 자리에 쓰러져 취한 사람 같더니, 이윽고 성씨를 이끌어 상요(床褥)에 나아가나 종야불매(終夜不寐)하고 사지백해(四肢百骸)702)를 아니 앓는 데 없으니, 충천장기 산악을 넘뛸 뜻이 있으나, 나이인즉 십육이요, 몸을 삼가지 아니하여, 호색을 주하고 엄부의 수장이 잦아 혈기 상함이 많고, 백형의 사광지총(師曠之聰)703)이 없으니 삼다(蔘茶)에 요약을 화함을 어찌 알리오. 한 번 마시매 정신이 아득하고 골절이 저려 종야토록 자지 못하고, 인하여 삼사일 선수정에서 고통하되, 금평후와 북공이 다 성씨로 병난 줄 통완하여 문병함이 없더니, 태우 사오일 후 비로소 일어 다니나, 안정(安定)을 잃고 거지(擧止) 황황하여 실성함 같으니, 북공이 크게 염려하여 부전(父前)에 고 왈,

"삼제(三弟)를 주야 면전의 두심을 청하나이다,"

금후 요두(搖頭) 왈,

"삼아의 거동이 군자의 정시할 바 아니라, 이따금 보아도 심화를 돕거

---

700) 후러지다 : 지치다. 가무러지다. 정신이 가물가물해지다.
701) 더치다 : 덧나다. 병이나 상처 따위를 잘못 다루어 상태가 더 나빠지다.
702) 사지백해(四肢百骸) : 팔 다리와 온몸을 이루고 있는 모든 뼈.
703) 사광지총(師曠之聰) : 사광(師曠)의 총명함. 중국 춘추(春秋) 때 사광이란 사람이 소리를 잘 분변하여 길흉을 점쳤다는 고사에서 유래한 말.

늘 어찌 가까이 두리오."

북공이 다시 고치 못하고 스스로 채죽헌에 처하여, 태우를 데리고 임의로 움직이지 못하게 잡죄나704), 북공의 다사함이 병부 중임과 천하병마통제와 용두각(龍頭閣)705) 정사를 아울러 다스리매, 사군찰임(事君察任)에 일시 한가치 못하여, 예부를 당부하여 자기 없는 때는 태우를 지키라 하되, 태우 도봉잠 먹은 후는 심정이 바뀌어 다만 아는 것이 성녀뿐이요, 양소저 미워함이 삼킬듯하니, 형이 지켜 선수정에 가지 못함을 원망하여 혹 여측(如廁) 핑계도 하여 선수정의 들어오면, 양형이 아무리 불러도 칭병하고, 성씨로 연기슬(連其膝) 집기수(執其手)하여 황황(遑遑) 침닉(沈溺)하니, 성녀는 승시하여 양소저 허물을 주출하여 참언이 부절하니, 생이 성씨 말인즉 옳이 여겨 양씨를 죽이고자 하더니, 일일은 북공이 태우를 부름이 다섯 번에 칭병하고 나오지 않으니, 북공이 통한하여 하나 실성한 사람을 엄히 책하지 못하여, 친히 선수정에 들어가 생을 이끌어 외헌의 나오니, 생이 낯을 붉히고 왈,

"형장이 비록 동기로 광금장침(廣衾長枕)에 힐항(頡頏)하는 정을 펴고자 하시나, 소제 수도하는 중이 아니니 공연이 미처(美妻)를 버리고, 형장만 모셔 일시도 떠나지 못하리까?

북공이 그 언사 여지없이 실성하였음을 한심하되, 사색치 않고 화(和)히 소왈,

---

704) 잡죄다 : 아주 엄하게 다잡다.
705) 용두각(龍頭閣) : 학사원(學士院)을 달리 이르는 말. 과거(科擧)에 장원급제자를 '용두(龍頭)'라 하였는데, 이들을 곧바로 직학사(直學士)에 임명하고 학사원(學士院)에 소속시켜 임금의 사명(詞命)을 짓는 일을 맡아보게 한데서 유래한 말. 학사원(學士院) : 고려 초기에, 사명(詞命) 짓는 일을 맡아보던 관아. 광종 때 원봉성을 고친 것인데, 뒤에 한림원·문한서·예문관·사림원·춘추관 따위로 고쳤다.

"처자는 의복 같고 동기는 수족 같으니, 의복은 없어도 삼기려니 와706) 수족은 없으면 다시 삼길 리 없으니, 네 홍안미처(紅顔美妻)만 알고 우형은 모르는다? 네 내실에만 있어서는 실성이 점점 더하리니, 잡말 말고 차후란 죽헌을 떠나지 말고 들어 갈 의사를 말라."

태우 성내어 가로되,

"사람이 다 형장 말씀 같으면 동기를 지키고 처자를 절교하리니, 그런즉 환부(鰥夫)의 괴로움은 이르지 말고, 남녀지정(男女之情)이 합지 못하여 자녀를 얻어 볼 길이 있으리까?"

북공이 소왈,

"양수 잉태하신 지 구삭(九朔)이 되었다 하니, 오래지 않아 현제의 골육이 날 것이요, 성수 또한 태신(胎身)할 수(數) 있으면 절로 있으리니, 주야 붙들고 앉아서야 자녀 선선(詵詵)하리오. 네 나의 말을 듣지 않을진대 우형이 비록 용렬하나, 너를 철삭으로 단단이 동여 아무 대도 움직이지 못하게 잡아 가두어 둘 것이니, 모름지기 괴이히 굴지 말라."

태우 실성한 가운데도 북공이 웃는 중이나 엄준 씩씩함을 보고, 다시 다투지 못하고 고개를 숙여 말을 아니 하더라.

상원일(上元日)에 금후 북공과 예부를 거느리고 진부에 이르러 담화하다가, 진부 고루에서 관등(觀燈)하고 밤을 낙양후와 한가지로 지내니, 태우 양형의 돌아오지 않음을 천만 행심하여 급히 선수정에의 들어가니, 성씨 바야흐로 정당의 다녀 나오다가 태우를 보고 반가움을 이기지 못하여, 촉을 밝히고 물어 가로되,

"재작일(再昨日)에 백숙이 무슨 긴급한 사고로 그리 바삐 부르시더니

---

706) 도봉잠 : 한국 고소설에서 악류들이 특정인의 마음을 변심시켜 자신들의 뜻대로 조종하기 위해 흔히 쓰는 소설적 도구.

까?"

태우 허박(虛薄)히 웃으며 왈,

"형장이 사리 아는 체하고, 내 마음에 없는 일을 청해, 한가지로 있자
하고 부르심이라."

성씨 그윽이 북공을 원망하나 사색치 않고, 이날 양씨 태원전에서 금
장(襟丈) 등과 박혁(博奕)하다가, 인하여 태부인을 모셔 밤 지내는 줄
알고, 양씨의 만리전정(萬里前程)을 맞고, 정태우로 하여금 의심을 이루
려 하는지라. 거짓 여측(如厠)하러707) 가는 체하고, 잠깐 뒤 청사의 나
와 개용단(改容丹)708)으로써 춘교를 먹여 양씨 되기를 축원하니, 당하
청의(堂下靑衣)의 간힐(奸黠)한 춘교 변하여 백태기려(百態奇麗)하며
천태기이(天態奇異)한 양소저 되니, 성씨 한 벌 명부(命婦)의 복색을 주
어 청의를 바꾸매, 또 춘교의 지아비 전악기로 하여금 개용단을 먹여 양
부 식객 마헌이 되게 하니, 원래 마헌이란 자의 얼굴은 성씨가 본 바니,
다른 일 아니라 마헌이 문재유여(文才有餘)하고 풍채 헌앙(軒昂)하니,
정태우 사랑하여 이따금 부중에 데려와 사오일씩 머물러 보내는지라.
성씨 대계(大計)를 꾀하매 마헌이 용우치 않음을 듣고, 밤을 당하여 궁
극히 시녀의 무리에 섞여 나아와 마헌을 봄이더라.

춘교 성씨더러 이르되,

"소비는 양부인이 되고 전악기는 마헌이 되어 장차 어찌 하리까?"

성씨 춘교의 귀의 대고 범사를 이리이리 하라 가르치고, 즉시 들어오
니 벌써 야심하였는지라. 태우 기지개를 켜고 가로되,

---

707) 여측(如厠)하다 : 뒷간에 가다. 소변이나 대변을 보러 가다.
708) 개용단(改容丹) : 한국고소설 특유의 서사도구의 하나. 이 약을 먹으면 자기가
되고자 하는 사람과 얼굴을 비롯해서 온몸이 똑같은 모습으로 둔갑(遁甲)하게
된다.

"금일은 신기 불평하니 관등도 경이 없으니 그만 하여 누을 것이라."

하거늘 성씨 춘교의 아우 이교를 불러 금침을 펴라 하고, 성씨 이교와 맞춘 일이 있어 앉았더니, 이교 들어와 가로되,

"세상에 망측한 일도 있더이다."

성씨 양경(佯驚)하여 문지(問之) 왈,

"하유새(何有事)오?"

이교 무엇이라 가만가만 하거늘, 성씨 손을 저어,

"그만 그치라. 들으니 해이(駭異)하도다. 차언이 소문나면 가내에 변이 있으리니 불출구외(不出口外)하라."

이교 웃으며 왈,

"소문이 일어도 부인께는 부끄러움이 없고, 차마 흉한 남녀로 부인의 빙옥 같은 동렬을 지으며, 하풍(下風)의 시(時)를 감심(甘心)하여 측709) 지 않으리까?"

성씨 거짓 책 왈,

"네 어찌 말을 많이 하는다? 고삐 길면 자연 밟히느니라."

이교 비위를 걷잡지 못하는 체하니, 태우 세쇄한 일을 아는 체 않는 고로, 채어710) 묻지 않으니, 성씨 이교를 눈 주어 민망한 듯하여 침금을 포설하더니, 이교 다시 들어와 고갯짓하고 혀차 왈,

"즉금 마생이 선삼정 부인과 난간에서 음흉한 정을 베푸나니, 부인은 보시기 측하거니와 잠깐 구경하소서. 세상의 음흉함을 처음 보나이다."

태우 이교의 거동이 수상하고 상하 체면을 잃어 문을 열고 왕래함을 보고, 노하여 문을 밀고 소리를 높여, 왈,

---

709) 측하다 : 누추하고 음산(陰散)하여 마음에 께름칙한 구석이 있다.
710) 채다 : 가로채다. 갑자기 세게 잡아당기다.

"네 무슨 말을 이리 잡되게 하는다? 내 부르지 않아 여러 번 자는 방에 드나드느뇨? 뉘 마생과 어찌 한다 하느뇨?"

이교 가장 황공한 듯, 연망(連忙)히 주왈(奏曰),

"소비 선삼정 양부인과 마생으로 통간(通姦)함을 보매, 놀라움을 이기지 못하여 주모께 고함이로소이다."

태우 요약을 먹음으로부터 양씨를 무단이 미워 죽이고자 하되 이런 일을 의심치 않더니, 이교의 정녕(丁寧)711)한 말로 진위(眞僞)를 알려 게을리 일어나, 이교를 앞세우고 동원(東園) 난간에 이르니, 명월이 교교하여 낮같이 비추고, 백설이 얼어 맑은지라. 마헌이 제 웃옷을 벗어 얼음 위에 깔고, 양씨를 이끌어 일락 누으락 운우지정을 펴며, 차마 정을 참지 못하여 더러운 정태(情態) 불가형언(不可形言)이라. 양씨의 고운 태도 명월하(明月下)에 더욱 기기묘묘한지라. 그 음탕하고 흉측함을 차마 보지 못하니, 태우 요약 먹은 흐린 눈에 보고 분기 하늘에 사무쳐, 한 칼에 양씨와 마헌을 죽이고자 하여 성이 불 일 듯하여, 이를 갈고 견디지 못하여 왈,

"내 한 칼로 음녀간부(淫女姦夫)를 죽여 분을 풀나라."

하며, 달려들고자 한즉 벌써 춘교와 악기 인적을 보고 양씨는 정당으로 가고 악기는 장원을 넘어 가는지라. 생이 혜오대,

"양녀 음부는 갈데 없으니, 간부를 잡아 명일에 대인 앞에 나가 명백히 고하리라."

의사 이에 미쳐 스스로 장원을 넘어 가니, 벌써 간 데 없는지라. 생이 급히 시노를 불러 도적을 잡으라 하니, 전악기는 벌써 제 방의 와 외면회단(外面回丹)을 먹고 편히 누어 자다가, 태우의 소리를 듣고 도적 잡

---

711) 정녕(丁寧) : 조금도 틀림없이 꼭. 또는 더 이를 데 없이 정말로.

으러 나오는 체하니, 장원 아래 금낭을 얻어 들이니, 양소저 서간을 전악기 금낭(錦囊)에 넣어 계교함이라. 태우가 어찌 알리오. 도적은 잡지 못하고 음비한 서간을 보고 분해함을 이기지 못하더니, 때 야심하여 계성(鷄聲)이 악악하고 날이 새고자 하니, 차시 양소저 일어나 소세하고 신성코자 하나, 때 너무 이름으로 촉하에 단좌하여 때 되기를 기다리니, 자연 신기(身氣) 불평하여 스스로 수회(愁懷) 만단(萬端)한 듯, 쌍아(雙蛾)712)를 영빈(嚀嚬)713)하여 희허탄식(唏噓歎息)함을 마지않더니, 문득 태우 만면노목으로 일척쾌검(一尺快劍)714)을 손의 들고 분연이 지게를 열치고 들어오는지라. 양씨 보고 새로이 심혼이 경악하여, 옥면(玉面)을 불변하고 날호여 일어서니, 태우 분노가 충색(充塞)하여 막힐 듯, 미처 말을 못하고 쌍안이 진녈(盡裂)하여 소저를 보니, 소저 아무 연고인 줄 몰라 한갓 묵연이 서있더니, 태우 진목여성(瞋目厲聲) 왈,

"음부 죄를 아는다?"

소저 어이없어 신성 때 다다름을 핑계하여 피코자 일언을 않고 나가니, 태우 더욱 의심하되, 음부 만일 대모와 부모께 사단을 주하여 제죄를 발명하고 날을 해하면 어찌 하리오. 오늘 죽임이 마땅하다 하고 나올새, 사창(紗窓)을 박차니 산산이 부서지는지라. 칼을 들고 무수한 기완(器玩)을 다 짓부수며, 소저를 잡고 여성(厲聲) 질왈,

"여자의 탕음이 남자도곤 더하여, 자고로 남아는 호색한즉 여러 처첩을 두려니와, 여자는 노류장화(路柳墻花) 밖에 더하뇨?. 뉘 집 여자 동서취객(東西取客) 하여 문객(門客)을 사통(私通)하더뇨? 찰녀(刹女) 극

---

712) 쌍아(雙蛾) : 미인의 고운 두 눈썹. *아(蛾); 미인의 눈썹.
713) 영빈(嚀嚬) : 괴로이 찡그림.
714) 일척쾌검(一尺快劍) : 길이가 한자 쯤 되는 썩 잘 드는 칼.

악음난하나 사족(士族)이라. 송구영신(送舊迎新)하며 앞문으로 들이고 뒷문으로 보내는 창녀도곤 더하니, 마헌 필부는 음부의 요색(妖色)을 혹하였거니와, 정여백이 어찌 차마 음녀로 일신들 칭이부부(稱而夫婦)하리오. 오늘 음녀를 죽여 분을 풀고 문호를 보전하리라."

언파에 칼로 지르려 하니, 유모와 시아가 낙담상혼(落膽喪魂)하나 태우의 노기 태산 같으니, 거동이 시험포려(弑險暴戾)하여 빙애(氷厓)[715]에 뛰는 범 같으니, 제녀 혼비백산하여 황황망극하더니, 소저 하(何) 기괴망측하여 목인(木人)같이 동(動)치 못하니, 태우 일장을 고성질매(高聲叱罵)하고 절치교아(切齒咬牙)하여 우질왈(又叱曰)

"태모와 야야와 자정이며 형제는 간음대악을 모르고 나만 그르다 하시니, 음부 더욱 나를 업신여김이라. 금조에 음부를 죽이고 마헌을 찾아 죽여 맑은 세상에 두지 않으리라."

설파의 칼을 드니, 차시 양소저 가부에게 전후 졸림이 차마 못 견딜 경계를 많이 지내나, 오늘 마헌을 들먹여 참욕이 무궁하고, 칼로 지르려 함은 천만 몽외(夢外)라. 경악상심(驚愕喪心)하여 자기 험난한 명도를 깨달아, 칼을 피하고 소리를 낮추어 이르대,

"첩의 사생고락이 군자에게 달렸으나, 죄지경중(罪之輕重)을 모르고 급살(急殺)코자 하느뇨?"

생이 더욱 분노하되, 차인의 간교함이 죄를 발명코자 하니, 마헌으로 왕래하던 서간과 야간사를 자세히 이르고 죽임이 늦지 않다 하여, 칼을 멈추고 운발을 틀어잡아 방중에 들어와 벽에 대여섯 번을 부딪치니, 두 골이 깨어져 홍혈이 돌출하는지라. 생이 마헌과 양씨 서간을 내어 앞에 밀치고, 잠미(蠶眉)를 거스르며 봉안을 부릅떠 꾸짖어, 왈,

---

715) 빙애(氷厓) : 얼음 낭떠러지.

"그대 비록 간음사특(姦淫邪慝)하나, 상문(相門) 여자로 십여 세 청춘에 나를 맞아 그 사이를 못 참아 부모를 모르게 마헌을 유정하여, 사람의 못할 정적을 나타내니, 작야에 마헌으로 여차 음비지사 동원하(東園下)에서 내 친견(親見)하고, 소리 지르매 마헌은 장원을 넘어 가고 음부는 존당으로 갔으니, 그대 아홉 입716)과 구리 혀717) 있으나 발명(發明)치 못할지라. 헌이 급히 갈 제 빠진 것이요, 그대 협사(篋笥)에도 들었으니, '고삐 길면 밟히는'718) 환(患)이라. 그대 머리를 베어 설분하리라."

이리 이르며 죽이려 하니, 태산의 모진 범이 사람을 마구 물어뜯는 듯하니, 사람이 불감앙시(不敢仰視)할 바로되, 양씨 요동함이 없어 옥안이 자약하고 사기 안정하여 광언을 듣지 못하는 듯, 동천한월(冬天寒月)이 설상(雪上)에 비추며, 옥매(玉梅) 한풍(寒風)을 띠인 듯, 씩씩 열렬하여 사람의 골절을 부는 듯하더니, 오늘에 다다라 음흉지설(淫凶之說)을 들으니 어이없고 가소로워, 옥면에 웃는 빛을 띠어 단사(丹砂)719)에 옥치(玉齒) 현영(現影)하니, 천태만광(千態萬光)의 절세한 빛이 불가형언이라. 생의 미운 눈에도 아름다움을 이기지 못하여, 헤오되,

"하늘이 어찌 저런 용화로 행실이 그대도록 파측(叵測)720)히 내신고? 만일 저의 용화를 아껴 죽이지 않은즉 타일 환을 보리라."

---

716) 아홉 입 : '아홉 개의 입'이란 뜻으로, 아홉 개의 입으로 말을 하는 것처럼 많은 말을 늘어놓는 것을 말함.
717) 구리 혀 : '동설(銅舌)'의 번역어. 조선조 궁중악기의 하나인 '순(錞)'에 달았던 작은 방울 모양의 것으로, 이것을 흔들어 소리를 냈다. 여기서는 방울소리처럼 유창한 말주변을 뜻한다.
718) 고삐가 길면 밟힌다 : 나쁜 일을 아무리 남모르게 한다고 해도 오래 두고 여러 번 계속하면 결국에는 들키고 만다는 것을 비유적으로 이르는 말. 늑꼬리가 길면 밟힌다.
719) 단사(丹砂) : 붉은 연지. 여기서는 붉은 연지를 바른 입술을 가리킴.
720) 파측(叵測) : 헤아릴 수 없음.

의사 이의 미처 일장을 크게 꾸짖고 칼을 들어 머리를 향하니 수유(須
臾)에 급한지라. 양씨 차라리 죽어 광부(狂夫)의 욕을 받지 말고 싶되,
잉태 구삭이라. 분산(分産)치 못하고 죽으면 부모생휵지은(父母生慉之
恩)으로 천만 원억할 바이나. 사색을 불변하고 고요히 서 있으니, 칼히
임할 즈음에, 문득 태우의 손이 저려 놀리기를 마음대로 못하여, 가슴을
서운히721) 지르니, 제 시녀 죽기로 일시의 울며 달려들어 소저를 구하
나, 양씨 두골이 깨어지고 가슴이 상하매, 만삭중(滿朔中)에 분하고 놀
라, 한 소리를 느끼고722) 거꾸러져 인사를 모르니, 생은 죽기를 죄는지
라. 제녀를 물리처 일분 생도가 있으면 고쳐 지르려 하더니, 북공이 계
초명(鷄初鳴)의 부공을 모셔 조모께 문후하고, 서동으로 선수정에 태우
있는가 알아 오라 하니, 양씨 시녀가 소저 죽임을 고하는지라. 공이 경
해하여 빨리 선삼정에 이르니 생이 또 양씨를 지르고자 하는 즈음이라.
두골이 깨어져 피를 흘려 거꾸러졌으니 놀랍고 차악함을 이기지 못하
여, 바삐 생의 쥔 칼을 빼앗아 던지고, 장목(長目) 질왈(叱曰),

"공연이 현처를 겁살(劫煞)함은 어찌오? 살인자는 대살(代殺)함이 한
고조(漢高祖)의 약법삼장(約法三章)에도 면치 못하나니, 네 양수(嫂)를
죽이고 나중을 어찌하려 하는다?"

생이 양씨를 죽이지 못하고 백형을 만나니, 분기 탱중(撑中)하여 소리
질너 왈,

"형장이 골육동기를 생각지 않고, 처제를 위한 사정이 과하여 당연이
죽일 죄인을 이리 구하시니, 저 양필광이 형장에게 예사 빙악 밖에 더할
것이 없거늘, 양가 두려워함을 천자같이 하시느뇨? 예부터 애처자(愛妻

---

721) 서운히 : 충분치 못하여 아쉽게.
722) 느끼다 : ①서럽거나 감격에 겨워 울다. ②가쁘게 숨을 쉬다.

者) 빙부모 존경을 가소로이 여겼더니, 형에게 당할소이다. 어찌 기괴치 않으리까? 양씨를 아무리 구하시나 이 서간을 보면 말을 못하리이다."

하고, 마헌의 서간을 앞에 던지고 다시 칼을 집어 양씨를 해하랴 하거늘, 북공이 실성지인(失性之人)을 족가치 않으려, 양씨 무죄지사를 지기하고 자가에게 불공지설(不恭之說)을 한심하나, 거동이 아주 부모동기를 모르니 아무리 치책(治責)하나 돌을 두드림 같은지라. 여러 말이 무익하여 오직 작난을 방비코자 소매에서 철삭을 얻어내어 생을 긴긴히 동히고 결박하니, 생이 처음은 철삭을 보고 불공지설을 하며 서로 밀처 다투더니, 북공의 용력이 항우(項羽)723)의 기운이라, 요약에 잠겨 주색에 상한 기운을 근심하리오. 능히 운신을 못하여 질욕하고 망측지설(罔測之說)이 무수하니, 북공이 좌우로 양부인을 청하여 그 아우를 구하게 할 새, 친히 약을 갈아 구하고 상처의 바르니, 자연이 시녀의 말로 태부인이 다 알고 합문이 경악함이 측량없는지라.

금평후 시녀 양낭을 거느려 와 양씨를 상요에 뉘고, 생의 결박한 거동과 양씨 상처를 보매 즉각에 세흥을 죽여 설분코자 하되, 골육상잔이 어려워 북공으로 심당(深堂)에 가두어 제 마음대로 다니지 못하게 하라 하고, 양씨를 혹자 살리지 못할까 참통비절(慘痛悲絶)하여, 옥수를 만져 눈물이 떨어지니, 생이 부친의 양씨 위하심이 자못 친녀에 더함을 애달아, 소리를 높여 작야사(昨夜事)를 고하고, 두장 서간을 외와 이르니, 분기 하늘을 꿰뚫듯 부형을 두려워 않는지라. 금후 말마다 해연망측(駭然罔測)하여 북공으로 하여금 입을 쥐어지르라 하고, 두장 흉서를 찾아

---

723) 항우(項羽) : 중국 진(秦)나라 말기의 무장(B.C.232~B.C.202). 이름은 적(籍). 우는 자(字)이다. 숙부 항량(項梁)과 함께 군사를 일으켜 유방(劉邦)과 협력하여 진나라를 멸망시키고 스스로 서초(西楚)의 패왕(霸王)이 되었다. 그 후 유방과 패권을 다투다가 해하(垓下)에서 포위되어 자살하였다.

불 지르라 하고, 양씨를 붙들어 편히 뉘여 부인 침전으로 옮겨가니, 생이 부친의 비례불법(非禮不法)을 용납지 않음을 아는 고로, 양씨 음악지죄(淫惡之罪)를 밝히고 죽이려 하거늘, 흉서를 불사르고 제 말을 들은 체 않고, 양씨를 모친 침실로 편히 데려 가니, 애달고 분하여 죽기를 그음하여 양씨를 짓부숴 없애고자 하되, 일신이 철삭에 동여 움직이지 못하고, 분에(憤恚)한 기운이 가슴에 막혔으니, 북공이 그 여지없이 실성함을 차악하고 근심하여 아낌을 마지않으나, 말로 경계하여 고칠 길이 없음을 깨달아, 결박한 채 옆에 끼고 채죽당에 와 일기 죽음을 권하니, 생이 어지러이 부딪치며 양씨를 죽여 염통을 뽑아낸 후에 음식을 먹겠노라 하니, 북공이 구태여 꾸짖지도 않고 두 손을 단단히 잡아 아무데도 임의로 다니지 못하게 막자르되, 북공이 매양 지키지 못하여 예부 이따금 손을 잡고 앉아 있으려 한즉, 생의 우패(愚悖)히 구는 심사가 심하여, 예부 힘듦을 이기지 못하더라.

금후 양씨를 데려와 좌우로 구호하여, 반일 만에 양씨 겨우 숨을 쉬고 인사를 차리나 상처 중하니, 구고 어루만져 왈,

"네 팔자 괴이하여 세홍 같은 광부의 배필이 되니 또한 초년 액회(厄會)라. 한하고 슬퍼 무익하니 오직 일이 되어 감을 볼지라. 이제 세홍이 허무음참지사(虛無淫僭之事)를 네게 미루어 큰 죄를 삼음이, 제 마음이 아니라 과격불명한 아해(兒孩) 요사한 꾀에 속아 공교히 너를 의심함이 해이(駭異)하니, 통해하나 우리 생전은 제 임의로 못하리니, 현부는 심사를 안한(安閒)이 하여 미친 작난을 물외(物外)에 던지고, 풍운의 길시를 기다려 누얼을 신설(伸雪)하라."

소저 구고의 산은해덕(山恩海德)을 감골(感骨)하나, 상처를 보아 놀라심을 황축(惶蹙)하고, 머리를 숙여 대할 바를 모르는지라. 효순한 거동이 불가형언이라. 구고 더욱 연애하여 협실을 서릇고724) 편히 누움을

당부하더니, 태부인이 친림(親臨)하여 상처를 보고, 노인의 심정이 꺾어질 듯하여, 눈물을 흘리고 생을 통해하더라.

금후 모친의 슬퍼 하심을 민망하여, 양씨 상처가 보기에 놀라우나 죽지 않을 바를 고하고, 과념(過念)치 마심을 위로하여, 양씨 침구를 옮겨 진 부인 협실에 두고 구호함을 여린 옥같이 하고, 의약을 착실히 하니, 이로써 드디어 양씨 복아를 보전하니, 복아가 성신(星辰)을 응한지라, 여러 번 위경(危境)을 당하되, 태후 안안(晏晏)하니라.

성씨 음악간계(淫惡奸計)로 태우와 양씨 금슬을 아주 베어 죽기를 바라는 의사 무궁하더니, 양씨 장수(長壽)함이 기특하여 누설 중 마치지 않을 팔자인 고로, 북공이 구태여 태우를 채죽헌으로 잡아 가고, 양씨는 존구께서 진부인 침소로 옮겨, 극진구호하여 연애함을 강보아(襁褓兒)같이 함을 보매, 심장이 터질 듯하되 감히 사색치 못하고, 다시 계교를 써 양씨 죽임을 생각하더라.

차설 평해왕 굴담복이 반하여 대국을 범하고, 위국 번왕(藩王)이 반하여 황성을 엿보니, 양처의 표문이 천정에 연하여 눈 날리듯 하는지라. 상이 양처 번국의 반함을 들으시고, 팔채용미(八彩龍眉)에 우색(憂色)으로 문화전에 설조(設朝)하시고, 양국 정벌지사(征伐之事)를 물으시니, 삼공이 미급대주(未及對奏)의 병부상서 용두각 태학사 천하병마사 표기장군 평북공 정천흥과 대사마 대장군 남창후 윤광천이 출반하여 자원정벌(自願征伐)하되, 정병부는 평해를 청하고, 윤사마는 위국을 자원하니, 용안이 대열하시어 즉일 윤광천으로 평위 대원수를 봉하시고, 정천흥으로 평해 대원수를 봉하시어, 선봉 이하를 자모(自募)받으라[725) 하시니,

---

724) 서릇다 : 거두어 치우다. 정리(整理)하다.

거기장군(車騎將軍) 임성각이 평위 부원수를 자원하여 윤원수를 좇아 가려 하더라.

정·윤 양원수 교장에 가 각각 정병 십만과 십원 명장을 거느려 택일 출정(擇日出征) 할새, 일자 총총하여 우명일(又明日)이라.

상이 양원수를 각각 위유(慰諭)하시어 왈,

"정경은 남정북벌(南征北伐)의 대공을 세우고, 윤경은 장사를 탕멸하여 공로 적지 않고, 거년에 비로소 가변을 정하고, 여러 형제 있지 않아 희천뿐이니, 사사를 이를진대 만리타국(萬里他國)이 예사 길과 다른지라. 모름지기 삼가 조심하고 군신이 즐기는 얼굴로 보게 하라."

양원수 재배수명하고, 금인(金印)을 요하(腰下)에 차고, 융복을 갖추어 천정을 떠나, 정원수는 급히 말을 달려 운산으로 가고, 윤원수는 옥누항으로 가 존당 숙친을 이별할 새, 무궁한 염려를 이기지 못하여 눈물로 이별하여, 모친은 아들의 재덕을 아는 바나, 선상서(先尙書) 금국에 가 기세함을 인하여 타국 두자를 놀라고, 천병만마를 거느려 불모지지(不毛之地)에 감을 경려(驚慮)하여 심사 베는 듯한지라. 합문의 화기 변하여 우색(憂色)을 띠었으되, 정·진·남·화 사인은 화기자약(和氣自若)하고 거지안상(擧止安常)하니, 호람후 원수의 손을 잡고 모친께 고왈,

"질아의 출정이 족히 위적을 탕멸할 것이요, 복록지상이 수화(水火)에도 위태함이 없을 뿐 아니라, 사(四) 질부의 만면화기로 부귀를 가즉이 받으리니, 원컨대 자정은 깊이 염려치 마소서."

태부인이 오열 왈,

"노모 전일 인심(人心)이 없어 발분망식(發憤忘食)에 애를 사르고 재

---

725) 자모(自募)받다 : 초모(招募)하다. 의병이나 군대에 자원하여 입대할 사람을 모집하다.

물을 허비하여 죽이기를 도모하더니, 도금(到今)하여 너희 성효가 노모
의 악심을 화(化)하고[726] 일택에 모이게 되니, 나의 후회와 슬픈 정이
저희를 일시 떠나지 말고자 하거늘, 생각 밖 불모지지를 향하니, 전일
같으면 그 죽기를 죄올 바로되, 비로소 인정을 깨달아 슬픔이 지향 없으
니, 이 회포를 어찌 참으리오."

공과 원수 이성화기로 위로하고, 연인(連姻)[727] 친척(親戚)을 이별하
여 날리는 잔이 분분하여 이루 수응(酬應)키 어려운지라. 남후 만리 위
험지지(危險之地)에 보내는 마음이 베는 듯, 모친을 위하여 화기를 변치
않고, 이부 형의 재덕으로 정벌을 근심치 않으나 존당과 모부인을 위하
여 결홀(缺欻)[728]한 빛을 나토지 아니하더라.

이러구러 수일 후 발행할 새, 위·유 양부인이 별로 슬퍼하니, 구파
등이 석년 극악으로 개과회선(改過回善)함을 생각할수록 신이(神異)히
여기더라.

원수 조모와 모친을 재삼 위로하고 부부(夫婦) 수숙(嫂叔)이 별회탐탐
(別懷耽耽)하니, 차시 숙렬이 잉태 팔삭이로되 합문이 모르고 태부인이
또한 모르되, 원수 맥후로 좇아 아는 바니 진씨는 삼삭이라. 원수 미미
히 웃고 숙렬더러 이르되,

"생이 부인의 분산을 보지 못하니 복아의 남녀를 모르나 맥후로 보아
는 분명이 남아라. 진씨도 자세히 모르나 또한 태맥이 있으니 내 미처
오지 못하여 생할지라. 아이 있으나 존당 슬하 적막하니 조심하여 영효
를 뵈오라."

---

726) 화(化)하다 : 변화시키다. 좋은 방향으로 나가게 하다.
727) 연인(連姻) : 혼인으로 맺어진 친척.
728) 결홀(缺欻) : 무엇인가를 잃은 것 같은 서운한 마음이 일어남. 홀연(欻然); 어
    떤 일이 생각할 겨를도 없이 급히 일어나는 모양.

하고 출행하다.

차시 정병부 부모 존당을 배별할 새 탐탐한 이회(離懷) 천수만언(千愁萬言)729)이요, 더욱 아우를 염려 왈,

"제 스스로 그름을 알지 못하나니, 대인이 만일 행지(行止)를 아른 체하시어 치책(治責)하심이 없으면, 아주 버리는 잖이니, 안광이 정기를 잃고 형용이 풀어저 허박하고 괴이함이, 오래지 않아 큰 병을 이룰 듯하고, 병이 더친즉 회소지경(回蘇之境)이 어려우니, 바라옵건대 간간(間間)이 그 죄를 다스리시고 안전에 용납하시어 임의로 다니지 못하게 하소서."

금후 탄식 왈,

"만사 천야(天也)요 명야(命也)라. 세아의 풍채(風彩) 문한(文翰)이 하등이 아니로되, 아시로부터 광망무식(狂妄無識)하여 군자의 단중함이 없더니, 형용이 점점 실망(悉亡)하여 물거품 같으니, 오래가지 못할 거동이라. 세간에 슬하 상척(喪慽)이 하나 둘이 아니니, 소부의 전정이 자닝할지언정 죽은들 현마 어찌 하리오."

말로 좇아 자연 천륜자애(天倫慈愛)로 세흥의 그릇 됨과 상모(相貌) 허박하여 오래지 않을 바를 생각하니, 그윽한 염려 초창(悄愴)함을 면치 못하는지라. 원수 북공의 말씀을 듣잡고 더욱 아의 행사를 애달라 탄식함을 마지않더라.

원수 다시 염려를 두지 않고, 이미 출행일이 당하니, 존당 부모를 하직하고, 태부인 회포 탐탐(耽耽)한 중, 금후 심사 홀연(欻然)730)하나 모

---

729) 천수만언(千愁萬言) : 천 가지 근심과 만 가지 말.
730) 홀연(欻然) : ①갑작스러움. ②갑작스럽게 떠나거나 어떤 일이 일어나, 다하지

친을 위로하여 웃는 얼굴로 아자를 이별하여, 만리타국에 흉적을 소탕하고 쉬이 개가(凱歌)로 돌아옴을 당부하더라.

양공이 또한 원수를 이별하고 제정과 한가지로 돌아오더니, 길에서 태우를 만나 청하여 양부의 이르니, 태우 마지못하여 양부에 가 악모를 뵈옵고 말씀할 새, 공의 부부 보건대 태우의 화풍이 돈감하고 형모 초췌함은 이르지도 말고, 양안(兩眼)에 정채(精彩)를 잃어 비록 수습(修習)하나 거지(擧止) 당황실조(唐慌失措)하여 식자로 하여금 가석(可惜)할러라. 부인은 서랑(婿郎)의 허랑방탕한 고집이 여아의 신세 위란할 줄을 슬퍼, 자연 강인수작(强忍酬酢)하나 안색이 변하더라.

양공이 문득 집수 탄식 왈,

"내 비록 용우(庸愚)하나 어찌 자식의 선악을 모르리오. 여아 천성이 소졸유약(小拙柔弱)하여 비록 철부성녀(哲婦聖女)라 이르지 못하나, 거의 간음대악(姦淫大惡)은 면할 만 한지라. 그런 음악지사 있으며 더욱 마헌을 사귈 리 있으리오. 네 상시 마헌의 위인을 알리니 어찌 월장투향(越牆偸香)하는 거조(擧措)가 있으리오. 여아와 마헌이 실로 이리 음황할진대 여백이 비록 관홍대량(寬弘大量)으로 관서(寬恕)하나 내 어찌 간음한 정적을 감추어, 맑은 세상을 더럽히리오. 당당이 죽여 선조께 사례(謝禮)하리니, 유죄(有罪) 즉 여백이 죽이고자 함이 당연하거니와, 아녀는 결단코 천루(賤陋)한 행실을 감심치 않으리니, 하물며 영대인의 명달하심으로 진위를 모르리오. 범사 준급(峻急)하면 후에 뉘우친다 하니, 현서는 너무 급히 서둘러 후에 뉘우치지 말라."

설파의 잠소(潛笑)하니, 웃는 가운데 씩씩하고 화한 가운데 강렬하여 말 붙이기 어려우니, 부인은 눈물을 뿌려 여아의 상시 행사를 일러 슬퍼

못한 일로, 마음속에 어딘지 섭섭하거나 허전한 구석이 있음.

함을 마지않으니, 태우 양씨를 미워하나 악부모는 기탄하고 대양씨 안면을 보아도 실성광심(失性狂心)이나 너무 매매(洗洗)731)치 못하여 묵묵 손사(遜辭)하고 일어 하직하고 돌아와, 그 백형이 가내를 떠나니 성씨로 즐길 줄 다행하여 선수정에 들어가니, 성씨 교용함태(巧容含態)732)하여, 맞아 북공의 만리전진(萬里戰陣)을 치위(致慰)하니, 태우 소왈,

"형장의 재덕으로 이만 도적을 근심치 않으려니와, 근일 형장의 고체(固滯)한733) 연고로 현처의 옥안화질(玉顏花質)과 낭성옥어(朗聲玉語)를 듣지 못하여 울억하더니, 이제는 금단할 이 없으니 무던하도다."

성씨 청파에 암희(暗喜)하나 거짓 겸양(謙讓)하더니, 생이 아자(俄者)734)의 양공 부부의 말을 이르니, 성씨 왈,

"상공은 양공의 말을 어떻게 여기시느뇨?"

태우 왈,

"내 당당이 양녀를 죽이고자 하나, 정당에 숨고 나지 않으니 하릴없거니와, 그 딸에게 정언(情言)이야 어찌 이르리오."

성씨 거짓 아미를 영빈(嚀嚬) 왈,

"첩이 적인(敵人) 사이에 헌계(獻計)함이 불가(不可)하나, 마씨 골육을 무사히 낳게 하면 후환이 있으리니, 알고야 고하지 않으리까? 이제 양씨 구고의 은애를 띠어 협실에 웅거하니, 형세 가볍지 않은지라. 어찌 쉬이 죽이리오. 군자 만일 쉬이 멸코자 하거든 함분잉통(含憤忍痛)하여 뉘우치는 사색을 존당이 알게 하면, 양씨 침소로 돌아오리이다."

---

731) 매매(洗洗)하다 : 창피를 줄 정도로 거절하는 태도가 쌀쌀맞다.
732) 교용함태(巧容含態) : 공교히 얼굴을 꾸미고 교태(嬌態)를 지음.
733) 고체(固滯)하다 : 성질이 편협하고 고집스러워 너그럽지 못하다.
734) 아자(俄者) : 아까. 조금 전. 지난 번.

생이 박슬(拍膝) 칭찬 왈,

"그대는 진정 여중 제갈(諸葛)이로다. 나의 우용(愚庸)함이 어찌 미치리오. 현처의 지휘를 좇아 난음찰녀(亂淫刹女)를 죽이리로다."

성씨 요수(搖首) 왈,

"군자는 차언을 경설치 말고 지모(智謀)를 가즉이 하여 대화(大禍)를 제방(制防)하소서."

생이 옳이 여겨 태원전에 들어가매, 모친이 조모를 모셔 종용이 말씀하거늘, 나아 가 시좌하여 제질(諸姪)을 유희하매, 조모 혀차 왈,

"현기 등 특이함을 보매 네 마음에 부러움이 없어 양씨를 찔러 죽이려 하더냐? 노모 진실로 너의 흉험함을 보고자 아니하노라."

태우 웃으며 왈,

"소손이 광패(狂悖)를 생각할수록 한심기괴(寒心奇怪)함을 생각지 못하나니, 소손이 상원일에 음흉한 정적(情迹)을 본 것이 이매망량(魑魅魍魎)735)을 보고, 애매한 처실을 하마 해할 번 하오니, 그런 놀라온 일이 어디에 있으리까? 백형의 출정 시에 양공을 찾아보니 말이 여차하온지라. 열중군자(烈重君子)로 정직하니 결단코 허언을 않을지라. 소손이 연소부박(年少浮薄)하오나 세사를 경력지 못하온 연고로, 양씨를 참혹히 죽이려 하던 바 천만 후회하나, 심폐(心肺)를 고할 곳이 없는 고로, 우민함을 이기지 못하옵나니, 그 산월(産月)이 금삭(今朔)736)이라. 소손을 분노하여 심려를 허비하다가 분산을 무사히 못할까 근심하오니, 대모와 자정은 양씨더러 소손의 뉘우치는 뜻을 일러 그 마음을 편케 하소서."

---

735) 이매망량(魑魅魍魎) : 온갖 도깨비. 산천, 목석의 정령에서 생겨난다고 한다. 늑망량.
736) 금삭(今朔) : 이번 달.

태부인과 진부인이 경아(驚訝)하여 혹자 만분의 일이나 뉘우치는가 여기나, 미덥지 않아 탄 왈,

"현처의 숙요기이(淑窈奇異)함을 모르고, 차마 생각지 못할 음참한 일을 미루어737) 죽이려 하던 네 용심이 사람의 뜻이 아니라. 네 말과 일을 믿지 못하리로다."

생이 웃고 재삼 사죄하고, 양씨 상체 쾌차한가 종용이 묻자와, 친히 진맥하고 분산하는 때에 약이나 알아 쓰기를 청하니, 모부인이 냉소왈,

"네 아무리 능휼한 말로 꾸며 이르나 나는 곧이듣지 아니하니, 무익지설(無益之說)을 말고 네 행실이나 삼가라."

생이 유화(柔和)히 웃고 사죄하며, 돌아 아주 소저더러 양씨 상처가 어떠한고 물어, 진정으로 염려함을 마지않으니, 태부인은 반신반의(半信半疑)하고, 모친은 꾸짖기를 마지않더라.

이윽고 생이 퇴하고 금후 들어오매, 태부인이 세흥의 말을 이르고 가로되,

"세아가 양공의 말을 크게 믿어, 소부의 애매함을 쾌히 깨달으니 어찌 기쁘지 않으리오."

금후 가장 경해(驚駭)하여 낯빛을 변하고, 대왈,

"패자(悖子)가 점점 궁흉(窮凶) 능측(能測)738)하여 양씨 해할 뜻이 급한 고로, 짐짓 뉘우치는 체하고 합문이 양씨를 위한 염려를 끊은 후, 가만한 중 참혹히 죽이려 함이니, 자위는 그 음흉지설(陰凶之說)을 곧이듣지 마소서."

---

737) 미루다 : ①일을 남에게 넘기다. ②임이 알려진 것으로써 다른 것을 비추어 헤아리다.
738) 능측(能測) : 헤아리기를 잘함.

태부인 왈,

"내 마음도 그러하거니와, 저도 인심이니 어찌 양씨 기특한 줄 알지 못하리오."

금후 왈,

"세아 아직 인심이 들지 못하였으니, 차후 아무리 소부의 진맥을 청하여도, 그 얼굴을 보게 마소서."

돌아 부인더러 왈,

"암렬(暗劣)하여 세아의 흉휼능측(凶譎能測)함을 알지 못하고, 양소부를 보전치 못함이 쉬우리니, 모름지기 등한이 살피지 말고 양씨 분산 전은 신혼성정(晨昏省定)도 마소서."

진부인이 과연 그리 여겨 생의 말을 듣지 않으나, 이후 연일 태우 양제를 대하여 뉘우치는 뜻을 이르고, 양씨 유모를 불러 소저 병세를 묻고 산점(産漸)이 있거든 즉시 이르라 하며, 통완분해(痛惋憤駭)함을 일절 나토지 않아, 진정으로 뉘우치는 뜻을 나타내나, 금후 영영 믿지 않아 더욱 살피더라.

일일은태우 유모를 보려, 친히 침실의 이르니, 설유랑이 원래 행각의 있지 않아, 침처 벽수정에 머물러, 여러 공자를 길러 공이 중하고 충성이 과인한 고로, 태부인으로부터 합개(闔家) 다 대접을 예사 비자같이 않아, 북공 등이 유랑을 편토록 대접하니, 유모의 세(勢) 후문(侯門) 서파(庶派)로 다름이 없으니, 설유랑이 외람코 감은함을 이기지 못하고, 가부(家夫) 초원이 명문서자(名門庶子)로 금후 군관이 되어, 숙식을 군관청(軍官廳)에서 않는 날은 정처(正妻) 유씨 곳에 머무니, 벽수정에는 자주 옴이 없는 고로, 유랑이 여러 자녀를 기르지 못하고, 일자 경필은 북공의 심복 노자로 노주지정(奴主之情)이 일일도 떠나지 못하고, 동서로 공을 좇아 한가함을 얻지 못하다가, 출정(出征)의 따라 갔는지라.

유랑이 경필의 외로움을 슬퍼하여, 형(兄) 마원제 한 여자를 얻어 기르다가, 거년의 부처(夫妻)가 구몰(俱沒)하고 여자 무탁(無託)한 고로, 유랑이 데려다가 길러 양정(兩情)의 지극함이 모녀에 감치 않고, 여자의 작인이 크게 비범하여, 천향아질(天香雅質)이요, 폐월수화지색(閉月羞花之色)739)이라. 만사 특이하고 장신(藏身)함이 상문규수(相門閨秀) 같되, 차석함은 그 부모를 어려서 실리하여 근본을 알지 못함이라. 비상(臂上)에 앵혈(鸚血)로 쓴 글자가 있어,

"소청계는 소녀(小女) 염난의 비상(臂上)에 글을 쓰노라. 네 모친 양씨 모년·모월·모일·모시에 너를 낳고 죽으니, 내 만리 해도(海島)에 가매, 네 생사를 뉘 보호하리오. 혹 실리지화(失離之禍) 있어도 서로 찾도록, 부모 성씨와 너의 생년월일을 쓰노라."

하였으니, 연이 십이세나 그 부친을 찾을 길이 없어, 삼오가 차거든 남복으로 천하를 두루 돌아 부친을 찾으려 하고, 슬픈 심사를 억제치 못하니 유랑이 매양 위로하더니, 이날 난의 통읍비상(慟泣悲傷)함을 보고, 자닝하여 호언(好言)으로 위로할 차, 태우 문을 열고 들어오니, 난이 창황(蒼黃)히 협실(夾室)로 피할 사이에, 행보 나는 듯하나 나상(羅裳)이 부동(不動)하고, 세요(細腰) 일척(一尺)이 못 되나 요양(搖揚)하여 바람에 부치는 듯하며, 면모에 어른거리는 광염(光艶)이 실중(室中)에 바애니740), 향기 유동(流動)하는지라. 생이 만고를 기울여도 드문 색광(色光)의 미인을 보고 따라 들어가니, 그 미인이 혼비백산(魂飛魄散)하나 하릴없더니, 유랑이 놀라 붙들어 말리나 생이 고집을 내었는지라. 질퇴

---

739) 폐월수화지색(閉月羞花之色) : 달이 숨고 꽃도 부끄러워할 만큼 여인의 얼굴이 아름답다는 것을 비유적으로 이르는 말
740) 바애다 : 빛나다. 부시다. 빛이나 색채가 강렬하여 마주 보기가 어려운 상태에 있다.

(此退) 호령(號令)하니, 유랑이 그 미친 줄 아는지라. 막을 길이 없어 퇴하였더니, 그 미인이 얼굴이 찬 재 같아서 기절하는지라. 생이 아끼고 놀라 급히 회생단(回生丹)을 먹이며 친히 수족을 주물러 구호하니, 미인의 일신에 천향(天香)이 만신(滿身)하고, 십지섬수(十指纖手) 매끄러움이 형옥(衡玉)741)을 다듬은 듯, 재삼 연애(憐愛)하나 미인의 고결함이 여차하니, 행여도 뜻을 이루지 못할까 초조하여, 우연이 비상을 보니 앵혈로 쓴 글이 있어, 소청계의 여아 염난이 여차여차 하다 하였으니, 생이 대경대희(大驚大喜)하여 생각하되,

"이 여자 반드시 소계임의 딸이요, 양씨의 이종(姨從)인가 싶으니, 내마땅히 그 부모를 찾아 주고 은혜를 끼친 후, 광명정대(光明正大)히 취하리라."

하더니, 소씨 인사를 수습하거늘 생이 위로 왈,

"내 그대의 근본을 알았으니 무례치 않고 부모를 찾아 주리니, 이렇듯 기절함이 조보얍지742) 않으리오."

정언 간의 유랑이 또 이르러 말리거늘, 생이 그 일을 이르고 부디 위로하여 부모를 찾아 줌을 기다리라 하고 나가니, 유모 차악하여 난을 위로하고, 저의 그물에 걸린 바를 한(恨)하니, 난이 분원통애(忿怨痛哀)함이 살 뜻이 몽리(夢裏)에도 없으되, 유랑이 살핌이 지극하고 곁에서 지켜 달래니, 차마 다시 몸을 결치 못하고 지탱(支撑)하나 상석(床席)에 누어 유체(流涕)함을 마지않으니, 유랑이 척연 타루(墮淚) 하더라.

생이 난을 잊지 못하는 정과 양씨를 못 죽여 애쓰매 숙식을 폐하고, 성씨의 요계(妖計)로 여러 날이 되도록 과급(過急)한 행사를 뉘우치는

---

741) 형옥(衡玉) : 형산(荊山)에서 나는 옥.
742) 조보얍다 : 좁고 좀스럽다. 너그럽지 못하고 옹졸하다. =조배얍다. 조보왜다.

체하여, 양씨 산월이 다다르도록 분산치 못함을 그윽이 염려하여, 선삼
정으로 옮기기를 죄더니, 일이 공교하여 진부인 시녀 태란이 잉태 팔삭
에 진 부인께 사후하더니, 밤을 당하여 크게 한 소리를 지르고 사태(死
胎)하니, 원래 정문의 법(法)이 시녀배 유태(有胎)하여 구삭(九朔)이면
행각(行閣)의 두어, 분산 후 사후(伺候)743)케 하더니, 태란이 침전에서
사태(死胎)하니 부인이 측하여744) 즉시 행각에 보내니, 양씨 임산(臨産)
한데 의외(意外)에 시녀 사태하니, 태부인이 사위로이745) 여겨 양씨를
침소로 옮겨 분산코자 한데, 전자(前者)에 한 술사(術士)가 망기(望
氣)746) 왈,

"이 침전은 성신(星辰)을 응한 숙녀 곧 아니며 순산이 어려우리라."

하더니, 부인은 칠자녀(七子女)를 다 순산하니, 금평후 천문지리를 능
통하여 매양 술사의 말을 믿지 않더니, 대개 침전 터가 옛날 산흉(産凶)으
로 굿겨, 이매망량(魑魅魍魎)이 잉부(孕婦)에 접(接)한즉 무사치 못한지
라. 진부인께는 귀매(鬼魅)가 감히 범치 못하고 북공으로부터 복중(腹中)
에 있을 적 성신(星辰)이 호위하니, 잡신(雜神)이 범치 못하는지라. 금평
후는 부인의 비상함과 자녀의 특이함을 알아 분산 염려를 않았는지라.

태부인과 진부인이 태란의 사태로 인하여 양소저를 선삼정의 옮겨 분
산코자 하고, 전일 술사의 말로 염려하여, 태부인이 금후더러 사연을 다
이르니, 금후 대왈,

---

743) 사후(伺候) : ①웃어른의 분부를 기다림. ② 웃어른의 시중(侍中)을 듦.
744) 측하다 : 언짢다. 보기 싫다.
745) 사위롭다 : 꺼림하다. *사위; 미신으로 좋지 아니한 일이 생길까 두려워 어떤
　　사물이나 언행을 꺼림.
746) 망기(望氣) : 무속(巫俗)에서 술사(術士)가 어떤 곳에 서려있는 기운을 살펴 사
　　악(邪惡)한 물건 따위를 찾아 없애는 것.

"자교 마땅하시나, 요신잡귀(妖神雜鬼) 접함은 태란 같은 천인의 무식지인(無識之人)이요, 당당한 정인숙녀(正人淑女)에게는 접하지 않을 바이오니, 양소부 비록 소년 여자나, 남다른 정기(精氣)거늘, 요사(妖邪)를 족히 제어하리니, 분산을 염려하올 바 아니라. 제 고모(姑母) 침소에서 분산케 하소서."

태부인이 구태여 우기지 않았더니, 양평장 부인이 이말을 듣고 크게 염려하여 여아를 침소에 옮겨 분산(分産)을 시키면, 자기 임시(臨時)하여 구할 바를 진부인께 서봉(書封)으로 통하니, 부인이 마지못하여 양씨를 옮기되, 시녀 양낭 중 근신한 무리 십여인을 명하여, 주야 소저를 지켜 혹 생이 이르거든 즉시 고하라 하니, 양씨 소원(所願)에 불가하나, 존명을 감히 역(逆)지 못하여 침소로 옮되, 금후는 알지 못하더라.

최길용

문학박사
전북대학교 겸임교수
전북대학교 인문학연구소 전임연구원

● 논 문
〈연작형고소설연구〉외 50여편

● 저 서
『조선조연작소설연구』 등 13종

현대어본 명주보월빙 8

초판 인쇄   2014년 4월 20일
초판 발행   2014년 4월 30일

역   주| 최길용
펴 낸 이| 하운근
펴 낸 곳| 學古房

주   소| 서울시 은평구 대조동 213-5 우편번호 122-843
전   화| (02)353-9907   편집부(02)353-9908
팩   스| (02)386-8308
홈페이지| http://hakgobang.co.kr/
전자우편| hakgobang@naver.com,   hakgobang@chol.com
등록번호| 제311-1994-000001호

ISBN   978-89-6071-391-8   94810
         978-89-6071-383-3   (세트)

값 : 17,000원

이 도서의 국립중앙도서관 출판시도서목록(CIP)은 서지정보유통지원시스템 홈페이지
(http://seoji.nl.go.kr)와 국가자료공동목록시스템(http://www.nl.go.kr/kolisnet)에서 이용하실 수
있습니다.(CIP제어번호: CIP2014014239)

■ 파본은 교환해 드립니다.